Learning French

A Rendezvous with French-Speaking Cultures

Ann Williams, Ph.D.

THE
GREAT
COURSES®

PUBLISHED BY:

THE GREAT COURSES
Corporate Headquarters
4840 Westfields Boulevard, Suite 500
Chantilly, Virginia 20151-2299
Phone: 1-800-832-2412
Fax: 703-378-3819
www.thegreatcourses.com

ANN WILLIAMS, PH.D.

PROFESSOR OF FRENCH

METROPOLITAN STATE UNIVERSITY OF DENVER

Ann Williams is a Professor of French at the Metropolitan State University of Denver, where she teaches courses in language, literature, and culture. She earned her Ph.D. from Northwestern University and earned a Diplôme d'études approfondies from the Université Lyon 2. In May 2016, Professor Williams was named Chevalier dans l'ordre des Palmes académiques by the French Ministère de l'Éducation nationale. She received the 2013 U.S. Professor of the Year Award for baccalaureate colleges from the Council for Advancement of Support and Education and the Carnegie Foundation for the Advancement of Teaching.

Professor Williams has coauthored four college-level French textbooks. She regularly presents conference papers and writes on contemporary France and the teaching of French. Professor Williams has been involved professionally with the Educational Testing Service, including work as a test developer. Throughout her career, she has received several awards from her university and from foreign-language professional organizations. Since 1990, Professor Williams has been an actor with L'Alliance & Co., a French-language theater company in Denver.

Professor Williams is an energetic supporter of foreign-language learning and international studies, often using her own trajectory to show students how they can benefit from the experience provided through contact with languages and cultures that are different from their own. In her teaching and research, she focuses on life skills gained through language study: intercultural communication, collaboration, critical thinking, and flexibility. ■

TABLE OF CONTENTS

INTRODUCTION

LECTURE GUIDES

SUPPLEMENTARY MATERIAL

STYLE NOTES

This workbook uses the following style conventions:

◇ If a French word or phrase occurs in an otherwise English sentence, it will be bolded. For example: To talk about what day it is today, use **nous sommes** or **c'est** plus the day.

◇ For ease of reading, slashes will typically be preceded and followed by a space.

◇ In some French sentences, English translations of French words and phrases will appear in brackets if a French word or phrase is new.

◇ The style for capitalizing French headings, titles, and subheadings is to capitalize the initial letter and lowercase everything else (unless it's a proper noun). If the text begins with an article, like **Le / La / L'** or **Un / Une**, the following word is also capitalized.

◇ In all-French phrases and sentences, this book will have an extra space after and / or before question marks, exclamation points, colons, semicolons, and quotation marks. Hybrid French-English sentences and phrases will typically use English punctuation rules.

*This **Cahier d'exercices** was written by*

Christian Roche
and
Ann Williams

LEARNING FRENCH
A RENDEZVOUS WITH
FRENCH-SPEAKING CULTURES

Learning French can be a great adventure. Perhaps you're encountering French for the first time or perhaps you've studied it in the past; in either case, learning French will allow you to join over 200 million people from around the world who use it every day. French can give you new ways of looking at the world and allow you to engage with cultures where French is spoken. And French has a bright future: It's projected that 750 million people will be speaking French by 2050.

Whether you're interested in the cultural richness of French-speaking countries or are more focused on practical preparation for a trip, this course will help you on your way. You'll learn about peoples, places, daily life, arts, travel, and history. And you'll learn to use French in a variety of ways. There is no perfect method that leads to fluency for everybody, but this course will give you tools for working with the language. You'll get experience in listening, reading, writing, and even speaking French.

Over the course of 30 lectures, you'll learn how to pronounce the sounds of French, and you'll use those sounds in hundreds of useful expressions. You'll learn to express yourself in the present, past, and future tenses, and you'll be able to make requests and offer suggestions. You'll practice asking and answering questions. You'll be able to formulate hypotheses in French, describe things and people, and express your opinions. This involves using grammar, but not grammar for grammar's sake. Rather, it's a tool to accomplish communicative tasks.

Thirty 15-minute Language Lab audio sessions reinforce new vocabulary and help you practice French pronunciation. You can also practice reading and writing in this **Cahier d'exercices**, which includes lecture summaries, grammar and verb reviews, and reading comprehension and vocabulary exercises.

Language learning is a continuous process, and this course is designed with that in mind. Each lecture builds on those that came before. If you happen to find something a bit challenging, rest assured that you'll see it again and have another chance to work on it. You don't need to get tangled up in the intricacies of grammar.

You'll recycle every structure in different contexts to reinforce what you have learned, even as you're learning new material. If you are patient and trust the language-learning process, you can also enjoy the lectures for their cultural content. You can think through cultural information and revel in beautiful images of the French-speaking world without worry.

Each lecture is organized around a cultural theme that puts grammar and vocabulary into a context from the outset. Lectures also use various French-speaking countries to illustrate the themes. To understand French people, or Senegalese people, or Moroccans, or Quebecers, you need to understand some of their cultural practices and to know about values that help them to define who they are. Throughout this course, you'll decode cultural cues and learn to work with them as you speak the language. All of this will get easier and easier as you progress through the course. Plus, you'll be able to pause and replay each video lecture—or move on and come back.

This is not "survival French" or "French for travelers." It's French for someone who imagines an authentic contact with language and culture—someone who knows that this contact comes slowly. The course's goal is that ultimately you'll read a French book, see a Senegalese film, try a Moroccan dish, or listen to a singer from Quebec and see how connected you've become.

GRAMMAR REVIEW AND ACTIVITIES

This section of the **Cahier d'exercices** contains two parts.

First, you'll see a brief grammar review section. **Révision de grammaire** will be limited to a few key points that will help you do the activities that follow it. You may find that you need a French grammar book to go beyond the scope of this short review.

Following the review, the section entitled **Activités** will provide several kinds of language practice:

1   You'll have the opportunity to review vocabulary and expressions you heard and saw in each lecture.

2   You'll recycle material from previous lectures when appropriate.

3   You'll practice using the structures from each lecture.

4   You'll practice using key vocabulary in a variety of contexts.

5   You'll develop your reading and writing skills.

WELCOME TO THE FRENCH-SPEAKING WORLD

This lecture introduces subject pronouns, verb forms, and useful expressions. Subject pronouns help you refer to different people, while verbs are the building blocks of French sentences. Verbs come in three different tenses: past, present, and future. The present tense is the subject of this lecture's material on verbs.

RÉVISION DE GRAMMAIRE

I. Les Pronoms sujets / Subject Pronouns

SINGULAR	PLURAL
je [I]	nous [we]
tu [you (informal)]	vous [you (formal)]
il [he or it] / elle [she or it] / on [one]	ils [they (masculine)] / elles [they (feminine)]

◇ **Je** contracts to **j'** when followed by a vowel.

◇ **Tu**, the familiar "you," demonstrates informality. It indicates closeness and is used among friends and family and with children.

◇ **Il** is "he" (when referring to a person) or it (when referring to a masculine noun / object). **Elle** is "she" (when referring to a person) or it (when referring to a feminine noun / object). **On** is the indefinite subject pronoun (literally, "one"). **On** can also be used to mean "we," "they," "you," or people in general. **Tout le monde** means "everyone."

◇ You'll use **vous** when speaking to a person you don't know well or anyone to whom you want to show respect. **Vous** is also "you" in the plural. It keeps you from having to say "you all" when you are addressing a group of people.

◇ **Ils** is "they" for masculine people and nouns. **Elles** is "they" for feminine people and nouns. Use **ils** even if there is only one masculine element in the group.

II. Les Verbes / Verbs

◇ Verbs in French are composed of a stem and endings. For now, focus on the endings that are associated with each subject pronoun. Getting used to the idea of stems + endings will make French verbs easier to learn. Verb tenses will help you to talk about the present, the past, and the future. In Lecture 1, you will learn the present tense.

◇ A French verb in the present tense can be translated in three ways, depending on the context. **Je parle français** can mean:

I speak French.

I do speak French.

I am speaking French.

III. Les Formes des verbes / Verb Forms

◇ Some verbs are called regular **-er** verbs. **Parler** is a regular **-er** verb. Many verbs in French follow this pattern.

PARLER · TO SPEAK, TO TALK

je parle	nous parlons
tu parles	vous parlez
il / elle / on / tout le monde parle	ils / elles parlent

◈ Some verbs in French do not follow a regular pattern. These are presented as irregular verbs. Here's an example using **être**, "to be."

ÊTRE · TO BE

je suis	nous sommes
tu es	vous êtes
il / elle / on / tout le monde est	ils / elles sont

ACTIVITÉS

A. Les Pronoms sujets / Subject Pronouns

Fill in the blanks with one or more of the subject pronouns from the list.

je, elle, il, on (same verb ending) / tu / nous / vous / elles, ils (same verb ending)

1 _____ parlons anglais à Denver.

2 _____ parlent français à Casablanca.

3 _____ parles anglais à Boston.

4 _____ parlez français à Paris.

5 _____ parle anglais.

6 _____ suis américain.

7 _____ sommes américains.

8 _____ êtes canadiens.

9 _____ est canadienne.

10 _____ es américaine.

11 _____ sont français.

B. La Politesse / Politeness

Fill in the blanks with a word or expression from the list.

Je m'appelle / Bonjour / aimez / Au revoir / professeure de français / Monsieur / Excusez / Enchantée

Ann: Bonjour, ¹_____.

Pierre: ²_____, Madame.

Ann: Je m'appelle Anne, et vous ? [what about you?]

Pierre: Je m'appelle Pierre.

Ann: ³_____.

Pierre: Je suis professeur d'anglais, et vous ?

Ann: Je suis ⁴_____.

Ann: Vous ⁵_____ le café ?

Pierre: J'adore le café !

Ann regarde sa montre [looks at her watch].

Ann: Oh, **6**_____-moi. J'ai une classe dans 5 minutes ! [I have a class in 5 minutes!]

Pierre: Je comprends. **7**_____ , Madame.

Ann: Au revoir, **8**_____ .

C. Vocabulaire / Vocabulary

Match the elements in the right-hand column with the appropriate words in the left.

1	Hello	(a)	Monsieur	3
2	Ma'am	(b)	Bonjour	1
3	Sir	(c)	Madame	2
4	Good-bye	(d)	Enchanté(e)	5
5	Nice to meet you	(e)	Au revoir	4

D. Des expressions utiles / Useful Expressions

Match the elements in the right-hand column with the appropriate words in the left.

1	one year	(a)	de français	5
2	a coffee	(b)	une université	3
3	a university	(c)	un an	1
4	a professor	(d)	un étudiant	6
5	of French	(e)	un café	2
6	a student	(f)	un professeur	4

E. Des phrases complètes / Complete Sentences

Choose the correct element to complete the sentence.

1 Ann travaille {(a) *à Denver* (b) *à Paris* (c) *à Dakar*}.

2 Elle {(a) *suis* (b) *sommes* (c) *est*} professeure de français.

3 Elle {(a) *parle* (b) *adore* (c) *est*} le café.

4 Christian {(a) *parlent* (b) *parles* (c) *parle*} français.

5 Ann et Christian {(a) *parlent* (b) *parlons* (c) *parlez*} français et anglais.

6 Vous {(a) *êtes* (b) *être* (c) *est*} dans une classe de français virtuelle.

F. Questions et réponses / Questions and Answers

Look at the photos and write answers to the questions in French.

1 Madame de Sévigné ? Elle est française ou américaine ?

_____

2 Elle est française ou américaine ?

_____

BONNE RÉPONSES

A. Les Pronoms sujets / Subject Pronouns

1 Nous   **2** Ils / Elles   **3** Tu   **4** Vous   **5** Je / Il / Elle
6 Je   **7** Nous   **8** Vous   **9** Elle   **10** Tu   **11** Ils

B. La Politesse / Politeness

1 Monsieur   **2** Bonjour   **3** Enchantée   **4** professeure de français
5 aimez   **6** excusez   **7** Au revoir   **8** Monsieur

C. Vocabulaire / Vocabulary

1 (b) Bonjour   **2** (c) Madame   **3** (a) Monsieur   **4** (e) Au revoir   **5** (d) Enchanté(e)

D. Des expressions utiles / Useful Expressions

1 (c) un an   **2** (e) un café   **3** (b) une université   **4** (f) un professeur
5 (a) de français   **6** (d) un étudiant

E. Des phrases complètes / Complete Sentences

1 (a) à Denver   **2** (c) est   **3** (b) adore   **4** (c) parle   **5** (a) parlent   **6** (a) êtes

F. Questions et réponses / Questions and Answers

1   Elle est française.

2   Elle est française et américaine.

ICI, ON PARLE FRANÇAIS: FRENCH IS SPOKEN HERE

This lecture is particularly rich in grammar and vocabulary. The goal is to give you several tools to interact with the language as quickly as possible. It is best to do the following material and activities over several sessions. Don't try to absorb it all at once. It will come in time. The same material will be recycled in subsequent sections of the **Cahier d'exercices**.

RÉVISION DE GRAMMAIRE

I. Le Genre des noms / The Gender of Nouns

◊ In French, all nouns are either masculine or feminine. The grammatical gender of a noun reflects an essential feature of that noun only when one is talking about people or animals.

◊ There are some patterns that can help you. For example, most nouns ending in **-ion** are feminine and most ending in **-ment** are masculine. But when you learn new words, this course recommends that you learn them with the indefinite article, sometimes translated as "a."

II. Les Articles indefinis et définis / Indefinite and Definite Articles

◈ In French, you will almost always need an article or other modifier with each noun you use.

◈ **Un** is the masculine indefinite article.

◈ **Une** is the feminine indefinite article.

◈ **Des** is the plural for both.

◈ **Le**, **la**, and **les** are the definite articles in French, signaling masculine, feminine, and plural, respectively. Sometimes these are translated as "the," but in English the article is not always needed. **Le** and **la** become **l'** before a vowel and most words beginning with the letter h.

◈ As an example, "I like France" translates to "J'aime la France."

III. Les langues, nationalités et adjectifs de nationalité / Languages, Nationalities, and Adjectives of Nationality

◈ In French, capitalize the names of countries. Also capitalize nouns of nationality. Here are two examples:

> J'aime le Maroc.

> Mohamed? C'est un Marocain.

◈ Don't, however, capitalize adjectives of nationality:

> Mohamed? Il est marocain. Il aime les livres marocains.
> *Mohamed? He's Moroccan. He likes Moroccan books.*

◈ And finally, don't capitalize languages:

> Nous parlons français.

IV. Introduction à « C'est » / « Ce Sont » et « Il y a » / Introduction to "C'est" / "Ce sont" and "Il y a"

◊ **C'est** (it is, he is, she is) and **ce sont** (they are) are used to talk about people and things. For now, just use them when you want to identify or define something:

C'est une table.

Ann? C'est une prof.

C'est une prof d'anglais? Non, c'est une prof de français.

◊ **Il y a** is used to say "there is" or "there are." It's for describing:

Sur la table, il y a des livres.

V. Les Verbes / Verbs

◊ Lecture 2 introduces the present tense of regular **-er** verbs. They are conjugated like **parler** from Lecture 1. You will see a list of **-er** verbs in the Language Lab. Here is an example of how they are conjugated:

CHERCHER · TO LOOK FOR

je cherche	nous cherchons
tu cherches	vous cherchez
il / elle / on cherche	ils / elles cherchent

Je cherche un restaurant. [I am looking for a restaurant.]

◊ Note that "for" is included in the verb itself.

Verbs Used with an Infinitive

◈ If you conjugate a verb like **aimer**, **détester**, or **adorer** and add an infinitive, you express things you like to do and don't like to do:

> J'aime parler français.

> Je déteste travailler.

> J'adore visiter le Sénégal.

VI. La Négation / Negation

Making a Verb Negative

◈ To make a sentence with one verb negative, put **ne** and **pas** around the conjugated verb.

> Je ne parle pas japonais.

◈ To make a sentence with a verb + infinitive negative, put the **ne** and the **pas** around the conjugated verb and then add the infinitive.

> Nous n'aimons pas parler anglais.

Articles in Negative Sentences

◈ In negative sentences, definite articles do not change.

> J'aime les restaurants américains, mais je n'aime pas les restaurants fast-food.

◈ The article stays the same: **les**. In the above example, the restaurants are there; this speaker doesn't like one kind. Here's another example:

> Nous aimons le Luxembourg. Mais nous ne visitons pas le Luxembourg.

◇ Indefinite articles often do change. With **il y a** and many more expressions, **un**, **une**, and **des** become **de** or **d'** in the negative.

       Sur la table, il y a des livres, une carte et un téléphone. Il n'y a pas de fleurs.

◇ However, with **c'est un**, **c'est une**, and **ce sont des**, the article remains the same. One way to remember is that the thing exists. You're negating its definition.

       C'est un livre. Ce n'est pas un crocodile.

       Ce sont des Français. Ce ne sont pas des Américains.

ACTIVITÉS

A. Chez Juliette et Marc / At Juliette and Marc's

Use the indications in parentheses (m. = masculine, f. = feminine, m. pl. = masculine plural, and f. pl. = feminine plural) to complete this description of some items in Juliette and Marc's apartment and some people in their lives. Use the indefinite articles **un**, **une**, or **des**.

Juliette et Marc, ¹_____ amis de Christian, habitent dans ²_____

appartement (m.) à Paris. Sur ³_____ table (f.), il y a ⁴_____ livres,

(m. pl.) ⁵_____ fleurs (f. pl) et ⁶_____ portable (m.). Elle adore

parler avec ⁷_____ amis (m. pl.) français et américains. ⁸_____ amie

américaine de Juliette s'appelle Ann. Oui, c'est moi !

B. Chez Juliette et Marc / At Juliette and Marc's

Now give the definite articles needed for the items and people mentioned in section A.

1 des : _____   5 des : _____

2 un : _____   6 un : _____

3 une : _____   7 des : _____

4 des : _____   8 une : _____

C. Qu'est-ce qu'il n'y a pas chez Marc et Juliette ? / What Isn't at Marc and Juliette's?

Give a negative answer to the questions. Follow the model.

Modèle : Il y a une télévision ?

Non, il n'y a pas de télévision.

1 Il y a un crocodile ?

_____

2 Il y a des vidéocassettes ?

_____

3 Il y a une photo du président français ?

_____

D. Visites et conversations / Visits and Conversations

Select the correct verb to form a logical sentence.

1 Je {(a) *parle* (b) *travaille* (c) *décide*} français au Maroc.

2 Nous {(a) *invitons* (b) *parlons* (c) *visitons*} le Sénégal.

3 Les touristes américains {(a) *travaillent* (b) *cherchent* (c) *parlent*} la Tour Eiffel.

4 Vous {(a) *écoutez* (b) *travaillez* (c) *parlez*} la musique française.

5 Tu {(a) *trouves* (b) *habites* (c) *penses*} en France ?

6 Tout le monde {(a) *parle* (b) *pense* (c) *regarde*} les monuments historiques.

E. Ici, on parle français / French Is Spoken Here

Think about some of the cultural and linguistic questions raised in Lecture 2 by filling in the blank with the appropropriate form of the verb in braces. New terms will have translations in square brackets.

Le Maroc, la Tunisie et l'Algérie [1]_____ {*être*} trois pays intéressants.

On [2]_____ {*parler*} français, arabe et les langues berbères.

Les touristes [3]_____ {*visiter*} le Maroc avec plaisir !

Ils [4]_____ {*trouver*} les Marocains très sympas [very nice]. Et vous ?

Vous [5]_____ {*chercher*} un pays pour un voyage fantastique ?

Je [6]_____ {*penser*} que le Maroc [7]_____ {*être*} super !

Mon mari [husband] et moi, nous [8]_____ {*étudier*} l'arabe marocain

mais c' [9]_____ {*être*} difficile.

F. Des activités intéressantes / Interesting Activities

Use the correct form of **aimer** or **détester** + the infinitive of the verb to explain what these travelers like and don't like to do. Use the icon as your clue.

1 Denise _____ visiter Paris ☺

2 Tu _____ parler anglais ☹

3 Paola et Francesco _____ regarder des livres. ☺

4 Nous _____ étudier le français. ☹

5 Je _____ travailler. ☹

6 Vous _____ écouter la professeure de français ? ☺

G. Des activités intéressantes ? / Interesting activities?

Use the correct form of the verb in the negative to explain what these people don't do. Please follow the model.

Modèle : Les étudiants paresseux [lazy] {*regarder*} le Cahier d'exercices.

Les étudiants paresseux <u>ne regardent pas</u> le Cahier d'exercices.

1 Christian et Lucie {*visiter*} Paris.

_____

2 Tu {*parler*} anglais en France.

_____

3 Nous {*étudier*} le japonais

_____

4 Je {*travailler*}.

_____

5 Vous {*écouter*} la professeure de français ?

_____

H. J'aime / Je n'aime pas

Say what these people don't like to do. Follow the model.

> **Modèle** : Virginie {*aimer*} écouter la musique rap.
>
> Virginie <u>n'aime pas</u> écouter la musique rap.

1 Catherine et Paul {*aimer*} visiter les monuments.

_____

2 Je {*aimer*} penser à mes [my] responsabilités.

_____

3 Nous {*aimer*} visiter les monuments touristiques.

_____

4   Vous {*aimer*} habiter à Paris ?

_____

I. Les Chiffres / Numbers

Write the Arabic numeral (0, 1, 2, etc.) to the right of each word.

1   zéro _____   six _____   trois _____   un _____

2   cinq _____   huit _____   neuf _____   dix _____

3   vingt _____   quarante _____   quatre-vingt-dix _____   cinquante _____

4   soixante-dix _____   soixante _____   quatre-vingts _____   cent _____

5   treize _____   onze _____   dix-huit _____   seize _____

6   douze _____   quatorze _____   dix-sept _____   quinze _____

J. Des touristes et des souvenirs / Tourists and Souvenirs

Use the answers to help you choose the correct question: « Qui-est ? » or « Qu'est-ce que c'est ? »

1   C'est un souvenir du Maroc.

2   Ce sont David et Samuel.

3   C'est une amie de David.

4   C'est un dinosaure.

BONNES RÉPONSES

A. Chez Juliette et Marc / At Juliette and Marc's

1 des **2** un **3** une **4** des **5** des **6** un **7** des **8** une

---

B. Chez Juliette et Marc / At Juliette and Marc's

1 les **2** le **3** la **4** les **5** les **6** le **7** les **8** la

---

C. Qu'est-ce qu'il n'y a pas chez Marc et Juliette ?
/ What Isn't at Marc and Juliette's?

1   Il n'y a pas de crocodile.

2   Il n'y a pas de vidéocassettes.

3   Il n'y a pas de photo du président français.

D. Visites et conversations / Visits and Conversations

1 (a) parle   **2** (c) visitons   **3** (b) cherchent   **4** (a) écoutez   **5** (b) habites
6 (c) regarde

E. Ici, on parle français / French Is Spoken Here

1 sont   **2** parle   **3** visitent   **4** trouvent   **5** cherchez   **6** pense   **7** est
8 étudions   **9** est

F. Des activités intéressantes / Interesting Activities

1 aime   **2** détestes   **3** aiment   **4** aimons   **5** déteste   **6** aimez

G. Des activités intéressantes ? / Interesting activities?

1 ne visitent pas **2** ne parles pas **3** n'étudions pas **4** ne travaille pas **5** n'écoutez pas

H. J'aime / Je n'aime pas

1 Catherine et Paul n'aiment pas visiter les monuments.

2 Je n'aime pas penser à mes responsabilités.

3 Nous n'aimons pas visiter les monuments touristiques.

4 Vous n'aimez pas habiter à Paris ?

I. Les Chiffres / Numbers

1 0 6 3 1

2 5 8 9 10

3 20 40 90 50

4 70 60 80 100

5 13 11 18 16

6 12 14 17 15

J. Des touristes et des souvenirs / Tourists and Souvenirs

1 Qu'est-ce que c'est ?

2 Qui est-ce ?

3 Qui est-ce ?

4 Qu'est-ce que c'est ?

FRENCH AROUND THE WORLD

Like the previous lecture, Lecture 3 is particularly rich in grammar and vocabulary. The goal is to give you several tools to interact with the language as quickly as possible. It is best to do the following material and activities over several sessions.

RÉVISION DE GRAMMAIRE

I. Adjectifs : l'accord en genre et en nombre / Adjectives: Agreement in Gender and Number

◊ Adjectives describe nouns and pronouns. In French, adjectives agree in gender and number with the nouns they modify. Adjectives of color work like this as well. Sometimes the two forms are the same, but in many cases there will be a spelling change and / or a change in pronunciation.

Christian est un homme intéressant.

J'ai une photo intéressante.

◈ Masculine and feminine plurals follow the same pattern.

> Christian et James sont des hommes intelligents.

> Carolyn et Frieda sont des femmes intelligentes.

◈ Most French textbooks and dictionaries present the masculine form of French as a starting point for learning the other forms. Adjectives in Lecture 3 that sound and are spelled the same in the masculine and feminine forms include **jeune** [young] and **magnifique** [magnificent].

◈ You simply add an **-s** to these adjectives to form the plural.

◈ Adjectives in Lecture 3 that have masculine and feminine forms that sound alike but are spelled differently include:

MASCULINE	FEMININE	TRANSLATION
fatigué	fatiguée	tired
joli	jolie	pretty, nice looking

◈ You also add an **-s** to these adjectives to form the plural.

◈ Adjectives in Lecture 3 for which the masculine and feminine forms are spelled differently and pronounced differently include:

MASCULINE	FEMININE	TRANSLATION
amusant	amusante	funny, amusing
bon	bonne	good
heureux	heureuse	happy
mauvais	mauvaise	bad
petit	petite	small
sportif	sportive	athletic

◈ Add an **-s** to these adjectives to form the plural except when the adjective ends in **-s** or in **-x**.

◈ Note that there are several different patterns in the transformation of the preceding adjectives. A standard French grammar book or website will help you with these distinctions when you decide to expand your vocabulary.

◈ Irregular adjectives in Lecture 3 include:

MASCULINE SINGULAR	MASCULINE SINGULAR BEFORE VOWEL	FEMININE SINGULAR	TRANSLATION
beau	bel	belle	handsome, beautiful
nouveau	nouvel	nouvelle	new
vieux	vieil	vieille	old

◈ In the plural, these become:

MASCULINE PLURAL	FEMININE PLURAL
beaux	belles
nouveaux	nouvelles
vieux	vieilles

II. La Place des adjectifs / Adjective Placement

◈ In this lecture you see three ways of placing adjectives.

◇ In a sentence with **être** the structure is like English.

Le danseur est bon.

La danseuse est bonne.

◊ In more complex sentences, most adjectives come after the noun that they modify.

> Yacine est une femme heureuse.

◊ Some adjectives precede the noun they modify. Such adjectives include **autre**, **joli**, **beau**, **bon**, **mauvais**, **nouveau**, **vieux**, **grand**, and **petit**. Here are a few examples from Lecture 3:

> Serigne est un bel homme.

> Le danseur est un beau jeune homme.

> J'ai une petite statuette.

> J'ai un grand batik.

III. Les Adjectifs démonstratifs / Demonstrative Adjectives

◊ Demonstrative adjectives allow you to point to a particular noun. *This* and *these* are common translations. These adjectives agree in gender and number with the nouns they modify.

◊ Masculine singular before a consonant: Ce livre est intéressant.

◊ Masculine singular before a vowel or mute h: Cet homme est intelligent.

◊ Feminine singular before a consonant or vowel: Cette femme travaille à Sobo Badè. Cette artiste s'applle Marie.

◊ Masculine and feminine plurals: Ces hommes et ces femmes sont dynamiques.

IV. « C'est » versus « il / elle est »

◊ **C'est** provides a definition. You will need to use **c'est** anytime you need an article. This will occur in the following cases:

C'est un livre.	article + noun
C'est un bon livre.	article + adjective + noun
C'est un livre intéressant.	article + noun + adjective
C'est Christian. / C'est Paris.	a proper noun

◊ Use **il est** and **elle est** to describe. Description words include adjectives, professions, political associations, and religions. **Il est** and **elle est** also let you tell where things and people are found.

Christian? Il est heureux.

Carolyn? Elle est professeur. Elle est américaine. Elle est en Suisse.

◊ The plurals, **ce sont** and **ils sont / elles sont**, follow the same rules.

Ces livres? Ils sont intéressants. Ce sont des livres fantastiques.

V. Les Verbes / Verbs

◊ This lecture introduces the present tense of the irregular verb **avoir**.

AVOIR · TO HAVE

j'ai	nous avons
tu as	vous avez
il / elle / on a	ils / elles ont

Avoir and Idiomatic Expressions

◈ An idiomatic expression is a phrase that cannot be translated word-for-word from one language to the other. In English, the phrase "You *are* hungry" works. In French, you literally *have* hunger.

◈ Here are some idiomatic expressions with **avoir**.

avoir chaud	to be warm / hot
avoir froid	to be cold
avoir faim	to be hungry
avoir soif	to be thirsty

◈ These two expressions can be followed by either a noun or an infinitive.

avoir peur de	to be afraid of
avoir besoin de	to need (to have need of)

◈ Here are some example sentences:

J'ai peur de parler en public.

J'ai peur des serpents.

Vous avez besoin de parler français.

J'ai besoin d'un café.

◈ In French, you also talk about your age with **avoir**.

J'ai 59 ans. Quel âge avez-vous?

◈ You also talk about hair and eyes with **avoir**.

J'ai les cheveux gris et courts et les yeux bleus.

ACTIVITÉS

A. Les Descriptions / Descriptions

Select the correct adjective to form a logical sentence.

1 Sobo Badè est un {(a) *nouvel* (b) *bel* (c) *bon*} endroit. Oui, c'est beau.

2 Tous (all) les artistes sont {(a) *jolis* (b) *grands* (c) *créatifs*}. J'adore la créativité de ces artistes.

3 La visite de Sobo Badè est {(a) *intéressante* (b) *heureuse* (c) *active*}. Ce n'est pas ennuyeux.

4 Le Sénégal est {(a) *petit* (b) *francophone* (c) *sérieux*}. On parle français !

5 À Sobo Badè, les visiteurs sont {(a) *mauvais* (b) *ridicules* (c) *heureux*}. Ils ne sont pas tristes.

6 Nous n'aimons pas les {(a) *nouveaux* (b) *mauvais* (c) *vieux*} livres. Nous aimons les bons livres !

B. Aminata, une amie sénégalaise / Aminata, a Senegalese Friend

Describe Aminata and her workplace using the adjectives in braces. Put the correct form of the adjective in the correct place in the sentence. Follow the model.

Modèle : Aminata habite dans une ville, Saint-Louis. {*grand, important*}

Aminata habite dans une grande ville importante, Saint-Louis.

1 Saint-Louis est une ville ? {*américain*}

_____

2 C'est une ville. {*grand, africain*}

_____

3 Aminata a un travail. {*nouveau, intéressant*}

_____

4 Elle travaille dans un restaurant. {*petit, excellent*}

_____

5 Il y a une vue sur la mer [the sea]. {*beau*}

_____

6 Les amis d'Aminata travaillent avec elle [with her]. {*bon*}

_____

7 Le restaurant a un chef de cuisine [chef]. {*professionnel*}

_____

8 Il prépare des spécialités. {*italien*}

_____

C. Aminata a des opinions fortes / Aminata Has Strong Opinions

Use the correct form of the demonstrative adjective to complete the sentences. (The options are **ce**, **cet**, **cette**, or **ces**.)

1 La statuette n'est pas jolie. Je n'aime pas _____ statuette.

2 _____ homme n'est pas dynamique. Il n'est pas sportif.

3 _____ livre est mauvais. Je déteste cet auteur.

4 _____ danseurs sont bons. Ils étudient la danse traditionnelle.

5 _____ jeune femme est professionnelle. Elle est médecin.

D. Quel est le problème ? / What's the Problem?

Use the correct form of the verb **avoir** to complete the questions. Then answer the question with **oui** or **non**.

1 Serigne _____ mal à la tête. Il est heureux ? _____

2 Yacine et Serigne _____ soif. Ils cherchent un hamburger ? _____

3 Vous _____ chaud. Vous êtes au Mexique en septembre ? _____

4 J' _____ dix ans. Je suis un professeur à l'université ? _____

5 Nous _____ peur. Nous regardons un film d'horreur ? _____

6 Tu _____ froid. Tu es en Alaska en décembre ? _____

E. Des artistes sérieux / Some Serious Artists

Complete the descriptions with **c'est**, **ce sont**, **il / elle est**, or **ils / elles sont**.

Monsieur Chenet? [1]_____ un homme important. Quand il ne voyage pas,

[2]_____ à Sobo Badè, près de Dakar. [3]_____ passionné par les arts et il

communique cette passion aux jeunes artistes.

Il y a deux jeunes Sénégalaises à Sobo Badè. [4]_____ musiciennes et [5]_____

des musiciennes excellentes. [6]_____ brillantes ! Pour Monsieur Chenet, la

jeune génération représente l'avenir [the future] de l'art sénégalais.

BONNES RÉPONSES

A. Les Descriptions / Descriptions

1 (b) bel   **2** (c) créatifs   **3** (a) intéressante   **4** (b) francophone   **5** (c) heureux
6 (b) mauvais

B. Aminata, une amie sénégalaise / Aminata, a Senegalese Friend

1   Saint-Louis est une ville américaine ?

2   C'est une grande ville africaine.

3   Aminata a un nouveau travail intéressant.

4   Elle travaille dans un petit restaurant excellent.

5 Il y a une belle vue sur la mer [the sea].

6 Les bons amis d'Aminata travaillent avec elle [with her].

7 Le restaurant a un chef de cuisine [chef] professionnel.

8 Il prépare des spécialités italiennes.

C. Aminata a des opinions fortes / Aminata Has Strong Opinions

1 cette   **2** Cet   **3** Ce   **4** Ces   **5** Cette

D. Quel est le problème ? / What's the Problem?

1 a / Non   **2** ont / Non   **3** avez / Oui   **4** ai / Non   **5** avons / Oui   **6** as / Oui

---

E. Des Artistes sérieux / Some Serious Artists

1 C'est   **2** il est   **3** Il est   **4** Elles sont   **5** ce sont   **6** Elles sont

FRANCOPHONE TOWNS AND VILLAGES

This lecture covers prepositions, some new verbs, and ways to ask questions, with a focus on talking about places in French.

RÉVISION DE GRAMMAIRE

I. Les prépositions / Prepositions

◇ The key prepositions in French are **à** (often indicating to or at) and **de** (often indicating about, for example, **parler de Denver**). They can be used alone: **J'habite à Denver. Je suis de Denver.**) They can be used with the article that corresponds to a noun. They follow this pattern when used with a definite article:

À

à + la = à la	Je vais à la place Saint-Michel.
à = le = au	Je vais au Poste de Police.
à + les = aux	Je vais aux expositions d'art.
à + l' = à l'	Je vais à l'hôtel.

DE

de + la = de la	Je parle de la place Saint-Michel.
de + le = du	Je parle du Poste de Police.
de + les = des	Je parle des expositions d'art.
de + l' = de l'	Je parle de l'hôtel.

◊ Prepositions also help you to situate people, places, and things in relation to each other. Here are a few examples:

devant	in front of
derrière	behind
à côté de	next to
sur	on
sous	under
dans	in
entre	between

II. Les Verbes / Verbs

◊ In Lecture 4, you are learning the present tense of the irregular verb **aller**.

ALLER • TO GO / TO BE GOING (TO DO SOMETHING)

je vais	nous allons
tu vas	vous allez
il / elle / on va	ils / elles vont

◊ You need to go "to" somewhere, and **à** is often used. Other prepositions work as well, of course.

> Nous allons à la boulangerie.

> Le touriste fatigué va à l'hôtel.

◊ **Aller** + the infinitive of other verbs means that the subject is going to do something. To put a sentence with aller + the infinitive into the negative, put **ne … pas** around the conjugated verb **aller**.

> Je vais chercher une baguette.

> Paul ne va pas travailler à Casablanca.

III. Les question avec « est-ce que » / Questions Using "est-ce que"

◊ You can ask yes / no questions using intonation. You can also ask questions using the construction **est-ce que** + a declarative sentence. Using **est-ce que** tells your listener clearly that what is about to come is a question. It will also be needed in order to ask many information questions, as you'll see in the next grammar review, below.

> Est-ce qu'il y a un crocodile dans la boulangerie?

> Non, il y a pas de crocodile dans la boulangerie.

IV. Demander de l'information / Requesting Information

◊ In order to ask information questions—where, when, and why, for example—you'll often need to use **est-ce que**.

◊ Here are interrogative expressions you'll need.

quand [when]	Quand est-ce que vous allez au bureau de poste ?
où [where]	Où est-ce que je vais trouver une bonne baguette ?
pourquoi [why]	Pourquoi est-ce que vous étudiez le français ?
comment [how]	Comment est-ce que je vais de la place Saint-Michel au Louvre ?
combien de [how many]	Combien d'amis marocains est-ce que nous avons ?

◊ To answer a **pourquoi** question, use **parce que** [because].

Pourquoi est-ce que vous étudiez le français ?

Parce que c'est une belle langue magnifique !

ACTIVITÉS

A. Les Magasins et les boutiques / Shops and Boutiques

Select the correct word to form a logical sentence.

1 J'ai soif ! Je vais {(a) *au cinéma* (b) *à la bibliothèque* (c) *au café*}.

2 Nous avons faim ! Nous allons {(a) *à l'Office de tourisme* (b) *à la poste* (c) *au restaurant*}.

3 Vous avez besoin de pain. Vous allez {(a) *à la boulangerie* (b) *à la Mosquée* (c) *au théâtre*}.

4 Nous allons {(a) *à l'Office de tourisme* (b) *au café* (c) *au musée du Louvre*} pour admirer les sculptures antiques.

5 Je vais chercher des timbres [stamps] {(a) *au poste de Police* (b) *à la poste* (c) *à la librairie*}.

6 Les catholiques prient [pray] {(a) *à la cathédrale* (b) *à la Mosquée* (c) *au café*}.

B. Des visites / Visits

Use the correct form of the verb **aller** to complete the questions. Then answer the question with **oui** or **non**.

1 Serigne a soif. Il _____ au café ? _____

2 Yacine et Serigne ont faim. Ils _____ dans un restaurant ? _____

3 Vous êtes fatiguée. Vous _____ à un grand concert tard le soir [late at night] ? _____

4 J'_____ cinq ans. Je _____ à un club pour danser ? _____

5 Nous avons besoin d'une baguette. Nous _____ à la librairie ? _____

6 Tu détestes le froid. Tu _____ en Arizona en décembre ? _____

C. Au Maroc / In Morocco

Fill in the first blank with the correct form of the verb **aller** and the second blank with the logical verb in the infinitive.

Modèle : Elles _____ _____ {*chercher / habiter*} le magasin de souvenirs.

Elles <u>vont</u> <u>chercher</u> le magasin de souvenirs.

1 Les musulmans _____ _____ {*habiter / visiter*} la Mosquée.

2 On _____ _____ {*parler / regarder*} Casablanca.

3 Nous _____ _____ {*écouter / voyager*} de la musique traditionnelle.

4 Vous _____ _____ {*être / parler*} arabe au Maroc ?

5 Ils _____ _____ {*regarder / avoir*} les artistes de Sobo Badè.

D. La Ville de Tanger / The City of Tangier

Add **est-ce que** to the following sentences to ask a yes / no question. Then answer the question. Do you remember some of the cultural information from Lecture 4?

1 La ville de Tanger est loin de l'Espagne ?

_____

2 La légation américaine est à Tanger ?

_____

3 Il y a des musées à Tanger ?

_____

4 Les touristes vont au Mercado central pour regarder un film ?

_____

E. J'aime les livres / I Like Books

Use the answer given to help you figure out the question that needs to be asked. The bolded words are the important part of the answer.

1 Je vais **à la librairie.**

_____

2 Je vais à la bibliothèque **demain.**

_____

3 Pour aller à la bibliothèque, on **tourne à droite devant la gare de Lyon.**

_____

4 J'ai **cinquante trois livres.**

_____

5 L'aime les livres **parce qu'ils sont intéressants.**

_____

BONNES RÉPONSES

A. Les Magasins et les boutiques / Shops and Boutiques

1 (c) au café   **2** (c) au restaurant   **3** (a) à la boulangerie   **4** (c) au musée du Louvre
5 (b) à la poste   **6** (a) à la cathédrale

B. Des visites / Visits

1 va / Oui   **2** vont / Oui   **3** allez / Non   **4** vais / Non   **5** allons / Non   **6** vas / Oui

C. Au Maroc / In Morocco

1   Les musulmans vont visiter la Mosquée.

2   On va regarder Casablanca.

3   Nous allons écouter de la musique traditionnelle.

4   Vous allez parler arabe au Maroc ?

5   Ils vont regarder les artistes de Sobo Badè.

D. La Ville de Tanger / The City of Tangier

1   Est-ce que la ville de Tanger est loin de l'Espagne ? Non.

2   Est-ce que la Légation américaine est à Tanger? Oui.

3   Est-ce qu'il y a des musées à Tanger ? Oui.

4   Est-ce les touristes vont au Mercado central pour regarder un film ? Non.

E. J'aime les livres / I Like Books

1   Où est-ce que vous allez ?

2   Quand est-ce que vous allez aller à la bibliothèque ?

3   Comment est-ce qu'on va à la bibliothèque ?

4   Combien de livres est-ce que vous avez ?

5   Pourquoi est-ce que vous aimez les livres ?

WEATHER, SEASONS, AND SOME GEOGRAPHY

This lecture covers how to talk about the weather and seasons in French. You'll also learn more about the interrogative adjective **quel** and work with some possessive adjectives.

RÉVISION DE GRAMMAIRE

I. Pour parler du temps / Talking about the Weather

◈ To talk about the weather, you often need the expression **il fait** + an expression of weather. Here's some useful vocabulary:

Il fait beau.
It's nice out. / The weather is nice.

Il fait chaud.
It's warm / hot out. / The weather is hot.

Il fait frais.
It's cool out. / The weather is cool.

Il fait froid.
It's cold. / The weather is cold.

II. Les Quatre saisons et les mois de l'année / The Four Seasons and the Months of the Year

FRENCH SEASONS

l'hiver (m.)	winter
le printemps	spring
l'été (m.)	summer
l'automne (m.)	fall

◊ All of the seasons are masculine. To talk about the season, use the definite article:

J'aime l'hiver.

C'est le printemps.

Je n'aime pas l'été.

L'automne à Aspen est magnifique.

◊ To say "in" + "the season," use this setup:

Nous sommes en hiver, au printemps, en été, en automne.

FRENCH MONTHS

janvier [January]	mai [May]	septembre [September]
février [February]	juin [June]	octobre [October]
mars [March]	juillet [July]	novembre [November]
avril [April]	août [August]	décembre [December]

◇ Notice that you do not capitalize the months of the year. To say "in" + the month we are in now, use this setup:

> Nous sommes en janvier.

III. L'Adjectif interrogatif « quel » / The Interrogative Adjective "quel"

◇ **Quel** is an interrogative adjective. It agrees in gender and number with whatever you're asking about. It appeared in the last lecture: **Quel âge avez-vous ?** means "How old are you?"

	SINGULIER	**PLURIEL**
MASCULIN	quel	quels
FÉMININ	quelle	quelles

◇ Example sentences:

> Quelles villes est-ce que vous aimez ?
> *What (which) cities do you like?*

> Quelle est la température ?
> *What's the temperature?*

> Quelle saison est-ce que vous préférez ?
> *What (which) season do you prefer?*

◇ You can also use **quel** + **être** + the noun:

> Quelle est la temperature?

IV. Les Adjectifs possessifs / Possessive Adjectives

◊ The form of the possessive adjective depends on two things: the gender of the noun it modifies and the number of the noun.

PRONOMS PERSONNELS	MASCULIN SINGULIER	FÉMININ SINGULIER*	PLURIEL
je	mon	ma	mes
tu	ton	ta	tes
il / elle	son	sa	ses
nous	notre	notre	nos
vous	votre	votre	vos
ils / elles	leur	leur	leurs

** If you have a feminine noun with a vowel or unaspirated h, use the masculine pronoun **mon**, **ton**, or **son**, as in **mon amie Sarah**.*

◊ **Le restaurant** is masculine. That leads to sentences like this:

Mon restaurant préféré s'appelle La Cave Gourmande.

◊ **Mon restaurant** picks up on that gender. The speaker can be a woman, but **le restaurant** is masculine. More examples:

Georges aime une ville. Sa ville préférée est Paris.

Mon amie Sarah aime ses voyages en Suisse.

V. Les Verbes

◊ Some verbs in French have stem changes. **Préférer** is one of these. Here is a chart to help you remember.

PRÉFÉRER • TO PREFER

je préf**è**re	nous préf**é**r**ons**
tu préf**è**r**es**	vous préf**é**r**ez**
il préf**è**re	ils préf**è**r**ent**

◊ **Préféfer** can be used like **aimer** + an infinitive to indicate what one prefers to to do. Other verbs conjugated like **préférer** include **célébrer** and **répéter**.

◊ A very useful irregular verb is the verb **faire**: to do, to make. There are several idiomatic expressions that also use **faire**.

FAIRE • TO DO, TO MAKE

je **fais**	nous **faisons**
tu **fais**	vous **faites**
il **fait**	ils **font**

◊ Idiomatic expressions that take **faire** include:

faire du shopping	to go shopping
faire une promenade	to take a walk
faire un voyage	to take a trip
faire du sport	to do sports, play a sport
faire la fête	to "party" or have party
faire la cuisine	to cook
faire le ménage	to clean house
faire la lessive	to wash clothes
faire la vaisselle	to wash dishes
faire les courses	to run errands

ACTIVITÉS

A. Les Quatre saisons et les mois de l'année / The Four Seasons and the Months of the Year

Select the correct word to form a logical sentence.

1 En {(a) *janvier* (b) *juillet* (c) *septembre*}, c'est l'automne.

2 En {(a) *août* (b) *octobre* (c) *décembre*}, c'est l'hiver.

3 En {(a) *avril* (b) *février* (c) *novembre*}, c'est le printemps.

4 En {(a) *août* (b) *novembre* (c) *mars*}, c'est l'été.

5 En janvier, c'est {(a) *l'hiver* (b) *l'automne* (c) *le printemps*}.

6 En mai, c'est {(a) *l'automne* (b) *l'été* (c) *le printemps*}.

B. La Culture quebécoise / Quebecois Culture

Use a form of **quel** to ask questions about the following. Follow the model, and add **est-ce que** when necessary.

> **Modèle** : On parle la langue française et la langue anglaise au Québec.
>
> _____ langues _____ on parle au Québec.
>
> Quelles langues est-ce qu'on parle au Québec?

1 J'aime les musiciens québecois francophones.

_____ musiciens québecois_____ vous aimez ?

2 Je vais visiter Montréal et Québec.

_____ villes québecoises _____ vous allez visiter ?

3 La date de La Fête de la Saint-Jean-Baptiste est le 24 juin.

_____ est la date de La Fête de la Saint-Jean-Baptiste ?

4 Le nom d'une boutique sympa à Québec est « Vêtements d'hiver ».

_____ est le nom d'une boutique sympa à Québec ?

5 Je préfère le mois de juin au Québec.

_____ mois _____ vous préférez ?

C. Possessions

Fill in the blank with the correct form of the suggested possessive adjective.

> **Modèle** : La ville est belle. Ils aiment _____ ville en été. {*their*}
>
> La ville est belle. Ils aiment <u>leur</u> ville en été.

1 Vous aimez la région de Nice ?

Oui, mais [but] nous préférons _____ région. {*our*}

2 Dans ce pays il fait beau.

Dans _____ pays il ne fait pas beau. {*my*}

3 Tu aimes les livres de ma collection?

Oui, _____ livres sont passionnants ! {*your*}

4 Le restaurant de Sylvie est grand ?

Non, _____ restaurant est petit. {*her*}

5 Tu aimes Eric?

Oui, mais je n'aime pas _____ amis. {*his*}

6 Est-ce que vous allez visiter mon château ?

Oui, je vais visiter _____ château. {*your*}

7 Qu'est-ce que tes amis aiment beaucoup ?

Mes amis aiment _____ enfants et _____ ville. {*their*}

D. Préférences

Indicate the following preferences by creating complete sentences with the elements provided. Follow the model.

Modèle : Est-ce que tu _____ faire le ménage ou la cuisine ? Je _____ faire la cuisine.

Est-ce que tu <u>préfères</u> faire le ménage ou la cuisine ? Je <u>préfère</u> faire la cuisine.

1 Est-ce que vous _____ faire du shopping ou faire les courses ?

Nous _____ faire du shopping.

2 Est-ce que ton ami _____ faire du sport ou faire un voyage ?

Il _____ faire un voyage.

3 Est-ce que tes amis _____ faire la lessive ou faire la fête ?

Ils _____ faire la fête !

E. Dans un petit restaurant / In a Little Restaurant

Put the correct form of the verb **faire** in the blank to complete the sentences.

1 Nabil _____ un café pour la cliente.

2 Les employés _____ la cuisine et la vaisselle.

3 Nous _____ du shopping dans le quartier avant de manger au restaurant.

4 Est-ce que vous _____ les courses pour votre ami Nabil ?

5 Non, je ne _____ pas les courses pour Nabil.

6 Son amie _____ les courses pour le restaurant dans le quartier de Montmartre.

7 Et toi ? Où est ce que tu _____ ton marché ? Je fais mon marché dans le quartier de Montmartre aussi.

BONNES RÉPONSES

A. Les Quatre saisons et les mois de l'année /
The Four Seasons and the Months of the Year

1 (c) septembre **2** (b) décembre **3** (a) avril **4** (a) août **5** (a) l'hiver
6 (c) le printemps

B. La Culture quebécoise / Quebecois Culture

1   Quels musiciens québecois est-ce que vous aimez ?

2   Quelles villes québecoises est-ce que vous allez visiter ?

3   Quelle est la date de La Fête de la Saint-Jean-Baptiste ?

4   Quel est le nom d'une boutique sympa à Québec?

5   Quel mois est-ce que vous préférez?

C. Possessions

1 notre   **2** mon   **3** tes   **4** son   **5** ses   **6** votre   **7** leurs / leur

D. Préférences

1   Est-ce que vous préférez faire du shopping ou faire les courses ? Nous préférons faire du shopping.

2   Est-ce que ton ami préfère faire du sport ou faire un voyage ? Il préfère faire un voyage.

3   Est-ce que tes amis préfèrent faire la lessive ou faire la fête ? Ils préfèrent faire la fête !

E. Dans un petit restaurant / In a Little Restaurant

1 fait   **2** font   **3** faisons   **4** faites   **5** fais   **6** fait   **7** fais

LA VIE EN FRANCE: LIFE IN FRANCE

This lecture covers several angles of what it's like to talk about everyday life in France. You'll learn some vocabulary for talking about family, how to talk about days of the week, and how to talk about the time.

RÉVISION DE GRAMMAIRE

I. Pour parler de la famille / Talking about Family

◊ Review the possessive adjectives as you talk about your family and other people's families.

mon grand-père	ma tante
ma grand-mère	mon frère
mon père	ma sœur
ma mère	mon cousin
mon oncle	ma cousine

II. Les jours de la semaine / Days of the Week

◊ To talk about what day it is today, use **nous sommes** or **c'est** + the day. The days are:

lundi	Monday
mardi	Tuesday
mercredi	Wednesday
jeudi	Thursday
vendredi	Friday
samedi	Saturday
dimanche	Sunday

◊ An example question and answer:

Aujourd'hui ? Nous sommes mercredi.

◊ Note that the days of the week aren't capitalized in French and that the week in France begins on Monday. To indicate that you do something every day—Saturday, in the below example—just add the definite article (no preposition).

Le samedi, je vais au cinéma.
On Saturdays I go to the movies.

◊ This works for all days of the week when you want to indicate "every" or "on."

III. L'Heure / Telling Time

◊ To find out what time it is, the question you need is **Quelle heure est-il ?**, which means, "What time is it?"

◈ The answer will use the basic structure **il est** + a time.

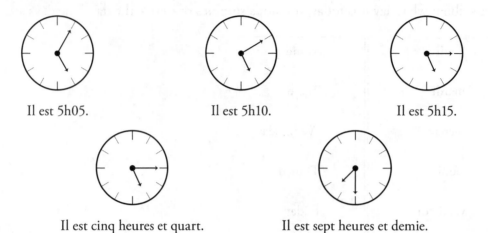

Il est 5h05.   Il est 5h10.   Il est 5h15.

Il est cinq heures et quart.   Il est sept heures et demie.

◈ In French, we also talk about quarter- and half-hours, just like in English.

◈ You can also say, **Il est sept heures trente**.

◈ On the other side of the half hour, you have **cinq heures quarante** or, more commonly, **six heures moins vingt**. That translates literally to "six o'clock minus twenty."

Il est six heures moins vingt.   Il est six heures moins le quart.

◈ For noon, you say, **Il est midi**, and for midnight, **Il est minuit**.

Il est midi et demi!   Il est onze heures du soir.

Il est deux heures moins dix de l'après midi
[in the afternoon].

Il est deux heures moins dix du matin
[in the morning].

◊ The use of the 24-hour clock is much more common in France. It is used by businesses, for timetables, and movie and TV schedules. For example, 0h is midnight. The hours are counted in order until 23h00, which is 11:00 at night.

IV. Les Verbes

◊ You have seen that some verbs in French have stem changes. **Manger** and **commencer** are -er verbs, but there's a spelling change in the **nous** stem for pronunciation.

MANGER · TO EAT

je mang**e**	nous mang**eons**
tu mang**es**	vous mang**ez**
il mang**e**	ils mang**ent**

◊ The e following the g of **mangeons** keeps the g soft. Other verbs that follow this pattern include **voyager** [to travel], **encourager** [to encourage], and **partager** [to share].

◊ The verb **commencer** also requires a stem change. You add a cedilla to the c at the end of the stem in the nous form only. The cedilla makes the c soft before the letter o. Other verbs like **commencer** are **annoncer and influencer**.

COMMENCER · TO START / TO BEGIN

je commenc**e**	nous commenç**ons**
tu commenc**es**	vous commenc**ez**
il commenc**e**	ils commenc**ent**

◇ You will see as you learn more French that the e after g and the ç is used before the vowels a, o, and u only, and only when the g or c needs to be soft. Learn these as part of the spelling and conjugations. Examples: **ça**, **reçu** [receipt], **déçu** [disappointed], **partager**, and **nous partageons**.

◇ Next, we'll cover three irregular verbs.

VOULOIR · TO WANT

je veux	nous voulons
tu veux	vous voulez
il veut	ils veulent

◇ **Vouloir** can be followed by a noun or by another verb in the infinitive.

Je veux un café. Je veux aller au café.

◇ To be polite, use the conditional of the verb **vouloir**.

Je voudrais un café.
I would like a coffee.

◇ *Note*: You will learn the full conjugation of the verb **vouloir** in the conditional in Lecture 10 and the conditional of other verbs in Lecture 25.

POUVOIR • TO BE ABLE TO DO SOMETHING (WHICH WE OFTEN EXPRESS AS "CAN DO")

je peux	nous pouvons
tu peux	vous pouvez
elle peut	elles peuvent

◈ **Pouvoir** will be followed by an infinitive unless the infinitive is implied in the context.

> — Est-ce que vous pouvez aider mon amie ?
> — Oui, bien sûr je peux.

◇ In the answer, **aider votre amie** is implied.

◈ To be polite, use the conditional of the verb **pouvoir**.

> Je pourrais avoir un café, s'il vous plaît ?
> *May I please have a coffee?*

◈ *Note*: You will learn the full conjugation of the verb **pouvoir** in the conditional in Lecture 10 and the conditional of other verbs in Lecture 25.

DEVOIR • TO HAVE TO (MUST), TO BE OBLIGED TO (SHOULD), TO OWE

je dois	nous devons
tu dois	vous devez
on doit	ils doivent

Dans la famille Dubois, Daniel doit aller chez le dentiste. Sabine et Marc doivent aller à l'école de Vincent.

◊ To find out how much you owe and to formulate the answer, use these structures with the verb **devoir**.

> Excusez-moi, monsieur, combien est-ce que je vous dois ?
>> *How much do I owe you?*

> Vous me devez 8 euros 50.
>> *You owe me 8,50 euros.*

◊ *Note*: You'll learn about the indirect object pronouns **me** and **vous** in Lecture 26. Just recognize them here as part of the formula.

ACTIVITÉS

A. La Famille / Family

Select the correct word to form a logical sentence.

1 Le père de ma mère est mon {(a) *oncle* (b) *cousin* (c) *grand-père*}.

2 Le frère de son père est son {(a) *grand-père* (b) *cousin* (c) *oncle*}.

3 La sœur de votre mère est votre {(a) *mère* (b) *tante* (c) *grand-mère*}.

4 Nos {(a) *tantes* (b) *cousins* (c) *grands-parents*} sont les parents de nos parents.

5 Mon {(a) *oncle* (b) *cousin* (c) *grand-père*} est le frère de ma mère.

6 Ta {(a) *grand-mére* (b) *sœur* (c) *cousine*} est la fille de ta tante.

B. Les Jours de la semaine / Days of the Week

Match the elements in the left-hand column with the appropriate day on the right. **Avant** means "before" and **après** means "after."

1	le jour après lundi	(a)	dimanche
2	le premier jour du week-end	(b)	jeudi
3	le jour avant lundi	(c)	mercredi
4	deux jours avant vendredi	(d)	samedi
5	le jour après mercredi	(e)	mardi
6	le jour avant samedi	(f)	lundi
7	le premier jour de la semaine en France	(g)	vendredi

C. Quelle heure est-il ? / What Time Is It?

For each clock, ask the question aloud, for practice, and then write the time. Follow the model.

Modèle : Quelle heure est-il ?

<u>Il est six heures dix.</u>

1 _____ 4 _____

2 _____ 5 _____

3 _____

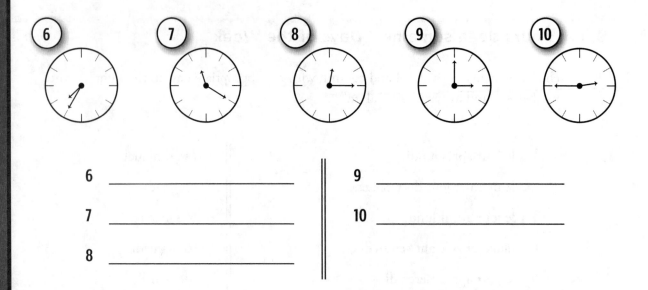

6	_____	9	_____
7	_____	10	_____
8	_____		

D. Où est-ce qu'ils sont ? / Where Are They?

Fill in the blank with the correct form of **pouvoir** or **vouloir**. Then pick one of the places from this list to say where the people are:

loin de Paris / dans un club / dans un appartement d'étudiants / à la bibliothèque /
à un restaurant / à l'agence de voyages / dans une classe de français

Modèle : Vous _____ un livre ? _____

Vous <u>voulez</u> un livre ? <u>Vous êtes à la bibliothèque.</u>

1 Ta musique est trop forte [too loud] ! Je ne _____ pas étudier !

_____

2 Vous _____ le dîner ? Il est 11h30 du soir !

_____

3 Ils ne _____ pas parler anglais en classe. Le professeur est très strict.

_____

4 Nous _____ voyager mais nous n'avons pas d'argent.

_____

5 Elle ne _____ pas danser. Elle a une jambe cassée [a broken leg].

Mais elle _____ danser !

_____

6 Je veux visiter le musée du Louvre mais je ne _____ pas.

_____

E. Obligations

Fill in the blank with the correct form of **devoir.**

Modèle : Qu'est-ce que je _____ faire ?

Qu'est-ce que je <u>dois</u> faire ?

1 Quand il fait beau, vous _____ faire du sport.

2 Nous _____ aller au travail à 8h30.

3 En hiver, ils _____ rester [to stay] dans la maison.

4 Avant de commencer, elle _____ regarder les instructions.

5 Je vous _____ combien ?

6 Pour le pique-nique, quelle sorte de salade est-ce que je _____ faire ?

BONNES RÉPONSES

A. La Famille / Family

1 (c) grand-père   **2** (c) oncle   **3** (b) tante   **4** (c) grands-parents   **5** (a) oncle
6 (c) cousine

B. Les Jours de la semaine / Days of the Week

1 (e) mardi   **2** (d) samedi   **3** (a) dimanche   **4** (c) mercredi   **5** (b) jeudi
6 (g) vendredi   **7** (f) lundi

C. Quelle heure est-il ? / What Time Is It?

1   Il est quatre heures et demie.

2   Il est quatre heures moins dix.

3   Il est neuf heures cinq.

4   Il est une heure moins vingt-cinq.

5   Il est sept heures dix.

6   Il est huit heures moins vingt-cinq.

7   Il est onze heures vingt.

8   Il est midi et quart (midi quinze) / Il est minuit et quart.

9   Il est trois heures.

10   Il est trois heures moins le quart.

D. Où est-ce qu'ils sont ? / Where Are They?

1 Je ne peux pas étudier ! Je suis dans un appartement d'étudiants.

2 Vous voulez le dîner ? Il est 11h30 du soir ! Vous êtes à un restaurant.

3 Ils ne peuvent pas parler anglais en classe. Le professeur est très strict. Ils sont dans une classe de français (avec Madame Williams).

4 Nous voulons voyager mais nous n'avons pas d'argent. Alors [so], nous ne pouvons pas voyager. Nous sommes à l'agence de voyages.

5 Elle ne peut pas danser. Elle a une jambe cassée. Mais elle veut danser ! Elle est dans un club.

6 Je veux visiter le musée du Louvre mais je ne peux pas. Je suis loin de Paris.

E. Obligations

1 devez   **2** devons   **3** doivent   **4** doit   **5** dois   **6** dois

VACATIONS AND LEISURE ACTIVITIES

This lecture starts out with an introduction to higher numbers. You might wish to review the numbers 1–100 before learning the numbers over 999 (**neuf cents-quatre-vingt-dix-neuf**). This lecture also includes how to talk about years and activities.

RÉVISION DE GRAMMAIRE

I. Grands nombres / Higher Numbers

◇ Note the patterns in the chart, below. The plural of **cent** takes an "s" only when not followed by another number. The word for "thousand" and "thousands" is invariable.

◇ When writing higher numbers, use a period or a space where in English we would use a comma.

100	cent
101	cent-un
102	cent-deux
200	deux-cents
201	deux-cent-un

213	deux-cent-treize
300	trois-cents
330	trois-cent-trente
998	neuf-cent-quatre-vingt-dix-huit
1.000 or 1 000	mille (1,000 in English)
2.203	deux-mille-deux-cent-trois

◈ Here are some examples of years:

◇ La Fête nationale date officiellement de 1880. You can say **mille-huit-cent-quatre-vingts** or **dix-huit-cent-quatre-vingts**.

◇ In this course we choose to use the structure **mille-neuf-cent-cinquante** for 1950. Either form is correct.

◇ **En** is used for "in" when referring to a year: La Première Guerre mondiale commence en 1914.

II. Les Verbes

◈ Here are five common verbs that are conjugated in the same way. You'll see the conjugation just below.

◇ **sortir de** or **sortir avec**: to go out of or to date

Je sors de la maison.

Je sors avec une star de cinéma.

◇ **servir**: to serve

Le serveur sert du bon vin blanc.

◇ **sentir**: to smell, to feel

Nous sentons les fleurs.

Vous sentez le froid ?

◇ **partir à** (for) / **de** (from) / **avec** (with): to leave (This is also used with other prepositions, or with none.)

Je pars à 5h00.

Je pars de l'aéroport.

Je pars.

Je pars en France.

Je pars avec mes amis.

◇ **dormir**: to sleep

◈ For conjugations, take **dormir** as a model. Verbs like **sortir**, **servir**, **sentir**, **partir**, and **dormir** use one stem for the singular forms: the first three letters of the infinitive (**dor**mir). Then add the endings **-s** and **-t**.

◈ There's another stem for the plural that uses the first four letters of the infinitive (**dorm**ir). To that, you then add the endings **-ons**, **-ez**, and **-ent**.

DORMIR • TO SLEEP

je dor**s**	nous dorm**ons**
tu dor**s**	vous dorm**ez**
il / elle / on dor**t**	ils / elles dorm**ent**

◈ The verb **jouer** (to play) is a regular -er verb. It is important to use the appropriate preposition when talking about playing a sport or an instrument.

◇ **Jouer à** + an article is used for sports and games.

Il joue au foot. Vous jouez aux cartes ?

◇ **Jouer de** + an article is used for instruments.

Léon joue du piano. Maynard joue de la trompette.

◈ Next up three verbs that are helpful to learn together: **dire**, **lire**, and **écrire**.

DIRE · TO SAY

je dis	nous disons
tu dis	vous dites
il dit	ils disent

LIRE · TO READ

je lis	nous lisons
tu lis	vous lisez
il lit	ils lisent

ÉCRIRE · TO WRITE

j'écris	nous écrivons
tu écris	vous écrivez
elle écrit	elles écrivent

III. L'Impératif / The Imperative Mood of Verbs

◈ **L'impératif** is sometimes called the command form. In fact, the imperative is used to express orders, give advice, and make suggestions. There are only three forms: tu, vous and nous. Below are some statements paired with an order or suggestion.

Tu écoutes la chanson. Écoute la chanson.

Vous jouez du piano pour vos amis. Jouez du piano pour vos amis.

Nous allons au théâtre. Allons au théâtre.

◈ There are three things to note at this point.

◇ First there is no subject pronoun: **Écoute !**

◇ Second, for regular -er verbs, and for **aller**, the **s** disappears from the **tu** form. Other verbs retain the **s.** When you learn new verbs, you should learn and practice the imperative.

INFINITIF	TU	VOUS
parler	parle	parlez
dormir	dors	dormez
aller	va	allez
faire	fais	faites
lire	lis	lisez
dire	dis	dites
écrire	écris	écrivez
être	sois	soyez
avoir	aie	ayez

◇ Lastly, note the use of the **nous** form. It's the only way, in French, to make a suggestion that includes yourself. "Let's" + "[a verb]" is how we do it in English.

Parlons français.
Let's speak French.

Allons à un bon restaurant.
  Let's go to a good restaurant.

Faisons le dîner ensemble.
  Let's make dinner together.

Commençons maintenant.
  Let's start now.

Ayons un peu de patience.
  Let's have a little patience.

Soyons gentils.
  Let's be nice.

◈ And to form the negative, just put **ne … pas** around the verb.

Ne soyons pas stupides !

Ne sois pas stupide !

Ne soyez pas stupides !

ACTIVITÉS

A. Activités en français

Select the correct verb or the correct form to create a correct and logical sentence.

1 Je {(a) *dis* (b) *lis* (c) *écris*} un bon livre en français !

2 Nous {(a) *disons* (b) *lisons* (c) *écrivons*} "bonjour" le matin au début de la classe.

3 Vous {(a) *écrivent* (b) *écrit* (c) *écrivez*} beaucoup de lettres parce que vous n'aimez pas Internet.

4 A la bibliothèque, la dame {(a) *lit* (b) *écrit* (c) *lisent*} des livres en français aux enfants.

5 Est-ce que vous {(a) *lisez* (b) *dites* (c) *disons*} toujours "au revoir" à la fin de la classe ?

6 Est-ce que tu {(a) *écrivent* (b) *écrit* (c) *écris*} tes leçons dans le Cahier d'exercices ?

B. C'est logique. / It Makes Sense.

Fill in the blank with the logical verb in the correct form. Use **dormir**, **partir**, **sentir**, **servir**, or **sortir**.

> **Modèle** : Pourquoi êtes-vous fatigués ? Vous _____ mal ?
>
> Oui, nous _____ très mal.
>
> Pourquoi êtes-vous fatigués ? Vous <u>dormez</u> mal ?
> Oui, nous <u>dormons</u> très mal.

1 Quand est-ce que vous _____ au Sénégal ?

Nous _____ mardi à midi.

2 Dans ce restaurant, on _____ jusqu'à quelle heure ?

Les serveurs _____ jusqu'à 22 heures.

3 Les fleurs _____ bon ?

Non pas toutes [all of them]. Mais cette fleur _____ bon.

4 Vous _____ de l'école à quelle heure ?

Mes amis _____ à quatorze heures, mais je _____

à quinze heures.

C. Les Passions

Describe what the people in the images are doing using **jouer** + **à** + an article or **jouer** + **de** + an article or **faire** + **de** + an article.

Modèle :

je {*jouer*} le golf

Je joue au golf.

1 vous {*jouer*} la guitare

_____

2 nous {*jouer*} les cartes

_____

3 ils {*jouer*} le foot

_____

4 il {*faire*} la natation

_____

5 elle {*jouer*} le piano

_____

6 tu {*faire*} le vélo ?

_____

D. Suggestions

For each prompt, give the suggestions prompted by the verb. Give all three forms, following the model.

> **Modèle** : faire une randonnée
>
> Informal: Fais une randonée
>
> Formal: Faites une randonée.
>
> "Let's": Faisons une promenade.

1 écrire une lettre

Informal: _____

Formal: _____

"Let's": _____

2 avoir confiance

Informal: _____

Formal: _____

"Let's": _____

3 jouer au tennis

Informal: _____

Formal: _____

"Let's": _____

4 être calme(s)

Informal: _____

Formal: _____

"Let's": _____

5 regarder le dinosaure

Informal: _____

Formal: _____

"Let's": _____

BONNES RÉPONSES

A. Activités en français

1 (b) lis   **2** (a) disons   **3** (c) écrivez   **4** (a) lit   **5** (b) dites   **6** (c) écris

B. C'est logique. / It Makes Sense.

1 partez / partons   **2** sert / servent   **3** sentent / sent   **4** sortez / sortent / sors

C. Les Passions

1 Vous jouez de la guitare.   **2** Nous jouons aux cartes.   **3** Ils jouent au foot.
4 Il fait de la natation.   **5** Elle joue du piano.   **6** Tu fais du vélo ?

D. Suggestions

1 Écris / Écrivez / Écrivons   **2** Aie / ayez / ayons   **3** Joue / Jouez / Jouons
4 Sois calme / soyez calme(s) / soyons calmes   **5** Regarde / Regardez / Regardons

À *TABLE*: DAILY MEALS

This lecture starts off with some information on definite and indefinite articles. After that, it moves on to the negation of articles. The activity section of this lecture focuses on learning how to talk about food in French.

RÉVISION DE GRAMMAIRE

I. Les Articles définis et indéfinis / Definite and Indefinite Articles

◇ In earlier lectures, you learned that in French nouns need to be preceded by an article or other modifier: **J'aime le café**. In English, you can say, "I like coffee."

◇ You expressed preferences using verbs of preference + definite articles. When you wanted to express liking or disliking things, you used **le / la / les / l'**, as in the sentences below.

Je déteste les pommes.

Je préfère le café.

J'aime l'eau.

◊ When you like or dislike something, you like or dislike it in general.

◊ Other generalizations use the definite article, too, as in this sentence:

> Les oranges sont bonnes pour les enfants.

◊ You also learned to use the indefinite articles, which are often translated as "a" and "some" for nouns that can be counted.

> Voici une baguette.

> Voici un chocolat chaud.

> Voici des croissants.

◊ However, to say that there is some butter, some bread, or some jam, for example, partitive articles are needed. Partitive articles let you talk about part of a whole. The partitive articles are:

> de + la = de la

> de + le = du

> de + l' = de l' (like de l'eau)

◊ Some verbs lend themselves logically to the partitive.

  ◊ You may like all bread, but you eat some bread.

> Nous aimons le pain. Nous mangeons du pain.

> Je prépare une pizza. Je mange de la pizza.

> J'aime l'eau minérale. Je commande [order] de l'eau minérale.

II. La Négation et les articles / Negation and Articles

◊ When you negate **le**, **la**, and **les**, the article does not change.

> Tu aimes le vin ? Tu n'aimes pas le whisky ?

◊ When you negate **un**, **une**, and **des**, these articles almost always become **de** or **d'**.

> J'ai une pomme. Je n'ai pas de fraises. Tu manges des bananes ? Je n'ai pas de bananes.

◊ One exception to this is when you use the verb **être**.

> C'est une pomme. Ce n'est pas une banane.

◊ Partitive articles change to **de** or **d'** in the same way.

> Il y a du thé dans ma tasse. Il n'y a pas de café.

◊ But, again with **être**, there's no change in the negative.

> C'est du thé. Ce n'est pas du café.

III. Les Verbes

◊ The irregular verb **prendre** means "to take" (for example, a bus), and sometimes "to have" (for example, a coffee or a meal).

PRENDRE • TO TAKE

Je prends un café.

Tu prends un repas.

Il / elle / on / tout le monde prend le bus.

Nous prenons un café ensemble.

Vous prenez le train.

Ils / elles prennent le petit-déjeuner.

◈ Two verbs conjugated like **prendre** are **comprendre** [to understand] and **apprendre** [to learn].

Ils comprennent la leçon.

Ils apprennent le français.

◈ **Apprendre** + **à** + an infinitive allows you to say that someone learns to do something.

Ils apprennent à parler français.

◈ The irregular verb **boire** means "to drink."

BOIRE • TO DRINK

je bois	nous buvons
tu bois	vous buvez
il/elle/on/ tout le monde boit	elles boivent

◈ The verb **mettre** means to put, to put on, to set (a table), or to turn on, depending on the context.

METTRE • TO PUT, TO PUT ON, TO SET (A TABLE), OR TO TURN ON

Je mets un béret.	Nous mettons la télévision.
Tu mets la lampe.	Vous mettez un chapeau de cowboy.
Elle met le pain sur la table.	Ils mettent du lait dans le café.

◈ Other verbs conjugated like mettre include **permettre** (to allow) and **promettre** (to promise). These two verbs are used with **à** and **de** in the following structure:

Le prof de philosophie permet aux étudiants de parler. Les étudiants promettent au professeur de préparer des commentaires intéressants.

ACTIVITÉS

A. Les repas de la journée

Select the correct word to form a logical sentence.

1 Les Français boivent souvent du {(a) *vin* (b) *café* (c) *jus de fruits*} au dîner.

2 Nous aimons manger des croissants au {(a) *déjeuner* (b) *dîner* (c) *petit-déjeuner*}.

3 On sert {(a) *l'apéro* (b) *le dessert* (c) *l'entrée*} avant [before] le repas.

4 Est-ce que vous {(a) *comprenez* (b) *apprenez* (c) *prenez*} de l'eau gazeuse ?

5 Les Français prennent le {(a) *dîner* (b) *petit-déjeuner* (c) *déjeuner*} entre midi et deux heures.

6 Les végétariens ne mangent pas de {(a) *légumes* (b) *viande* (c) *dessert*}.

B. Boissons

Fill in the blank with the correct form of **boire**.

1 — Qu'est-ce que tu _____ au petit-déjeuner ?

2 — Je bois du café au lait. Et dans ta famille qu'est-ce que vous _____ ?

3 — Nous _____ du thé.

4 — Tes parents ne _____ jamais [never] de café ?

5 — Ma mère _____ seulement [only] du thé, mais mon père _____ parfois [sometimes] du café.

C. Qu'est-ce qu'on prend ?

Fill in the blank with the correct form of **prendre**.

1 — Qu'est-ce que vous _____ aujourd'hui ?

2 — Généralement nous _____ de la soupe mais aujourd'hui c'est du riz [rice].

3 — Moi, je _____ de la salade mais mon amie _____ de la viande.

4 — Est-ce que tes enfants _____ des frites ?

5 — Mark _____ des frites mais Mary ne _____ jamais de frites.

D. Qu'est-ce qu'on mange ? Qu'est-ce qu'on boit ?

Put the appropriate article in the blank to tell what the following people drink or don't drink and eat or don't eat. Use the partitive articles or **de / d'** as needed.

1 Un végétarien prend _____ salade. Il ne prend pas _____ poulet.

2 Les enfants prennent _____ chocolat chaud. Ils ne boivent pas _____ café.

3 Vous ne buvez pas _____ vin ? Prenez _____ eau minérale.

4 Sur mon pain, je mets _____ confiture. Je ne mets pas _____ beurre.

E. Identifications

Refer to the rules above and use the indefinite articles in both the negative and affirmative sentences. Follow the model.

Modèle :  C'est <u>une</u> tisane (f.).

Ce n'est pas <u>un</u> café (m.).

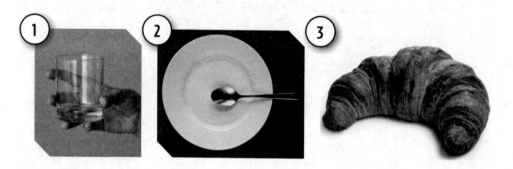

1 C'est _____ verre (m.). Ce n'est pas _____ bol (m.).

2 C'est _____ assiette (f.). Ce n'est pas _____ bol (m.).

Et c'est _____ cuillère (f.). Ce n'est pas _____ couteau (m.).

3 C'est _____ croissant (m.). Ce n'est pas _____ petite baguette (f.).

F. Identifications et définitions

Refer to the rules above and use **un, une, des, de la, du** or **de**. Follow the model.

Modèle :  Il y a <u>du</u> pain dans le panier. Il n'y a

pas <u>de</u> croissants. Ce sont <u>des</u> baguettes. Ce ne sont

pas <u>des</u> pains de campagne.

1 Ces fruits sont dans un panier. Dans le panier, il y a _____ fruits. Il n'y a pas

_____ légumes. Ce sont _____ fruits frais [fresh]. Ce ne sont pas _____

fruits congélés [frozen].

2 Voici un verre d'eau minérale plate. Il y a _____ minérale dans le verre.

Il n'y a pas _____ champagne. C'est _____ eau minérale plate. Ce n'est pas

_____ eau minérale gazeuse.

G. Promesses

What are the following people promising? Create complete sentences with the elements
provided. Follow the model.

> **Modèle** : Est-ce que tu {*promettre*} de mettre la table ? D'accord. Je {*mettre*} la table.
>
> Est-ce que tu <u>promets</u> de mettre la table ? D'accord. Je <u>mets</u> la table.

1 Est-ce que vous {*permettre*} aux enfants de faire les courses. D'accord, s'ils [if they]
{*promettre*} d'acheter des fruits

2 Est-ce que tu {*promettre*} de préparer une bonne sauce spaghetti ? D'accord. Je
{*mettre*} des oignons dans la sauce ?

3 Est-ce que nous {*mettre*} la radio pendant le dîner ? D'accord, mais seulement si
vous [but only if you] {*promettre*} de mettre de la musique classique.

H. Un dîner en famille

Put the appropriate article in the blank to complete the story.

La famille Dubois aime [1]_____ pizza. Ils mangent souvent [2]_____ pizza

le soir. Ce soir, Marc va servir [3]_____ grande pizza classique. Il y a [4]_____

fromage, [5]_____ sauce tomate, [6]_____ olives et [7]_____ jambon. Carole

aime [8]_____ oignons, mais Daniel déteste [9]_____ oignons, donc il y n'a pas

[10]_____ oignons. Ils vont mettre aussi [11]_____ salade dans leurs assiettes. Ils

vont manger [12]_____ pizza et [13]_____ salade ensemble.

Sabine boit [14]_____ eau et Marc boit [15]_____ vin. Et [16]_____ enfants ?

Ils boivent [17]_____ eau. [18]_____ enfants ne boivent pas [19]_____ vin ! Et

comme dessert ? Il n'y a pas [20]_____ dessert. Ils vont manger [21]_____ fruits.

BONNES RÉPONSES

A. Les repas de la journée

1 (a) vin **2** (c) petit-déjeuner **3** (a) l'apéro **4** (c) prenez **5** (c) déjeuner
6 (b) viande

B. Boissons

1 bois **2** buvez **3** buvons **4** boivent **5** boit **6** boit

C. Qu'est-ce qu'on prend ?

1 prenez   **2** prenons   **3** prends / prend   **4** prennent   **5** prend / prend

D. Qu'est-ce qu'on mange ? Qu'est-ce qu'on boit ?

1 de la / de   **2** du / de   **3** de / de l'   **4** de la / de

E. Identifications

1 un / un   **2** une / un / une / un   **3** un / une

F. Identifications et définitions

1 des / de / des / des   **2** de l' / de / de l' / de l'

G. Promesses

1 Est-ce que vous permettez aux enfants de faire les courses. D'accord, s'ils promettent d'acheter des fruits.

2 Est-ce que tu promets de préparer une bonne sauce spaghetti ? D'accord. Je mets des oignons dans la sauce ?

3 Est-ce que nous mettons la radio pendant le dîner ? D'accord, mais seulement si vous promettez de mettre de la musique classique.

H. Un dîner en famille

1 la   **2** de la   **3** une   **4** du   **5** de la   **6** des   **7** du   **8** les   **9** les   **10** d'   **11** de la
12 la   **13** la   **14** de l'   **15** du   **16** les   **17** de l'   **18** les   **19** de   **20** de   **21** des

BUYING GROCERIES

Up first in this lecture is a reminder of how to use partitive articles, which allow you to talk about part of a whole. After that, the lecture covers expressions of quantity, followed by new forms of negation. The activity section focuses on obtaining different quantities and types of groceries.

RÉVISION DE GRAMMAIRE

I. Rappel / Reminder

◈   Use the partitive articles **du**, **de la**, and **de l'** when you want to talk about part of a whole.

J'aime ce grand gâteau. C'est pour huit personnes. Est-ce que je vais manger le gâteau ?
Non ! Je vais manger du gâteau. (**Du** shows that you're only going to eat part of it.)

Est-ce qu'il y a de la crème chantilly pour les fraises ? Non, il n'y a pas de crème chantilly.
Mais il y a de la glace !

II. Expressions de quantité / Expressions of quantity

◈ Use the following adverbs of quantity to talk about more specific quantities than **du**, **de la**, and **des**.

beaucoup de	a lot of
un peu de	a little
peu de	little
assez de	enough
trop de	too much

◈ Other expressions that work like this are:

une bouteille de	a bottle of
une carafe de	a carafe of
une tasse de	a cup of
un verre de	a glass of
un kilo de	a kilo of
un pot de	a jar of
un tube de	a tube of
un morceau de	a piece of
une tranche de	a slice of

◈ These are always followed by the preposition **de** or **d'**.

> Il y a **beaucoup de** bons produits en Provence. Je peux trouver **une bouteille de** rosé de Provence au marché.

> J'ai **assez d'**argent pour acheter les ingrédients pour la ratatouille.

> Dans le supermarché, il y a **beaucoup de bouteilles d'**eau.

III. Des Négatifs comme « ne … pas » / Negatives Similar to "ne … pas"

◈ You can already use **ne … pas** around a conjugated verb to make that verb negative.

◈ Some other negations follow the same pattern. Here are several of them, along with useful "opposites."

◇ **ne … jamais** (never) ≠ **toujours** (always)

◇ **ne … rien** (nothing) ≠ **quelque chose** (something) or **tout** (all, everything)

◇ **ne … plus** (no more or no longer) ≠ **encore** (still) or **toujours** (when used as still)

◇ **ne … pas encore** (not yet) ≠ **déjà** (already)

◇ **ne … personne** (nobody or no one) ≠ **quelqu'un** or **tout le monde** (everybody)

IV. Les Conjugaisons des verbes / Verb Forms

◈ **Acheter** and **payer** are stem-change verbs. You saw how such verbs are conjugated in Lecture 5 when you learned **préférer**.

ACHETER · TO BUY

j'ach**è**te	nous ach**et**ons
tu ach**è**tes	vous ach**et**ez
il ach**è**te	ils ach**è**tent

◈ **Espérer** (to hope) is conjugated like **acheter**.

J'espère trouver des fraises au marché. Nous espérons manger des fraises ce soir.

PAYER · TO PAY

je pa**ie**	nous pa**yons**
tu pa**ies**	vous pa**yez**
il pa**ie**	ils pa**ient**

◈ Now for regular -re verbs. **Attendre** (to wait for) is a regular -re verb. Many verbs in French follow this pattern.

ATTENDRE · TO WAIT FOR

j'attend**s**	nous attend**ons**
tu attend**s**	vous attend**ez**
il / elle / on / tout le monde attend	ils / elles attend**ent**

◈ Note that **attendre**, like the verb **chercher**, includes "for." You don't add a preposition.

> Je cherche mon argent.
> *I'm looking for my money.*

> J'attends mon tour à la caisse.
> *I wait for my turn at the checkout.*

◈ Two verbs that are conjugated like **attendre** are **vendre** (to sell) and **rendre** (to give back).

V. Les Verbes au présent de l'indicatif / Verbs in the Present Indicative

◈ Remember that verbs in the present tense can be translated in three different ways, depending on context.

> Ils vendent du jambon corse.
> *They sell Corsican ham.* (This is just giving the information.)

Ils vendent du jambon corse.
> *They do sell Corsican ham.* (This is confirming the fact.)

Ils vendent du jambon corse.
> *They are selling Corsican ham.* (That's what they're selling at present.)

ACTIVITÉS

A. Au marché

Select the correct verb to form a logical sentence.

1 Nous {(a) *achetons* (b) *attendons* (c) *rendons*} beaucoup de légumes et de fruits.

2 Au marché, on {(a) *attend* (b) *vend* (c) *rend*} de bons produits.

3 Je vous {(a) *veux* (b) *peux* (c) *dois*} combien madame ?

4 Vous ne pouvez pas toujours [always] {(a) *trouver* (b) *payer* (c) *manger*} par carte de crédit.

5 Les clients {(a) *rendent* (b) *attendent* (c) *boivent*} leur tour [their turn] pour acheter de la viande.

6 Nous avons besoin d'argent. Nous {(a) *vendons* (b) *prenons* (c) *cherchons*} un guichet automatique.

B. Quantités

Choose between the two expressions of quantity and write out a logical sentence.

> **Modèle** : Nous achetons des pommes {*un kilo / une carafe*}
>
> Nous achetons un kilo de pommes.

1 Je mange du gâteau. {*un kilo / un morceau*}

_____

2 La dame boit du lait. {*une bouteille / un verre*}

_____

3 L'athlète boit de l'eau. {*peu / beaucoup*}

_____

4 On sert du jus d'orange à l'enfant. {*un verre / un tube*}

_____

5 Tu adores la confiture. Tu mets de la confiture sur ton pain. {*un peu / trop*}

_____

6 Ma mère achète des pommes de terre. {*un kilo / une tranche*}

_____

C. On a faim

Fill in the blank with the logical negative expressions.

Modèle : Tu manges souvent des haricots ? Non, je _____ mange _____ de légumes.

Non, je <u>ne</u> mange <u>jamais</u> de légumes.

1 — Il y a toujours [still] des sandwichs ?

— Non, il _____ y a _____ de sandwichs.

2 — Ton bébé peut déjà parler ?

— Non, il _____ peut _____ _____ parler. Mais il va parler bientôt !

3 — Tu comprends toutes les instructions pour faire cette recette [recipe] ?

— Non, au contraire, je _____ comprends _____ !

4 — Vous invitez des amis pour ton anniversaire ?

— Non, nous _____ invitons _____ .

5 — Les croissants sont toujours bons dans cette boulangerie ?

— Non, ils _____ sont _____ bons. Cherchez une autre boulangerie !

D. C'est logique ?

Conjugate the verbs to complete the sentences. Tell whether the following people are likely to do the following. Conjugate the verbs and follow the model.

> **Modèle** : {*acheter*} La vendeuse travaille dans sa boutique. La vendeuse _____
>
> du fromage à la cliente. {*C'est logique / Ce n'est pas logique*}
>
> La vendeuse <u>achète</u> du fromage à la cliente ? <u>Ce n'est pas logique.</u>

1 {*vendre*} Je suis boulangère. Je_____ du poisson. {*C'est logique / Ce n'est*

pas logique}

2 {*acheter*} Les Français préfèrent les produits frais. Ils _____ les

ingrédients au marché. {*C'est logique / Ce n'est pas logique*}

3 {*acheter*} Nous _____ trois fraises pour 15 personnes. {*C'est logique /*

Ce n'est pas logique}

4 {*espérer*} Vous voulez faire les courses. Vous _____ que les magasins

sont fermés. {*C'est logique / Ce n'est pas logique*}

5 {*payer*} La cliente a 10 ans. Elle _____ par carte de crédit. {*C'est logique /*

Ce n'est pas logique}

6 {*rendre*} Nous donnons un billet de 100 euros à la boulangère pour une baguette.

Elle _____ de la monnaie. {*C'est logique / Ce n'est pas logique*}

7 {*payer*} Tu es à Québec. Tu _____ la marchande avec des dihrams

marocains. {*C'est logique / Ce n'est pas logique*}

8 {*espérer*} Les enfants sont au marché. Ils _____ trouver de la monnaie

par terre [on the ground]. {*C'est logique / Ce n'est pas logique*}

E. On mange !

This activity reviews articles and expressions of quantity. Complete the sentences with the correct article from this list.

un, une, des / le, la, les, l' / du, de la, de l' / de / d'

J'aime [1]_____ poulet. Nous mangeons [2]_____ poulet presque tous les soirs.

Quelquefois, nous prenons un peu [3]_____ poulet pour le déjeuner, aussi.

Malheureusement, mon mari n'aime pas [4]_____ poulet. Il déteste [5]_____

poulet. Il pense que nous mangeons trop [6]_____ poulet. Je vais préparer

[7]_____ bœuf ce soir, pour changer un peu. Mon mari préfère [8]_____ bœuf.

Mais mon bébé ne mange pas [9]_____ bœuf. Il mange [10]_____ haricots

verts et [11]_____ carottes. Il boit [12]_____ lait et [13]_____ eau. Il ne boit

pas [14]_____ café, bien sûr.

BONNES RÉPONSES

A. Au marché

1 (a) achetons   **2** (b) vend   **3** (c) dois   **4** (b) payer   **5** (b) attendent   **6** (c) cherchons

B. Quantités

1   Je mange un morceau de gâteau.

2   La dame boit un verre de lait.

3   L'athlète boit beaucoup d'eau.

4 On sert un verre de jus d'orange à l'enfant.

5 Tu mets trop de confiture sur ton pain.

6 Ma mère achète un kilo de pommes de terre.

C. On a faim

1 n' / plus **2** ne / pas encore **3** ne / rien **4** n' / personne **5** ne / jamais

---

D. C'est logique ?

1 Je suis boulangère. Je vends du poisson ? Ce n'est pas logique.

2 Les Français préfèrent les produits frais. Ils achètent les ingrédients au marché. C'est logique !

3 Nous achetons trois fraises pour 15 personnes ? Ce n'est pas logique.

4 Vous espérez que les magasins sont fermés ? Ce n'est pas logique.

5 Elle paie par carte de crédit ? Ce n'est pas logique.

6 Elle rend de la monnaie. C'est logique.

7 Tu es à Québec. Tu paies la marchande avec des dihrams marocains ? Ce n'est pas logique.

8 Les enfants sont au marché. Ils espèrent trouver de la monnaie par terre. C'est logique.

E. On mange !

1 le **2** du **3** de **4** le **5** le **6** de **7** du **8** le **9** de **10** des **11** des **12** du **13** de l' **14** de

WHERE TO EAT

The first part of this lecture covers how to ask questions using inversion: placing the verb before the subject. After that is a discussion of two verbs, followed by how to use the conditional mood for polite speech. The activity section covers how to talk about— and in—restaurants, and ways of asking questions.

RÉVISION DE GRAMMAIRE

I. L'Interrogation et l'inversion du sujet / Questions Using Inversion

◊ Normal word order in French for a declarative sentence consists of a subject followed by a verb and then by the rest of the information (prepositions, complements, and so on). When you invert the order, placing the verb before the subject, you turn the sentence into a question.

Vous allez au Bistrot des Martyrs.

Allez-vous au Bistrot des Martyrs ?

◆ In Lecture 4, when you learned interrogative expressions like **pourquoi**, **quand**, and **où**, you used **est-ce que**. You need **est-ce que** or inversion to construct many information questions correctly.

> Quand est-ce que vous allez au Bistrot des Martyrs ?

> Quand allez-vous au Bistrot des Martyrs ?

◆ Some common questions almost always use inversion. For example, one usually says: Quel âge avez-vous ? Quelle heure est-il ? Comment allez-vous ? But for the most part, you'll be able to choose est-ce que or inversion. And you don't need both together.

> Où est-ce que vous mangez ?

◆ Or the inversion:

> Où mangez-vous ?

> Nous mangeons à la Cave Gourmande.

◆ Other examples:

> Quelle table est-ce que vous préférez ?

> Quelle table préférez-vous ?

> Où est-ce que tu veux manger ?

> Où veux-tu manger ?

> À quelle heure est-ce que vous voulez déjeuner demain ?

> À quelle heure voulez-vous déjeuner demain ?

◆ Inversion works for **que** as a question word, too. **Qu'est-ce que** turns into **que** when you use inversion.

> Qu'est-ce que tu préfères manger ?

> Que préfères-tu manger ?

◇ It is very rare to invert with the pronoun **je**. Use **est-ce que**, as in this example.

> Quand est-ce que je dois partir ?
> *When do I need to leave?*

◇ When you use the **il / elle / on** form and the verb in that conjugation ends in a vowel, you need to add -t- between the verb and its inverted subject. This is required, but it does not change the meaning.

> Pourquoi regarde-t-il la carte? Parce qu'il n'aime pas le plat du jour.
>
> Où trouve-t-on du saumon ? Au restaurant en face.
>
> Y a-t-il du saumon aujourd'hui ?

◇ But in the following cases you don't need the -t-.

> Le poissonier vend-il du poisson ? (The d is pronounced like -t-.)
>
> Quand choisit-il du saumon ?
>
> Le bistrot sert-il du saumon ?
>
> Servent-ils du saumon au bistrot ?

◇ If you want to invert in a sentence that has a conjugated verb followed by an infinitive, invert with the conjugated verb.

> Aimez-vous manger des plats régionaux ?

◇ Inversion is usually not made with a proper noun. You need to start the sentence with the proper noun (if the context is not already clear) and then invert with the corresponding subject pronoun.

> Le restaurant ferme-t-il pendant les vacances ?
>
> La chef de cuisine travaille-t-elle beaucoup ?
>
> Les Français mangent-ils souvent entre les repas ?

◈ With certain question words, you can, however, invert like this:

Où est le café ?

Qui travaille au café ?

◈ **Est-ce** is the inverted form of **c'est**.

Est-ce clair ?
Is it clear?

Oui, c'est clair.
Yes, it's clear.

◈ These general rules will help you to do the activities that follow.

II. Les Verbes

◈ **Choisir** [to choose] is a regular -ir verb.

◈ For **choisir**, and the other regular -ir verbs, find the stem by dropping the -ir. Then you add the following endings.

CHOISIR • TO CHOOSE

je chois**is**	nous chois**issons**
tu chois**is**	vous chois**issez**
il chois**it**	elles chois**issent**

◈ The verb **finir** [to finish] is conjugated like **choisir**.

je finis	nous finissons
tu finis	vous finissez
elle finit	ils finissent

◊ Both of these verbs can be followed by a noun.

> Je choisis mon plat principal.

> Nous finissons l'entrée avant de manger le plat principal.

◊ They can also be followed by **de** + an infinitive.

> Nous choisissons de manger lentement.

> Nous finissons de manger à 13h30.

III. Le Conditionnel et la politesse / Using the Conditional Mood for Politeness

◊ When you say **Je voudrais** … you're using the conditional mood.

◊ A mood, in grammar, sets a tone. Here, the conditional mood sets a tone of politeness. There are other uses for the conditional that you'll learn in a later lecture.

◊ The stem stays the same and the endings change, depending on the subject. The endings are **-ais**, **-ais**, **-ait**, **-ions**, **-iez**, **-aient**. Use the Language Lab to help you with the pronunciation.

◊ Four useful verbs in the conditional for politeness are **aimer**, **préférer**, **vouloir**, and **pouvoir**.

◊ This is how they are conjugated in the conditional:

*AIMER • TO LIKE

The stem is the infinitive.

j'aimerais	nous aimerions
tu aimerais	vous aimeriez
on aimerait	ils aimeraient

*PRÉFÉRER • TO PREFER

The stem is the infinitive.

je préférerais	nous préférerions
tu préférerais	vous préféreriez
il préférerait	elles préféreraient

*VOULOIR • TO WANT TO

*The stem is **voudr-**.*

je voudrais	nous voudrions
tu voudrais	vous voudriez
elle voudrait	ils voudraient

*POUVOIR • TO BE ABLE TO

*The stem is **pourr-**.*

je pourrais	nous pourrions
tu pourrais	vous pourriez
il pourrait	elles pourraient

◇ With **aimer** and **préférer**, the meaning changes when you use the conditional. **J'aime** [I like] is not the same as **j'aimerais** [I would like]. **Je préfère** [I prefer] is a general judgment. **Je préférerais** expresses a particular choice.

ACTIVITÉS

A. Au restaurant

Select the correct verb to form a logical sentence.

1 Que {(a) *voudrais* (b) *voudriez* (c) *voudraient*} -vous messieurs-dames ?

2 Tes amis {(a) *préféreraient* (b) *préférerions* (c) *préférerais*} du thé à la menthe ou du thé noir ?

3 Tout le monde {(a) *aimeriez* (b) *aimerait* (c) *aimerions*} manger un dessert !

4 {(a) *Pourriez* (b) *Pourrions* (c) *Pourrait*}-nous payer par carte de crédit, s'il vous plaît ?

5 C'est ton anniversaire ! Je {(a) *voudrais* (b) *voudrions* (c) *voudriez*} payer l'addition.

6 Vous {(a) *pourrions* (b) *pourriez* (c) *pourraient*} partager les différents hors-d'œuvres.

B. Choisir ou finir ?

Fill in the blank with the correct form of the logical verb.

Modèle : Tu _____ des frites ou des légumes ?

Tu <u>choisis</u> des frites ou des légumes ?

1 — Est-ce que vous _____ toujours le même [same] dessert ?

— Non, nous ne _____ pas toujours la même chose [thing].

2 Ils commencent à servir à 10h et ils _____ à 20h.

3 Elle n'a pas faim. Elle ne _____ pas son assiette [plate].

4 — Avant le dîner, vous _____ les vins ensemble [together] ?

— Non, je _____ le vin blanc et ils _____ les vins rouges.

5 — Quand est-ce que tu _____ le déjeuner ?

— Généralement, je _____ à 14h.

C. Petit-déjeuner au Maroc

Transform the following **est-ce que** questions into questions with inversion.

1 Est-ce que tu aimes les dates ?

_____

2 Est-ce que vous aimez boire du thé à la menthe ?

_____

3 Au Maroc, est-ce qu'ils aiment manger des fruits ?

_____

4 Au Maroc, est-ce qu'ils mangent souvent du porc ?

_____

5 Est-ce que nous allons trouver beaucoup de bacon au Maroc ?

_____

6 Est-ce qu'il y a parfois des croissants au Maroc ?

_____

7 Est-ce que vous mangez des olives au petit-déjeuner ?

_____

D. Dans un restaurant français traditionnel

Using inversion, ask a question that will elicit the part of the answer that's in bold. Use one of the following expressions:

quand / à quelle heure / pourquoi / où / que / comment

Follow the model.

Modèle : Le restaurant commence à servir le déjeuner **à midi**.

À quelle heure le restaurant commence-t-il à servir le déjeuner ?

1 Les tables sont petites **parce que le restaurant est petit** !

_____

2 J'achète le pain **à la boulangerie du quartier**.

_____

3 Nous servons **du poisson**.

_____

4 Nous préparons le poisson **avec du beurre.**

_____

5 Le chef de cuisine va au marché **le matin**.

_____

E. Questions

Use the inversion questions you've been learning throughout this course to translate the following. (You might need to look back at some other **Cahier** sections.)

1 How old are you? (use **tu**)

_____

2 How old are you? (use **vous**)

_____

3 What's the weather like?

_____

4 What day is it today?

_____

5 What season are we in?

_____

6 What time is it?

_____

7 How are you? (use **tu**)

_____

8 How are you? (use **vous**)

_____

F. Questions personnelles

Answer the following questions with **oui** or **non**. These are your personal answers. Did you understand the question?

1 Achetez-vous beaucoup de fruits et de légumes ?

2 Prenez-vous un goûter tous les jours ?

3 Buvez-vous assez d'eau ?

4 Aimez-vous le français ?

5 Faites-vous toutes les activités dans le Cahier d'exercices ?

BONNES RÉPONSES

A. Au restaurant

1 (b) voudriez   **2** (a) préféreraient   **3** (b) aimerait   **4** (b) Pourrions
5 (a) voudrais   **6** (b) pourriez

B. Choisir ou finir ?

1 choisissez / choisissons **2** finissent **3** finit **4** choisissez / choisis / choisissent
5 finis / finis

C. Petit-déjeuner au Maroc

1 Aimes-tu les dates ?

2 Aimez-vous boire du thé à la menthe ?

3 Au Maroc, aiment-ils manger des fruits ?

4 Au Maroc, mangent-ils souvent du porc ?

5 Allons-nous trouver beaucoup de bacon au Maroc ?

6 Y a-t-il parfois des croissants au Maroc ?

7 Mangez-vous des olives au petit-déjeuner ?

D. Dans un restaurant français traditionnel

1 Pourquoi les tables sont-elles petites ?

2 Où achetez-vous le pain ?

3 Que servez-vous ?

4 Comment préparez-vous le poisson ?

5 Quand le chef de cuisine va-t-il au marché ?

E. Questions

1 Quel âge as-tu ?

2 Quel âge avez-vous ?

3 Quel temps fait-il ?

4 Quel jour sommes-nous?

5 En quelle saison sommes-nous ?

6 Quelle heure est-il ?

7 Comment vas-tu ?

8 Comment allez-vous ?

F. Questions personnelles

1 Do you buy lots of fruits and vegetables?

2 Do you have a snack every day?

3 Do you drink enough water?

4 Do you like French?

5 Do you do all the activities in the **Cahier d'exercices**?

THE LIFE OF THE TRAVELER

This lecture begins with some new information on verbs before moving on to the expressions of obligation. Another topic is pronominal verbs, which have a pronoun in addition to the subject pronoun. The activities section covers topics like how to give advice and interactions between people, with a particular focus on phrases you might need when traveling.

RÉVISION DE GRAMMAIRE

I. Les Verbes suivis de « à » + un nom / Verbs Followed by "à" + a Noun

◊ Some verbs in French are followed by **à** + a noun (a person, thing, or service, for example). Some are similar to English:

parler à quelqu'un	to speak *to* someone
donner quelque chose à quelqu'un	to give something *to* someone
montrer quelque chose à quelqu'un	to show something *to* someone
dire quelque chose à quelqu'un	to say something *to* someone
écrire quelque chose à quelqu'un	to write something *to* someone

Je donne des cadeaux aux enfants.

Je montre mes photos à la classe.

Je dis « au revoir » au patron du café.

◊ Some other verbs don't resemble English:

téléphoner à	to call
accéder à	to get to, have access to (conjugated like **préférer**)
penser à	to think about

Je téléphone à un hôtel pour réserver une chambre.

Tu accèdes aux chaînes de télévision internationales.

Je pense à mon voyage.

◊ English speakers sometimes forget that **à** is used with **penser** in many situations rather than **de**.

II. « Il faut » : L'Expression impersonnelle de la nécessité ou obligation / Impersonal Expression of Necessity or Obligation

◊ **Il faut** is an impersonal expression. It comes from the verb **falloir** (to have to). The subject is always the neutral **il**, or "it" in English. **Il faut** expresses a general need or obligation.

◊ **Il faut** can be followed by a verb: **Il faut parler.** This is the same as **Il est nécessaire de parler.** It can be followed by a noun, too.

> Pour un voyage à Paris, il faut un parapluie.
> *For a trip to Paris, one needs an umbrella / an umbrella is necessary.*

◊ To indicate that something has to be done in the near future, you say:

> Il va falloir trouver une chambre d'hôtel.

◈ **Il ne faut pas** means "one must not."

Il ne faut pas oublier son passeport.

III. Les Verbes pronominaux / Pronominal Verbs

◈ There is a category of verbs in French called pronominal verbs. "Pronominal" comes from the word "pronoun." Pronominal verbs have a pronoun in addition to the subject pronoun. This follows a simple pattern:

SE LAVER • TO WASH ONESELF, TO WASH UP

je me lave	nous nous lavons
tu te laves	vous vous lavez
il / elle / on se lave	ils / elles se lavent

◈ **Se laver** is the infinitive. The verb is conjugated normally—that is to say, here, like a regular -er verb.

◈ There are three types of pronominal verbs in French:

1 reflexive verbs

2 reciprocal verbs

3 idiomatic pronominal verbs

◈ **Se laver** is reflexive.

Je me lave.
I wash (myself).

◈ The non-reflexive use of **laver** is this:

Je lave la voiture.
I wash the car.

◈ Here are some common pronominal verbs used in the reflexive sense.

se réveiller	to wake up
se lever	to get up
se laver	to wash up
se laver les mains, les pieds, le visage	to wash one's hands, feet, face
se brosser les dents, les cheveux	to brush one's teeth, hair
s'habiller	to get dressed
se préparer	to get ready
se coucher	to go to bed
s'excuser	to excuse oneself, to apologize
s'installer	to get settled in
se promener	to take a walk

◇ Sometimes the English translation would imply "oneself":

Je me lève à 6h00.
I get (myself) up at six.

◈ These verbs follow the conjugation patterns for verbs like them.

◇ Regular -er verbs:

Je me lave.

◇ Stem-change verbs:

Je me lève.

Nous nous levons.

Je me promène.

Nous nous promenons.

◇ Note the stem change for **s'appeler**:

S'APPELER · TO BE CALLED

je m'appelle	nous nous appelons
tu t'appelles	vous vous appelez
il s'appelle	ils s'appellent

◈ The verb s'**asseoir** is an example of an irregular pronominal verb.

S'ASSEOIR · TO SIT DOWN

je m'assieds	nous nous asseyons
tu t'assieds	vous vous asseyez
il s'assied	ils s'asseyent

◈ Use the following pattern when putting pronominal verbs in the infinitive with another conjugated verb:

Je vais me lever.

Nous voulons nous asseoir.

Vous préférez vous habiller élégamment.

◈ **Se parler** is a reciprocal pronominal verb.

Avec mes amis, nous nous parlons régulièrement.
We talk "with each other."

◇ Compare this to the non-reciprocal use:

Nous parlons à nos amis.
We talk to our friends.

◇ Other verbs like this are:

se marier	to get married
se téléphoner	to call each other
s'embrasser	to kiss each other

◈ **S'appeler** is idiomatic. When one says **Je m'appelle Ann**, they are really saying "I am called Ann." You can't translate the idiomatic reflexive verbs word-for-word. **Nous nous amusons le week-end** means "We have fun on weekends" (and not "We amuse each other"). Below are some more expressions.

s'amuser	to have fun
se dépêcher	to hurry
s'endormir	to fall asleep (like **dormir**)
s'ennuyer	to be bored (this has a stem change like **payer**)
se fâcher	to get angry
se passer	to happen, to take place
se rappeler	to recall, to remember (like **appeler**)
se reposer	to rest
se trouver	to be situated
se sentir	to feel (like **sentir**, and usually with an adjective or the adverbs **bien** and **mal**)

Je m'endors.

Nous nous endormons.

Je m'ennuie.

Nous nous ennuyons.

Notre hôtel se trouve dans une petite rue.

Je me sens mal.

Je me sens malade.

◈ To negate pronominal verbs, just place the **ne** before the reflexive pronoun and the **pas** after the verb.

Ils se couchent.

Ils ne se couchent pas.

Il ne se sent pas bien.

ACTIVITÉS

A. Interactions

Create complete sentences using all elements needed. Follow the model.

Modèle : Nous {*penser / à / les*} vacances

Nous pensons aux vacances.

1 Je {*téléphoner / à / les*} amis.

_____

2 Le patron de l'hôtel {*donner*} le code {*à / le*} client.

_____

3 Nous {*dire*} « bonjour » {*à / la*} femme de ménage [the housekeeper].

_____

4 Vous {*penser* / *à* / *les*} voyages ?

_____

5 Les clients {*téléphoner* / *à* / *la*} réception de l'hôtel pour un petit service.

_____

6 Nous {*écrire*} une lettre {*à*} notre grand-mère.

_____

B. Qu'est-ce qu'il faut ?

Give advice by using the expression **il faut** or **il ne faut pas** and the elements provided. Follow the model.

> **Modèle** : J'ai mal au bras. _____ jouer au tennis aujourd'hui. <u>Il ne faut pas</u>
>
> jouer au tennis aujourd'hui.

1 J'ai mal à la tête. _____ prendre de l'aspirine.

2 J'ai mal aux pieds. _____ visiter un grand musée cet après-midi.

3 J'ai mal au ventre. _____ manger beaucoup de gâteau.

4 J'ai mal aux dents. _____ aller chez le dentiste.

5 J'ai un peu mal au dos. _____ parler avec le pharmicien.

6 J'ai mal aux cheveux ce matin. _____ boire un grand verre de whisky.

C. En voyage et à l'hôtel

Select the correct verb to form a logical sentence.

1 D'abord je {(a) *m'habille* (b) *m'installe* (c) *m'excuse*} dans ma chambre d'hôtel.

2 Le matin [in the morning] nous {(a) *nous réveillons* (b) *nous couchons* (c) *nous lavons*} tard.

3 Ensuite, vous {(a) *vous habillez* (b) *vous brossez* (c) *vous rasez*} les dents.

4 Parfois [sometimes] elles {(a) *se lavent* (b) *se promènent* (c) *se couchent*} dans le parc.

5 Est-ce que tu {(a) *te couches* (b) *t'habilles* (c) *t'assieds*} toujours (toujours) tard le soir ?

6 La dame à la réception {(a) *se rase* (b) *s'excuse* (c) *se lave*} parce que l'hôtel est complet.

D. À l'hôtel

Fill in the blank with the correct form of the expresssion from the list, in chronological order.

s'habiller / se lever / se réveiller / se brosser les dents / se laver / se préparer / se coucher

1 Le matin, je _____ à sept heures trente quand mon réveil sonne [rings].

2 Est-ce que tu _____ immédiatement ou est-ce que tu restes un peu au lit ?

3 Je n'aime pas rester au lit. Je vais immédiatement dans la salle de bains, je _____ et je _____ les dents.

4 Ensuite je vais dans ma chambre et je _____.

5 Puis je _____ mentalement pour la journée de travail et je sors.

6 Le soir je _____ très tôt [early] car je suis très fatigué.

E. Habitudes

Conjugate the verb in braces.

1 {*se lever*} Vous _____ à quelle heure ?

Je _____ à six heures.

2 {*se brosser les dents*} L'enfant _____ deux fois par jour.

Les dentistes _____ trois fois par jour.

3 {*se laver*} Tu _____ dans la baignoire [bathtub] ou sous la douche [shower] ?

Je _____ sous la douche.

4 {*s'habiller*} Elle _____ toujours de la même façon [way] ?

Non, elle _____ différemment selon [according to] son humeur [mood].

5 {*se coucher*} Les enfants _____ à quelle heure le soir ?

Mary _____ à neuf heures, mais John et Paul ne _____ pas avant dix heures.

6 {*s'asseoir*} Tu _____ sur une chaise ou sur un fauteuil [armchair] ?

Je ne _____ jamais sur un fauteuil.

F. Relations et émotions

Choose one of the expressions from the list to serve as a caption for each photo.

se reposer / se parler / se fâcher / s'embrasser / s'amuser

1	_____	4	_____
2	_____	5	_____
3	_____		

BONNES RÉPONSES

A. Interactions

1 Je téléphone aux amis.

2 Le patron de l'hôtel donne le code au client

3 Nous disons « bonjour » à la femme de ménage.

4 Vous pensez aux voyages ?

5 Les clients téléphonent à la réception de l'hôtel pour un petit service.

6 Nous écrivons une lettre à notre grand-mère.

B. Qu'est-ce qu'il faut ?

1 Il faut prendre de l'aspirine.

2 Il ne faut pas visiter un grand musée cet après-midi.

3 Il ne faut pas manger beaucoup de gâteau.

4 Il faut aller chez le dentiste.

5 Il faut parler avec le pharmicien.

6 Il ne faut pas boire un grand verre de whisky.

C. En voyage et à l'hôtel

1 (b) m'installe   **2** (a) nous réveillons   **3** (b) vous brossez   **4** (b) se promènent
5 (a) te couches   **6** (b) s'excuse

D. À l'hôtel

1 me réveille   **2** te lèves   **3** me lave / me brosse   **4** m'habille   **5** me prépare
6 me couche

E. Habitudes

1 vous levez / me lève   **2** se brosse les dents / se brossent les dents
3 te laves / me lave   **4** s'habille / s'habille   **5** se couchent / se couche / se couchent
6 t'assieds / m'assieds

F. Relations et émotions

1 Ils s'embrassent.   **2** Ils se parlent.   **3** Ils s'amusent.   **4** Ils se fâchent.   **5** Il se repose.

PUBLIC TRANSPORTATION

This lecture starts off by covering two different verbs that mean "to know." Then, it moves on to a new verb meaning "to come." After that, the lecture covers prepositions with geographical names. The activities section builds on the last lecture's segment on travel, hopefully improving your ability to get around.

RÉVISION DE GRAMMAIRE

I. Savoir et connaître / To Know

◈ In French, there are two different verbs for "to know."

◇ **Connaître** is "to know" in the sense of "to be familiar with" or "to be acquainted with." You know something: a person, a place, a thing, for example. In grammatical terms, **connaître** has to be followed by a direct object. It can't stand alone.

CONNAÎTRE • TO KNOW, TO BE FAMILIAR WITH, TO BE ACQUAINTED WITH

je conn**ais**	nous conn**aissons**
tu conn**ais**	vous conn**aissez**
il conn**aît**	ils conn**aissent**

Je connais un bon restaurant.

Nous ne connaissons pas l'aéroport de Bruxelles.

Est-ce que vous connaissez mon mari ?

◊ The other verb for "to know" is **savoir. Savoir** has several meanings, including "to know by heart," "have knowedge of," and "to know as a fact." It can also express to know how to do something when followed by an infinitive. It is often followed by a subordinate clause beginning with **qui**, **que**, **quand**, **pourquoi**, **où**, or **comment**. It can stand alone.

SAVOIR • TO KNOW, TO HAVE KNOWLEDGE OF

je sais	nous savons
tu sais	vous savez
il sait	ils savent

Je sais qui vous êtes.
I know who you are.

II. Venir / To Come

◈ **Venir** means to come. It is also used in the construction **venir** + **de** + an infinitive to speak about the recent past.

VENIR · TO COME

je viens	nous venons
tu viens	vous venez
il vient	ils viennent

◈ Two verbs that are conjugated like **venir** are **revenir** [to come back] and **devenir** [to become].

III. Les Prépositions avec les noms géographiques / Prepositions with Geographical Names

◈ In Lecture 2, you learned that in French, countries are masculine or feminine. If a country ends in the letter e, it's feminine, with the exception of **le Mexique** et **le Cambodge**. You also learned that the continents are feminine and that there are plural countries like the United States, **les États-Unis**. States and provinces follow the same pattern.

◈ Below is a short list of provinces and states as they are referred to in French. You can use the name or the expression **l'état de** or **la province de** + the name of the state or province.

l'Alabama (m.)	la Floride
la Caroline-du-Sud	le Kentucky
la Colombie britannique	la Virginie
le Colorado	le Québec
L'état de New York	l'état de Washington

◈ To say that you go to or are in or at, use **à** for cities and **en** for feminine states, provinces, countries or the continents. For the masculine and plural places, use **à** + the definite article (with necessary contractions).

> Nous allons en France.

> Vous allez au Canada.

> Les jeunes vont aux Pays-Bas.

◈ To say that you come from cities, use **de (d')**. For feminine states, provinces, countries, or the continents use **de (d')** as well. For masculine and plural states, provinces, countries, or the continents, use **du** or **des**.

> Je viens de Paris.

> Abbassia vient d'Algérie.

> Olaf et Kari viennent du Minnesota.

◈ To find out where someone or something is from, the question begins with **d'où** [from where].

> — D'où venez-vous ?

> — Je viens **de** Denver. Je viens **du** Colorado. Je viens **des** Etats-Unis.

ACTIVITÉS

A. Un voyage en avion

Select the correct expression to form a logical sentence.

1 Je n'ai pas beaucoup d'argent, donc je voyage en {(a) *soute à bagage* (b) *classe économique* (c) *classe affaires*}.

2 Nous préférerions nous asseoir sur {(a) *le signal lumineux* (b) *la ceinture de sécurité* (c) *un siège couloir*}.

3 De Denver à Salt Lake City, c'est {(a) *la soute à bagages* (b) *un vol de courte durée* (c) *un vol international*}.

4 Attachez votre {(a) *ceinture de sécurité* (b) *correspondance* (c) *aéroport*} s'il vous plaît.

5 Pour aller de New York à Moscou, nous avons {(a) *une escale* (b) *un aéroport* (c) *un avion*} à Francfort.

6 Nous allons mettre les skis dans {(a) *la valise* (b) *la soute à bagages* (c) *la correspondance*}.

B. Interrogations !

Fill in the blank with the correct form of **connaître** or **savoir**.

1 — Tu _____ Marc ?

— Je _____ Marc ; c'est un ami.

2 — Vous _____ où j'habite ?

— Oui, nous _____ où tu habites.

3 — Ils _____ des célébrités ?

— Non, ils ne _____ personne.

4 — Vous _____ Marseille.

— Non, mais je _____ Avignon.

5 — Est qu'ils _____ lire ?

— Non, ils ne _____ pas lire.

C. Je sais faire cela !

Tell what these people know how to do. Choose the logical verb from the list. Follow the model.

faire la cuisine / conduire sur la neige / écrire / parler français / trouver le musée du Louvre / lire l'arabe classique

Modèle : Nous regardons La Joconde (the Mona Lisa).

Nous <u>savons trouver le musée du Louvre</u>.

1 Je suis poète.

Je _____.

2 Vous préparez un grand dîner.

Vous _____.

3 Serigne étudie le Coran.

Il _____.

4 Ashley travaille à Paris.

Elle _____.

5 Nous partons au ski.

Nous _____.

D. D'où viennent-ils ?

Fill in the blank with the correct form of the verb **venir**.

1 — Tu _____ en avion ou en train ?

— Je _____ en train.

2 — Vous _____ de Paris ou de Lyon ?

— Nous _____ de Lyon.

3 — Les olives _____ de Provence ou d'Italie ?

— Elles _____ de Provence.

4 — Jean-Jacques Rousseau _____ de Gèneve ou de Bruxelles ?

— Il _____ de Genève.

5 — Pourquoi est-ce que vous _____ en France ?

— Nous _____ pour visiter la Provence.

E. Logique

Choose from **venir**, **revenir**, or **devenir** to complete the story. Conjugate the verbs.

Mon ami Marcel et sa femme ¹_____ de Montréal. Marcel

²_____ d'arriver en France pour une nouvelle carrière

[a new career]. Sa femme va ³_____ plus tard. Marcel va

⁴_____ viticulteur [winemaker]. Il va retourner à Québec en

décembre pour voir ses parents mais il va ⁵_____ en France au

printemps pour s'occuper de [to take care of] ses vignes.

F. Le passé récent

Say what the following people just did.

manger / boire de l'eau / travailler tout le week-end / se reposer / trouver 100 euros dans la rue

1 Vous êtes fatiguée.

Vous _____.

2 Nous n'avons plus faim.

Nous _____.

3 Je suis riche.

Je _____.

4 Sylvie et Marc ne sont plus fatigués.

Ils _____.

5 Anne n'a plus soif.

Elle _____.

G. Les pays, les états et les provinces

Are the following countries, states, and provinces masculine or feminine? Put the definite article in the blank. If the place begins with a vowel, write m. or f. in the second blank.

1 _____ Japon

2 _____ Californie

3 _____ Nouvelle-Écosse [Nova Scotia]

4 _____ New Jersey

5 _____ Illinois _____

6 _____ Virginie-Occidentale

7 _____ Angleterre _____

8 _____ Asie _____

9 _____ Texas

10 _____ Viêt Nam

H. Aller-retour

The following people are coming from one place and going to the second place. Fill in the blank with the appropriate preposition.

1 Annie va _____ France. Elle vient _____ Belgique.

2 Nous allons _____ Allemagne. Nous venons _____ Canada.

3 Vous allez _____ Maroc. Vous venez _____ Tunisie.

4 Je vais _____ Gabon. Je viens _____ Sénégal.

BONNES RÉPONSES

A. Un voyage en avion

1 (b) classe économique   **2** (c) un siège couloir   **3** (b) un vol de courte durée
4 (a) ceinture de sécurité   **5** (a) une escale   **6** (b) la soute à bagages

B. Interrogations !

1 connais / connais   **2** savez / savons   **3** connaissent / connaissent
4 connaissez / connais   **5** savent / savent

C. Je sais faire cela !

1 Je sais écrire.

2 Vous savez faire la cuisine.

3 Il sait lire l'arabe classique.

4 Elle sait parler français.

5 Nous savons conduire sur la neige.

D. D'où viennent-ils ?

1 viens / viens **2** venez / venons **3** viennent / viennent **4** vient / vient
5 venez /venons

E. Logique

1 viennent **2** vient **3** venir **4** devenir **5** revenir

F. Le passé récent

1 Vous venez de travailler tout le week-end.

2 Nous venons de manger.

3 Je viens de trouver 100 euros dans la rue.

4 Ils viennent de se reposer

5 Elle vient de boire de l'eau.

G. Les pays les états et les provinces

1 le **2** la **3** la **4** le **5** l' (m.) **6** la **7** l' (f.) **8** l' (f.) **9** le **10** le

H. Aller-retour

1 en / de **2** en / du **3** au / de **4** au / du

TRAVEL AND TECHNOLOGY

The first section of this lecture is a verb review that focuses on forming regular -er verbs, -ir verbs, and -re verbs. After that, the lecture moves on to linking ideas with relative pronouns. The activities section reflects the earlier content of the lecture: You'll be working with verbs and linking ideas.

RÉVISION DE GRAMMAIRE

I. Les Verbes

◇ **Allumer** is a regular er verb. It means "to turn on," for a device. Remember to drop the **-er** and to retain the stem, **allum-**, then add the endings: **-e**, **-es**, **-e**, **-ons**, **-ez**, or **-ent**.

J'allume mon ordinateur.

◈ **Réussir** [to succeed, to succeed at doing something] is a regular -ir verb like **finir**. Drop the -**ir** ending and add **-is**, **-is**, **-it**, **-issons**, **-issez**, or **-issent**. **Réussir** is followed by a noun or by **à** + an infinitive.

> Noun: Je réussis aux examens.

> Infinitive: Je réussis à allumer mon ordi.

◈ **Perdre** [to lose] is a regular -re verb like **vendre**. Drop the -**re** ending, then add **-s**, **-ons**, **-ez**, **-ent**, or nothing.

> Je perds des messages de temps en temps.

◈ **Télécharger** [to download] is like **manger**.

> Je télécharge. But: Nous télécharg**eons**.

◈ **Envoyer** means "to send." It is a stem-change verb like **payer**.

ENVOYER · TO SEND

J'envoie des SMS.	Nous envoyons des textos.
Tu envoies des messages.	Vous envoyez mille dollars au professeur.
Il envoie une lettre d'amour.	Ils envoient une carte postale.

◈ Another verb like **payer** and **envoyer** is **essayer** [to try]. **Essayer** is followed by **de** (**d'**) when it is followed by an infinitive.

> J'essaie de comprendre mon GPS.

> Nous essayons d'aller en France en septembre.

◈ The verb **éteindre** means "to turn off" (for devices) or "to put out" (like a fire). It has an uncommon conjugation.

ÉTEINDRE • TO TURN OFF, TO PUT OUT

J'éteins mon ordinateur.	Nous éteignons nos téléphones.
Tu éteins ton portable.	Vous éteignez l'appareil électronique.
Elle éteint son mobile au cinéma.	Ils éteignent la lumière dans le studio ?

◈ Other verbs like **éteindre** are **craindre** [to fear] and **peindre** [to paint].

II. Pour relier les idées (les pronoms relatifs) / Linking Ideas (Relative Pronouns)

◈ One way of creating complex sentences in French is by linking a dependent clause to an independent clause. To link them, you use a relative pronoun. Three of the relative pronouns are **qui**, **que**, and **où**.

Ben regarde un site qui donne les informations sur les trains.

Je connais le train que Ben va prendre.

La gare où il va arriver est près du centre-ville.

◈ Sometimes we don't use the relative pronoun "that" or "whom" in English. It is implied. In French, however, the pronoun is required.

L'homme que j'aime est beau.
The man I love is handsome.

◈ The chart will help you to see how the relative pronouns **qui** and **que** work.

	PERSON	THING
SUBJECT OF THE VERB OF THE DEPENDENT CLAUSE	qui	qui
OBJECT OF THE VERB OF THE DEPENDENT CLAUSE	que (qu')	que (qu')

The Relative Pronoun Qui

◈ **Qui** never elides (you never drop the "i").

Ben trouve un train. *Le train* part à 14h00.

Ben trouve un train *qui* part à 14h00.

Il voyage avec un ami. *Son ami* aime voyager.

Il voyage avec un ami *qui* aime voyager.

◈ **Qui** can be used as the object of a preposition (**avec qui**, **pour qui**, **à qui**).

The Relative Pronoun Que

◈ **Que** becomes **qu'** before a vowel.

Ben voyage avec un ami. Il connaît bien *cet ami*.

Ben voyage avec un ami *qu'*il connaît bien.

◈ **Que** is the direct object of the second clause here. **Il connaît bien *cet ami.***

Ben prend un train. Je connais bien *ce train*.

Ben prend un train *que* je connais bien.

The Relative Pronoun Où

◇ The relative pronoun **où** is used in complex sentences to refer to place or time. It can mean "where," "which," or "when."

> La ville où je travaille s'appelle Denver.

> Lundi est le jour où je travaille avec les étudiants avancés.

ACTIVITÉS

A. La technologie en voyage

Select the correct word to form a logical sentence.

1 Je n'ai pas de carte routière [road map] ; je préfère mon {(a) *selfie* (b) *ordi* (c) *GPS*}.

2 On n'envoie plus de lettres. On envoie des {(a) *méls* (b) *ordis* (c) *portables*}.

3 Les touristes américains adorent prendre des {(a) *claviers* (b) *ordis* (c) *selfies*} devant la tour Eiffel.

4 Pour votre voyage en train, imprimez votre {(a) *selfie* (b) *e-billet* (c) *smartphone*}.

5 Je téléphone à mon ami sur mon {(a) *GPS* (b) *portable* (c) *ordi*}.

6 Je mets toutes mes photos de voyage sur mon {(a) *ordi* (b) *GPS* (c) *mél*}.

B. Les ordinateurs

Fill in the blank with the correct form of one of the verbs from the list.

télécharger / éteindre / planter [to crash] / allumer / envoyer / cliquer

1   — Est-ce que vous _____ systématiquement votre ordi après le travail ?

    — Non, nous n'_____ pas toujours l'ordi.

2   — Est-ce que tu _____ les documents que je t'_____ ?

    — Non, je ne _____ pas les documents car je n'ai pas assez de mémoire sur mon ordinateur.

3   — Vous _____ votre ordi dès que [as soon as] vous vous réveillez ?

    — Non, nous prenons le petit-déjeuner, et après nous _____ l'ordi.

4   — Mon ordi est d'excellente qualité. Il ne _____ jamais.

    — Tu as de la chance; mon ordi _____ tous les jours !

5   Pour fermer la page, nous _____ sur la petite croix [cross].

C. Je sais. J'essaie.

Use the verb **savoir** in the first blank and **essayer** in the second to complete the sentences.

    Modèle : Je _____ faire la cuisine. J'_____ de faire la cuisine.

    Je <u>sais</u> faire la cuisine. J'<u>essaie</u> de faire la cuisine.

1 Vous _____ envoyer des SMS. Vous _____ d'envoyer des SMS.

2 Nous _____ utiliser un GPS. Nous _____ d'utiliser un GPS.

3 Les politiciens _____ communiquer avec les électeurs [voters].

Les politiciens _____ de communiquer avec les électeurs.

4 Mamie _____ allumer son ordi. Mamie _____ d'allumer son ordi.

5 Je _____ lire la notice [the user's guide]. J'_____ de lire la notice.

D. Des phrases complexes

Here's a chance to practice the same activity you did quickly during the video lecture.
Write **qui**, **que** (**qu'**), or **où** to complete the café stories.

1

Nous sommes en 2006. Le café en France est

toujours un endroit **(a)**_____ les gens

aiment bien. Cet homme vient à ce café **(b)**_____

il peut travailler, boire un café et regarder les gens

(c)_____ passent. Quelle est sa profession ?

C'est une profession **(d)**_____ il aime ? Ou est-ce qu'il attend le moment

(e)_____ il peut partir à la retraite [retire] ?

Nous sommes en 2016. C'est une photo

(a)_____ exagère complètement

la situation. Ces jeunes femmes sont

dans un pub (b)_____ les gens

s'amusent. Elles ne se parlent pas.

Elles ne se regardent pas. C'est une photo (c)_____ je trouve amusante. Mais

je déteste les gens (d)_____ n'éteignent pas leurs téléphones quand nous

sommes ensemble !

E. Voyages et technologie

Tie the two sentences together with a relative pronoun (**qui** / **que** / **où**). Delete the information that would be repetitive once the sentences are combined. Follow the model.

> **Modèle** : Je n'aime pas les voyages. Les agences organisent ces voyages.
>
> Je n'aime pas les voyages que les agences organisent.

1 Je regarde parfois des sites Web. Ces sites présentent des voyages organisés pour les touristes technophiles ou technophobes.

_____

2 Mon hôtel est dans un village. Ce village n'a pas de Wi-Fi.

_____

3 Un touriste aime la tranquillité. Ce touriste va dans ce village.

_____

4 Un autre hôtel est dans un autre petit village. On peut accéder à Internet dans ce village.

_____

5 Cet hôtel propose des activités. Ces activités sont en ligne.

_____

6 Ce sont des activités interactives. Je peux faire ces activités chez moi !

_____

BONNES RÉPONSES

A. La technologie en voyage

1 (c) GPS   **2** (a) méls   **3** (c) selfies   **4** (b) e-billet   **5** (b) portable   **6** (a) ordi

B. Les ordinateurs

1 éteignez / éteignons   **2** télécharges / envoie / télécharge   **3** allumez / allumons
4 plante / plante   **5** cliquons

C. Je sais. J'essaie.

1 savez / essayez   **2** savons / essayons   **3** savent / essaient   **4** sait / essaie
5 sais / essaie

D. Des phrases complexes

1 (a) que   (b) où   (c) qui   (d) qu'   (e) où

2 (a) qui   (b) où   (c) que   (d) qui

E. Voyages et technologie

1 Je regarde parfois des sites Web qui présentent des voyages organisés pour les touristes technophiles ou technophobes.

2 Mon hôtel est dans un village qui n'a pas de Wi-Fi.

3 Un touriste qui aime la tranquillité va dans ce village.

4 Un autre hôtel est dans un autre petit village où on peut accéder à Internet.

5 Cet hôtel propose des activités qui sont en ligne.

6 Ce sont des activités interactives que je peux faire chez moi !

SOUVENIRS DE VOYAGE

This lecture starts out with a review of some verbs and expressions that you will need to move forward with the more complex grammar later in the lecture. The activities section focuses on more language that will help you get around and interact while traveling.

RÉVISION DE GRAMMAIRE

I. Révision des verbes et des expressions / Review of Verbs and Expressions

◈ To say you talk about something, you use the verb **parler** + the preposition **de**.

Je parle de mon voyage.

◈ You learned the verb **avoir** [to have] in Lecture 3.

AVOIR · TO HAVE

j'ai	nous avons
tu as	vous avez
il / elle / on a	ils / elles ont

◈ You also learned to use **avoir** and idiomatic expressions, some of which required **de** + a noun or an infinitive.

avoir peur de	to be afraid of
avoir besoin de	to need (to have need of)

◈ An expression like these is **avoir envie de**, which means to want or to desire.

◈ You'll be using these expressions and other expressions that require **de** when you learn another relative pronoun, the pronoun **dont** [of which].

◈ In Lecture 12, you learned the verb **venir** and its conjugations. A new verb conjugated like **venir** is **se souvenir** [to remember].

◈ It is a pronominal verb. For review of pronominal verbs, you can revisit the section of the **Cahier** that corresponds to Lecture 11. This verb is followed by **de** + a noun. Here is the conjugation of **se souvenir (de)**.

SE SOUVENIR · TO REMEMBER

je me souviens	nous nous souvenons
tu te souviens	vous vous souvenez
il se souvient	ils se souviennent

Les Québecois se souviennent de la culture traditionnelle.

◈ Remember these combinations:

de + le = du

de + la = de la

de + l' = de l'

de + les = des

◈ Putting all of the above grammar together allows us to use the relative pronoun **dont**. **Dont** replaces **de** + a noun. There are other uses that we will not cover in this lecture.

> J'ai envie d'un café.

> James a le café dont j'ai envie.
> *James has the coffee (that I need / of which I have need).*

> Le voyageur a besoin de cadeaux pour ses amis. Le magasin vend les cadeaux dont il a besoin.

> Je me souviens d'un musée. Le musée dont je me souviens s'appelle l'Ecomusée d'Alsace.

> Le guide à l'Ecomusée parle des cigognes [storks], un oiseau important dans cette région. Les oiseaux dont il parle sont importants.

II. Vouloir + que + le subjonctif

◈ You have learned irregular verb **vouloir**. It means "to want" or "to want to do something."

VOULOIR · TO WANT

je veux	nous voulons
tu veux	vous voulez
tout le monde veut	ils/elles/veulent

◈ The only way to say that you want someone else to do something is by using the structure one subject + **vouloir** + **que** + another subject + a verb in the subjunctive mood.

◇ You know the indicative mood.

> Je **parle** français.

◇ You know the imperative mood.

> **Parlez** français.

◊ You know the conditional mood.

Je **voudrais** parler français.

◊ And now the subjunctive mood:

Je veux que vous **parliez** français.

◈ The subjunctive mood sets a tone. It is used less in English than in French, but here is an example.

I insist that Christian visit Morocco. (Note that it's not "Christian visits"; it's "visit." It's the subjunctive.)

◈ One expression that triggers the subjunctive is **vouloir** + **que**.

◈ This is particularly important because you just can't express wanting someone to do something in any other way.

I want you to visit Morocco. (In English, it's simple.)

Je veux que vous visitiez le Maroc.

◈ To form regular verbs in the subjunctive you'll follow a pattern.

1 start with the third person plural form (the **ils / elles** form)

2 drop the **-ent**

3 add the subjunctive endings **-e, -es, -e, -ions, -iez, -ent**

◊ **Que** is in the conjugations on the following page because the subjunctive will always follow a clause or expression using **que**.

VISITER • TO VISIT

que je visite

que tu visites

qu'il visite

que nous visit**ions**

que vous visit**iez**

qu'ils visit**ent**

CHOISIR • TO CHOOSE

que je chois**isse**

que tu chois**isses**

qu'il chois**isse**

que nous chois**issions**

que vous chois**issiez**

qu'ils chois**issent**

VENDRE • TO SELL

que je vend**e**

que tu vend**es**

qu'il vend**e**

que nous vend**ions**

que vous vend**iez**

qu'ils vend**ent**

SORTIR • TO GO OUT

que je sor**te**

que tu sor**tes**

qu'il sor**te**

que nous sor**tions**

que vous sor**tiez**

qu'ils sor**tent**

ACTIVITÉS

A. Des souvenirs de voyage

Create complete sentences with the elements provided. Follow the model.

> **Modèle** : Est-ce que tu {*avoir*} besoin {*cadeaux*} pour tes amis ? Oui, je {*avoir*}
> besoin {*cadeaux*}.
>
> Est-ce que tu <u>as</u> besoin <u>de cadeaux</u> pour tes amis ? Oui, j'<u>ai</u> besoin <u>de cadeaux</u>.

1 Est-ce que vous {*avoir*} envie {*cartes*} postales ? Non, nous {*ne ... pas avoir*} envie
{*cartes*} postales.

_____

2 Est-ce que ton guide {*parler*} spécialités régionales ?

_____

3 Est-ce que tes amis {*se souvenir*} ton voyage ?

_____

B. De quoi est-ce que les gens se souviennent ?

Use the relative pronoun **dont** to tie the sentences together.

> **Modèle** : Je trouve toujours les souvenirs. J'ai envie de ces souvenirs.
>
> Je trouve toujours les souvenirs dont j'ai envie.

1 Mes amis se souviennent bien d'un voyage. Ils parlent du voyage.

_____

2 Je me souviens d'une statuette africaine. Voici la statuette africaine.

_____

3 Nous nous souvenons d'un magasin. Le magasin s'appelle « Souvenirs de Dakar ».

_____

C. Le subjonctif

Select the correct verb to form a logical sentence.

1 Je voudrais que nous {(a) *visitions* (b) *vendions* (c) *détestions*} la Belgique.

2 Ils voudraient que vous {(a) *visitiez* (b) *trouviez* (c) *sortiez*} des cadeaux.

3 La touriste veux que le marchand {(a) *vende* (b) *attende* (c) *perde*} un tapis marocain.

4 Nous voulons que vous {(a) *sortiez* (b) *arriviez* (c) *descendiez*} avec nous ce soir.

5 Nous voudrions que les touristes {(a) *visitent* (b) *travaillent* (c) *écoutent*} Sobo Badè.

6 Tu veux qu'elle {(a) *visite* (b) *oublie* (c) *choisisse*} un souvenir amusant.

D. Le bon verbe

Fill in the blank with the subjunctive form of the logical verb.

choisir / vendre / visiter / sortir / dormir / faire

1 Je voudrais que tu _____ un bon ordi pour Marc.

2 Nous n'avons plus besoin de télévision. Je voudrais que nous _____ cet appareil inutile.

3 Est-ce que tu veux que nous _____ Venise cet hiver ?

4 Qu'est-ce que tu veux que tes parents _____ comme cadeau pour ton anniversaire ?

5 Ma mère ne veut pas que ses enfants _____ le soir.

6 Vous êtes très fatigués ! Nous voudrions que vous _____ toute la nuit.

E. On veut que ...

Transform the sentences. Express that the first subject wants the subject in braces to do the something.

Modèle : Je voudrais visiter Tanger. {*Christian*}

Je voudrais <u>que Christian visite</u> Tanger.

1 Christian veut trouver la Légation américaine. {*nous*}

_____

2 Je veux regarder les archives Paul Bowles à Tanger. {*vous*}

_____

3 Nous voulons sortir au café Tingis ce soir. {*tu*}

_____

4 Je veux visiter les magasins. {*nous*}

_____

5 Les habitants de la ville veulent rester calmes. {*les touristes*}

_____

6 La jeune artisane veut vendre ses colliers [necklaces]. {*la boutique*}

_____

F. En anglais

Translate the correct responses given for activity E to contrast the English and French structures.

1 Christian veut que nous trouvions la Légation américaine.

_____

2 Je veux que vous regardiez les archives Paul Bowles à Tanger.

_____

3 Nous voulons que tu sortes au Café Tingis ce soir.

_____

4 Je veux que nous visitions les magasins.

_____

5 Les habitants de la ville veulent que les touristes restent calmes.

_____

6 La jeune artisane veut que la boutique vende ses colliers.

_____

BONNES RÉPONSES

A. Des souvenirs de voyage

1 Est-ce que vous avez envie de cartes postales ? Non, nous n'avons pas envie de cartes postales.

2 Est-ce que ton guide parle des spécialités régionales ?

3 Est-ce que tes amis se souviennent de ton voyage ?

B. De quoi est-ce que les gens se souviennent ?

1 Mes amis parlent du voyage dont ils se souviennent bien.

2 Voici la statuette africaine dont je me souviens.

3 Le magasin dont nous nous souvenons s'appelle « Souvenirs de Dakar ».

C. Le subjonctif

1 (a) visitions **2** (b) trouviez **3** (a) vende **4** (a) sortiez **5** (a) visitent
6 (c) choisisse

D. Le bon verbe

1 choisisses **2** vendions **3** visitions **4** choisissent **5** sortent **6** dormiez

E. On veut que ...

1 Christian veut que nous trouvions la Légation américaine.

2 Je veux que vous regardiez les archives Paul Bowles à Tanger.

3 Nous voulons que tu sortes au café Tingis ce soir.

4 Je veux que nous visitions les magasins.

5 Les habitants de la ville veulent que les touristes restent calmes.

6 La jeune artisane veut que la boutique vende ses colliers.

F. En anglais

1 Christian wants us to visit the American Legation.

2 I want you to look at the Paul Bowles archives in Tangier.

3 We want you to go out to the Café Tingis tonight.

4 I want us to visit the shops.

5 The residents of the city want the tourists to stay calm.

6 The young artisan wants the boutique to sell her necklaces.

LES VÊTEMENTS: HOW AND WHY TO DRESS

This lecture discusses how to talk about clothing in French. First, you'll learn some verbs that have to do with getting dressed. Then, the lecture's next topic is verbs in the subjunctive form. The lecture's activity section reinforces how to talk about clothing and travel.

RÉVISION DE GRAMMAIRE

I. Les Verbes

◊ The verbs **s'habiller**, **mettre**, and **porter** all have to do with clothing.

  ◊ **S'habiller** is "to get dressed" or "to dress."

  ◊ **Mettre** is "to put on (a piece of clothing or an accessory)."

  ◊ **Porter** is "to wear."

◈ One new verb is **voir** [to see].

VOIR • TO SEE

je vois	nous voyons
tu vois	vous voyez
il voit	ils voient

◈ Another new verb is **croire** [to believe], which is conjugated the same way.

Je crois que mes étudiants voient souvent des différences culturelles importantes.

II. « Il faut que » + un sujet + le subjonctif

◈ In Lecture 11, you learned the impersonal expression **il faut** from the verb **falloir** [to have to]. The subject is always the neutral **il**. **Il faut** expresses a general need or obligation. **Il faut** can be followed by a verb: **Il faut parler.** This is the same as: **Il est nécessaire de parler.**

◈ It's useful to recall that impersonal expression as you learn the use of **il faut** + **que** + a subject + the subjunctive.

Il faut que les touristes s'habillent respectueusement. Il faut qu'ils soient respectueux.

◈ There are many expressions like this that "trigger" the subjunctive, and you'll see them from time to time. It's important that you be patient. (That was a subjunctive in English.)

Il est important que vous soyez patient.

Il faut que vous soyez patient.

◈ **Il faut que** and **il est nécessaire que** express obligation using impersonal expressions. **Il ne faut pas que** means "must not" (as an obligation for the subject that follows).

> Il ne faut pas que tu mettes un maillot de bain pour aller à l'opéra.

◈ **Il n'est pas nécessaire que** is similar in meaning to the English "it is not necessary that…" (again, for the subject that follows).

> Il n'est pas nécessaire que vous mettiez un chapeau pour aller à l'opéra.

III. Quelques verbes avec deux radicaux au subjonctif / Verbs with Two Stems in the Subjunctive

◈ Before reading about how to form these, look at the verbs **boire** and **prendre**.

BOIRE · TO DRINK

que je boive	que nous buvions
que tu boives	que vous buviez
qu'il boive	qu'ils boivent

PRENDRE · TO TAKE

que je prenne	que nous prenions
que tu prennes	que vous preniez
qu'il prenne	qu'ils prennent

◈ The stem for **je**, **tu**, **il / elle / on**, and **ils / elles** comes from the **ils** form of the present indicative (**ils boivent / ils prennent**). The other stem, for **nous** and **vous**, comes from the **nous** form of the verb in the present indicative (**nous buvons / nous prenons**).

◈ Other verbs work this way too, including **venir**, **préférer**, and **acheter**.

ACHETER • TO BUY

que j'achète   que nous achetions

que tu achètes   que vous achetiez

qu'il achète   qu'ils achètent

◈ Irregular verbs in the subjunctive include the following.

ÊTRE • TO BE

que je sois   que nous soyons

que tu sois   que vous soyez

qu'il soit   qu'ils soient

AVOIR • TO HAVE

que j'aie   que nous ayons

que tu aies   que vous ayez

qu'il ait   qu'ils aient

POUVOIR • TO BE ABLE TO

que je puisse   que nous puissions

que tu puisses   que vous puissiez

qu'il puisse   qu'ils puissent

Il faut que je puisse trouver mes gants.

SAVOIR · TO KNOW, TO HAVE KNOWLEDGE OF

que je sache	que nous sachions
que tu saches	que vous sachiez
qu'il sache	qu'ils sachent

Il faut que je sache comment m'habiller.
I need to know how to dress.

ALLER · TO GO

que j'aille	que nous allions
que tu ailles	que vous alliez
qu'il aille	qu'ils aillent

FAIRE · TO DO, TO MAKE

que je fasse	que nous fassions
que tu fasses	que vous fassiez
qu'elle fasse	qu'elles fassent

Il faut que je fasse attention aux codes vestimentaires quand je voyage.
I need to pay attention to dress codes when I travel.

ACTIVITÉS

A. Comment s'habiller ?

Refer back to Lecture 11 for parts of the body and to Lecture 15's Language Lab for clothing vocabulary. You can also use a dictionary.

Match the elements in the right-hand column with the appropriate words in the left. Write out the complete sentences.

1	Sur ses pieds, le monsieur porte	(a) des gants
2	Elle a froid aux mains, donc elle cherche	(b) un costume
3	Elle va à un dîner élégant, donc elle doit mettre	(c) un chapeau
4	Un monsieur élégant porte	(d) un jean
5	Sur la tête un cowboy porte	(e) un maillot de bain
6	Un étudiant met souvent	(f) des chaussures
7	Pour faire de la natation, la dame doit porter	(g) une robe

1 _____

2 _____

3 _____

4 _____

5 _____

6 _____

7 _____

B. Les vêtements

Fill in the blanks with the correct form of **mettre**, **s'habiller**, or **porter**.

1   — Quand tu t'_____ le matin, tu _____ tes vêtements très vite [fast] ou très lentement [slowly] ?

    — Je _____ mes vêtements très vite parce que je suis toujours en retard.

2   — Les gens que tu vois dans la rue au Sénégal _____ des vêtements traditionnels ?

    — Certains [some] _____ des vêtements traditionnels et d'autres _____ des costumes.

3   — À l'école, est-ce que tu _____ parfois ton tee-shirt à l'envers [inside out] pour t'amuser ?

    — Non, je ne _____ jamais mon tee-shirt à l'envers ; je n'aime pas être ridicule.

4   — Est-ce que vous vous _____ toujours très bien pour aller à l'opéra ?

    — Oui, nous nous _____ toujours très élégamment.

5   — Pour voyager au Maroc tu _____ des vêtements chic ou confortables ?

    — Je _____ des vêtements plutôt [rather] confortables, mais pour visiter la mosquée, on _____ des vêtements plus chic.

C. Voir et croire

Fill in the blanks with the appropriate form of **voir** or **croire**.

1 — Est-ce que vous _____ souvent des monokinis sur les plages américaines ?

— Non, nous ne _____ jamais de monokinis. C'est interdit.

2 — Je _____ qu'il est important de s'habiller confortablement pour le yoga.

— Oui, je _____ que tu as raison !

3 — Le docteur ne _____ pas que tu sois très malade.

— Qu'est-ce qu'il _____ sur l'écran [the screen] ?

— Il _____ des signes très positifs.

4 — Tes amis _____ beaucoup de spectacles à Paris ?

— Oui, ils _____ des films, des opéras et des pièces de théâtre.

5 Ce touriste ne _____ pas les monuments. Il regarde toujours son téléphone portable !

6 — Pourquoi est-ce qu'ils ne _____ pas les journaux [newspapers] ?

— Parce qu'on ne _____ plus les médias en général aujourd'hui.

D. Ce qu'il faut faire

Select the correct verb to form a logical sentence.

1 Pour aller à la mosquée il faut que vous {(a) *alliez* (b) *fassiez* (c) *portiez*} un foulard.

2 Pour avoir chaud en hiver, il faut que nous {(a) *allions* (b) *fassions* (c) *mettions*} un chapeau.

3 Pour voir la tour Eiffel, il faut que les touristes {(a) *soient* (b) *fassent* (c) *aillent*} à Paris.

4 Pour apprendre le français il faut que tu {(a) *sois* (b) *soyez* (c) *soient*} patient.

5 Pour mon voyage, il faut que je {(a) *fasse* (b) *sois* (c) *sache*} parler français.

6 Pour le vol international, il faut que tout le monde {(a) *soit* (b) *ait* (c) *mette*} un passeport.

E. Pendant le voyage

Fill in the blank with the correct form of **être**, **avoir**, **aller**, or **faire**.

1 Je ne veux pas que tu _____ soif dans le désert. Prends de l'eau.

2 Il ne faut pas que vous _____ fatigués. Reposez-vous !

3 Qu'est-ce qu'il faut que ces touristes _____ ?

Je voudrais qu'ils _____ au musée.

4 Il faut que les enfants _____ sages [well-behaved] et je ne crois pas qu'ils _____ faim.

5 — Où voudrais-tu que nous _____ ?

— Je voudrais que vous _____ à la Mosquée.

F. La forme subjonctive ou l'infinitif ?

Fill in the blanks with the subjunctive or infinitive form of the verb in braces.

1 — Porte cette veste ! Je ne veux pas que tu _____ ridicule !

— Je ne veux pas _____ ridicule mais je préfère mon blouson. {*être*}

2 — Je veux que nous _____ assez d'argent avant de partir au Maroc.

— Mais il ne faut pas que vous _____ trop d'argent. {*avoir*}

3 — Nous voulons _____ beaucoup de choses mais nous ne sommes pas bien organisés.

— Qu'est-ce que voulez que je _____ ? Je peux organiser votre itinéraire, par exemple. {*faire*}

4 — Il faut que j'_____ à la banque avant le voyage.

— Tu veux que nous _____ avec toi ? {*aller*}

5 — Quand vous arrivez à Casablanca, il faut que vous _____ la visite de la Mosquée Hassan II.

— Qu'est-ce que je dois _____ avant d'entrer ? Je dois mettre un foulard ? {*faire*}

G. Faire ses valises

You saw and heard this activity during Lecture 15's video. Now you can take your time filling in the blanks to practice the spelling and usage of the subjunctive with **il faut que**.

Ce monsieur va visiter Paris pendant deux semaines. Il faut qu'il [1]_____ {*faire*} sa valise. Dans la valise, il faut qu'il [2]_____ {*mettre*} des sous-vêtements (des caleçons et des tee-shirts) et des chaussettes. Pour décider quels pantalons choisir, il faut qu'il [3]_____ {*savoir*} quelles activités il va faire. Va-t-il au théâtre ? Va-t-il dans un restaurant élégant ? S'il va dans un restaurant élégant, il ne faut pas qu'il [4]_____ {*porter*} un jean. Et parfois il faut que les hommes [5]_____ {*mettre*} une cravate et une veste. Et pour les chemises ? Il faut qu'il [6]_____ {*choisir*} des chemises qui vont bien avec ses pantalons. Il ne faut pas qu'il [7]_____ {*être*} mal habillé à Paris.

H. Mon voyage en France

Fill in the blanks with the correct form of the verb indicated in braces. This paragraph is similar to the one you heard but the speaker is now **je**.

Je vais à Nice, au bord de la mer. Je vais prendre le train de Paris à Nice. Mais il ne

faut pas que je [1]_____ {*mettre*} des vêtements de touriste. Il faut que dans

ma valise j'[2]_____ {*avoir*} des vêtements appropriés. Je ne veux pas que les

Français [3]_____ {*pouvoir*} identifier ma nationalité. Je ne veux pas qu'ils

[4]_____ {*savoir*} immédiatement que je suis américaine ! Donc, il ne faut

pas que je [5]_____ {*être*} en short dans le train. En Amérique, je porte

souvent des tennis, mais pour ce voyage, il faut que j'[6]_____ {*acheter*}

des sandales confortables mais élégantes. Dans ma valise il faut qu'il y [7]_____

{*avoir*} aussi un maillot de bain, des tee-shirts et un short, mais pour la plage.

BONNES RÉPONSES

A. Comment s'habiller ?

1 Sur ses pieds, le monsieur porte des chaussures.

2 Elle a froid aux mains, donc elle cherche des gants.

3 Elle va à un dîner élégant, donc elle doit metttre une robe.

4 Un monsieur élégant porte un costume.

5 Sur la tête un cowboy porte un chapeau.

6 Un étudiant met souvent un jean.

7 Pour faire de la natation, la dame doit porter un maillot de bain.

B. Les vêtements

1 habilles / mets / mets   **2** portent / portent / portent   **3** mets / mets
4 habillez / habillons   **5** portes / porte / porte

C. Voir et croire

1 voyez / voyons   **2** crois / crois   **3** croit / voit / voit   **4** voient / voient   **5** voit
6 croient / croit

D. Ce qu'il faut faire

1 (c) portiez   **2** (c) mettions   **3** (c) aillent   **4** (a) sois   **5** (c) sache   **6** (b) ait

---

E. Pendant le voyage

1 aies   **2** soyez   **3** fassent / aillent   **4** soient / aient   **5** allions / alliez

---

F. La forme subjonctive ou l'infinitif ?

1 sois / être   **2** ayons / ayez   **3** faire / fasse   **4** aille / allions   **5** fassiez / faire

---

G. Faire ses valises

1 fasse   **2** mette   **3** sache   **4** porte   **5** mettent   **6** choisisse   **7** soit

---

H. Mon voyage en France

1 mette   **2** aie   **3** puissent   **4** sachent   **5** sois   **6** achète   **7** ait

THE HOME AND PRIVATE SPACES

This lecture starts off with a look at the imperative forms of verbs. Next, the lecture introduces verbs to talk about how people live and their activities. That's also the focus of the closing activities section.

RÉVISION DE GRAMMAIRE

I. L'Impératif

◈ In Lecture 16, you heard the expression **Faites comme chez vous**. Remember that the imperative mood is formed without using a subject pronoun.

REGARDER · TO LOOK AT, TO WATCH

Regarde !	Viens !
Regardez !	Venez !
Regardons !	Venons !

◈ And here's how to give a negative command or suggestion:

Ne mangez pas trop !

◈ In Lecture 11, you learned how suggestions are given with pronominal verbs. Here you can also see the negative structure:

Repose-toi ! / Ne te repose pas !

Reposez-vous ! / Ne vous reposez pas !

Reposons-nous ! / Ne nous reposons pas !

◈ If you need to review the imperative forms, refer back to Lecture 7. That knowledge will be important for one of the activities below.

II. Les Verbes

◈ The verb **vivre** can mean "to be alive." It can mean "to reside" and can also refer to lifestyle (**vivre bien**, **vivre mal**).

VIVRE • TO LIVE, TO BE ALIVE, TO RESIDE

je vis	nous vivons
tu vis	vous vivez
il vit	ils vivent

◈ Other verbs that are conjugated in the present tense like **vivre** are **survivre** [to survive] and **suivre** [to follow]. Note that **je suis** from the verb **suivre** looks like **je suis** [I am]. You'll need to count on the context to help you.

Je suis les instructions quand je lave mes vêtements.

◈ The verb **ouvrir** is irregular. Even though it ends in -ir, it's conjugated like -er verbs.

OUVRIR • TO OPEN

j'ouvre	nous ouvrons
tu ouvres	vous ouvrez
il ouvre	ils ouvrent

◈ There are four verbs that are conjugated like **ouvrir. Se couvrir** is "to cover" for a modest woman who covers herself. **Couvrir** is "to cover." **Découvrir** is to discover. **Offrir** is to offer or to give as a gift or to pay for.

Je vais offrir un voyage à Tahiti à ma sœur !

III. Les Paires de Verbes

◈ Here are some verb pairs that you heard in Lecture 16 :

◇ **Habiter** [to reside] versus **vivre** [to live / to be alive]:

Cendrillon va **habiter** dans un château. Elle va **vivre** longtemps.
*Cinderella is going to **live** in a castle. She is going to **live** a long time.*

◇ **Ecouter** [to listen] versus **entendre** [to hear]:

J'**écoute** de la musique dans ma voiture. J'**entends** la sirène derrière moi.
*I **listen** to music in my car. I **hear** the siren behind me.*

◇ **Regarder** [to look at / watch] versus **voir** [to see]:

Je **regarde** un match de foot à la télé. Je **vois** qu'il ne fait pas beau dans la ville où ils jouent.
*I **am watching** a soccer match on TV. I **see** that it isn't nice out in the city where they're playing.*

◈ **Visiter** is used to talk about visiting places. **Rendre visite à quelqu'un** is used to talk about visiting people.

> Nous **rendons visite** à nos amis. Nous **visitons** leur nouvelle maison pour la première fois.

IV. Le présent + depuis / Expressing How Long Something Has Been Going On

◈ To talk about an activity that started in the past and is continuing right now, use this formula: subject + verb in the present, + **depuis**, + a length of time or a time. You'll get this: "I have been [doing something] for or since [time]." **Depuis** can mean "since" or "for" depending on the context.

> Nous sommes à table depuis deux heures.
> *We have been at the table for two hours.*

> Nous mangeons depuis 19h30.
> *We have been eating since 7:30 p.m.*

◈ Next up are the two questions to get the information you want. **Depuis combien de temps** gets you a length of time.

> — Depuis combien de temps est-ce que vous connaissez vos amis ?

> — Nous connaissons nos amis depuis 20 ans.

◈ To find out a starting point like a time or a date, use **depuis quand**.

> — Depuis quand habitez-vous votre maison ?

> — J'habite ma maison depuis 2005.

◈ You can also answer with a noun:

> J'habite cette maison depuis mon enfance.

◈ Note that the verb is in the present: **j'habite** means "I have been living."

ACTIVITÉS

A. Un week-end chez des Français

Use the imperative in the affirmative or the negative to tell whether or not a houseguest should do the following. Use the **vous** form.

      Modèle : avoir peur du petit chien sympa

          N'ayez pas peur du petit chien sympa.

1 arriver avec un petit cadeau

_____

2 se promener en pyjama dans la maison

_____

3 faire un sandwich

_____

4 rester trois semaines

_____

5 être sympathique

_____

B. Les mêmes suggestions

Now give the same suggestions using the expression **il faut que / il ne faut pas que**. Follow the model.

        Modèle : Il ne faut pas que vous ayez peur du petit chien sympa.

1 _____

2 _____

3 _____

4 _____

5 _____

C. Les pièces de la maison

Select the correct word to form a logical sentence.

1 Je veux qu'il se brosse les dents dans {(a) *la chambre* (b) *le dressing* (c) *la salle de bains*}, pas dans la cuisine !

2 Nous n'aimons pas que le chien dorme dans {(a) *votre chambre* (b) *les WC* (c) *la buanderie*}.

3 Pour prendre une douche, allez dans {(a) *la suite parentale* (b) *la salle d'eau* (c) *la salle à manger*}.

4 Elle lave ses vêtements dans {(a) *le salon* (b) *la buanderie* (c) *la chambre*}.

5 Les invités vont prendre l'apéro {(a) *au salon* (b) *dans la cuisine* (c) *dans le lavabo*}.

6 Le chef prépare le dîner dans {(a) *la chambre* (b) *la buanderie* (c) *la cuisine*}.

D. Être invité en France

Fill in the blank with the correct form of **voir**.

1 — Est-ce que votre ami français _____ des différences entre la France les États-Unis ?

— Oui, il _____ certaines [some] différences.

2 — Est-ce que les invités _____ toute la maison ?

— Non, ils _____ seulement certaines pièces.

3 — Est-ce que nous _____ les enfants ?

— Oui, vous _____ les enfants mais généralement ils ne mangent pas avec les adultes.

4 — Est-ce que tu _____ ce que [what] je veux dire [I mean] ?

— Oui, je _____.

E. Vivre ou habiter ?

Fill in the blank with the correct form of one of the verbs.

1 La France est un pays où les gens _____ bien en général.

2 Vous _____ un appartement ou une maison individuelle ?

3 Nous, les femmes, nous _____ plus longtemps que les hommes.

4 Tes grands-parents _____ toujours ?

5 — Tu _____ pour ta carrière ou pour ta famille ?

— Je _____ pour ma famille.

F. Entendre ou écouter ?

Fill in the blank with the correct form of the logical verb.

1 — Tu _____ des CDs ou ton smartphone ?

— J'_____ des CDs.

2 — Vous _____ le tonnerre [thunder] ?

— Non, nous n'_____ rien.

3 — Tu _____ le bruit de la rue [street noise] ?

— Oui, j'_____ tout [everything].

4 — Vous _____ les conseils [advice] de vos parents ?

— Nous _____ certains conseils mais pas tous [all of them].

5 — Tes grands-parents _____ bien ou est-ce qu'ils sont sourds [deaf] ?

— Ma grand-mère _____ très mal.

G. Interview avec un architecte

Complete the dialogue using **depuis quand** or **depuis combien de temps** + the present tense for the questions. The answers will be in the present, too. Follow the model.

> **Modèle** : être architecte (trente ans)
>
> Vous : Depuis combien de temps êtes-vous architecte ?
>
> Franck : Je suis architecte depuis trente ans.

1 habiter cette ville (mon enfance)

Vous : _____

Franck : _____

2 travailler dans votre cabinet [your firm] (quinze ans)

Vous : _____

Franck : _____

3 utiliser les matériaux écologiques (2005)

Vous : _____

Franck : _____

4 connaître vos ouvriers spécialisés [skilled workers] (l'école primaire)

Vous : _____

Franck : _____

BONNES RÉPONSES

A. Un week-end chez des Français

1 Arrivez avec un petit cadeau !

2 Ne vous promenez pas en pyjama dans la maison !

3 Ne faites pas un sandwich !

4 Ne restez pas trois semaines !

5 Soyez sympathique !

B. Les mêmes suggestions

1 Il faut que vous arriviez avec un petit cadeau.

2 Il ne faut pas que vous vous promeniez en pyjama dans la maison.

3 Il ne faut pas que vous fassiez un sandwich.

4 Il ne faut pas que vous restiez trois semaines.

5 Il faut que vous soyez sympathique.

C. Les pièces de la maison

1 (c) la salle de bains   **2** (a) votre chambre   **3** (b) la salle d'eau   **4** (b) la buanderie
5 (a) au salon   **6** (c) la cuisine

D. Être invité en France

1 voit / voit   **2** voient / voient   **3** voyons / voyez   **4** vois / vois

E. Vivre ou habiter ?

1 vivent   **2** habitez   **3** vivons   **4** vivent   **5** vis / vis

F. Entendre ou écouter ?

1 écoutes / écoute   **2** entendez / entendons   **3** entends / entends   **4** écoutez / écoutons
5 entendent / entend

G. Interview avec un architecte

1   Vous : Depuis quand habitez-vous cette ville ?
Franck : J'habite cette ville depuis mon enfance.

2   Vous : Depuis combien de temps travaillez-vous dans votre cabinet ?
Franck : Je travaille dans mon cabinet depuis quinze ans.

3   Vous : Depuis quand utilisez-vous des matériaux écologiques ?
Franck : J'utilise des matériaux écologiques depuis 2005.

4   Vous : Depuis quand connaissez-vous vos ouvriers spécialisés ?
Franck : Je connais mes ouvriers spécialisés depuis l'école primaire.

« *JE FAIS DES PROGRÈS EN FRANÇAIS !* »

This lecture is mostly a review of previous content from the course. There is a recap of talking about time, posing questions, and talking in the recent past, present, and near future tenses. The activities section reinforces these concepts.

RÉVISION DE GRAMMAIRE

I. L'heure, la fois, le temps / Talking about Time

◇ Lecture 17's video introduced three different words to talk about time:

l'heure (f.)

la fois

le temps

◈ **L'heure** and **une heure** are used for a time, including the times of day.

> **Quelle heure** est-il ?

> Il est **trois heures de l'après-midi**.

> Les Français mangent **à la même heure** tous les jours. Ils trouvent que les Américains mangent parfois à **des heures** bizarres.

◇ **Être à l'heure** is the opposite of **être en retard**.

◈ The second word for time is **une fois**. This is used to talk about the number of times you do something or a first, second, or last time you've done something.

> Christian va à la bibliothèque **une fois** par semaine. Mais c'est **la deuxième fois** qu'il passe devant la Bibliothèque Saint-Jean.

◈ **Le temps** is used to talk about the broad concept of time—or available time.

> Les Français passent **beaucoup de temps** à table quand ils ont **le temps**. Les jeunes professionels n'ont pas de **temps libre**. Ils travaillent **tout le temps**.

II. Les Familles de mots / Word Families

◈ One of the strategies from Lecture 17's video was how to take advantage of word families to enrich your vocabulary. Here are the examples you saw.

1 une buvette / boire : Nous buvons à la Buvette Bonaparte.

2 un pays / un paysage : La France est un pays avec des paysages magnifiques.

3 une montre / montrer : Ma montre montre l'heure.

4 un passage / passer : Je vais passer dans un passage entre deux rues.

5 une fête / fêter : On fait la fête pour fêter mon anniversaire.

III. Poser des questions

◈ You can form yes-no questions with sentences simply by using rising intonation.

> Tu aimes Lyon ?

◈ Adding **est-ce que** to the beginning of the statement signals to your listener that there's a question coming.

> Est-ce que tu aimes Lyon ?

◈ To ask information questions you'll often need **est-ce que** or inversion.

> Pourquoi est-ce que tu aimes Lyon ?
>
> Pourquoi aimes-tu Lyon ?

◈ Here's a reminder of several expressions and question words.

◊ **qui**

> Qui travaille au restaurant ?

◊ **que**

> Que voudriez-vous boire ?
>
> Qu'est-ce que vous voudriez boire ?

◊ **quel** (and its forms)

> Quel est le plat du jour ?
>
> Quelle heure est il ?
>
> Quels jours de la semaine le restaurant est-il ouvert ?

◊ You can include prepositions when needed:

À quelle heure est-ce que nous pouvons déjeuner ?

◊ Other question words include **où** [where], **pourquoi** [why], **quand** [when], **combien de** [how much], and **comment** [how].

IV. La Description

◊ Remember that adjectives agree in gender and number with the noun they modify.

◊ Also note that most adjectives follow the noun they modify, although some short adjectives come before. You can review these structures and forms in Lecture 3, if needed.

V. Les Articles

◊ Over the course of several lectures you've learned to use the indefinite articles **un**, **une**, and **des**; the definite articles **le**, **la**, **les**, and **l'**; and the partitive articles **du**, **de la**, and **des**, as well as **de / d'**.

VI. Les Verbes

◊ By now, you've learned to talk about the present, the near future (with **aller** + infinitive) and the recent past (with **venir** + **de** + infinitive). You learned the subjunctive and some trigger expressions and you learned the imperative mood, as you just practiced in Lecture 16.

VII. Les Phrases complexes

◊ You've also learned to use **qui**, **que**, **où**, and **dont** to link ideas.

ACTIVITÉS

A. Fois, temps, heure ?

Select the correct word to form a logical sentence.

1 Jean : « Je vais au gym deux {(a) *fois* (b) *temps* (c) *heures*} par semaine, le lundi et le jeudi. Et toi ? »

2 Paul : « Oh moi, je n'ai pas le {(a) *fois* (b) *temps* (c) *heures*}. »

3 Jean: « Pourquoi ? Ton travail prend beaucoup de {(a) *fois* (b) *temps* (c) *heures*} ? »

4 Paul : « Oui, je commence à 6 {(a) *fois* (b) *temps* (c) *heures*} le matin et je finis à 19 heures. Je suis toujours à l'heure. »

5 Jean : « Tu n'as pas été en retard une seule {(a) *fois* (b) *temps* (c) *heure*} ? »

6 Paul : « Non. Quelle {(a) *fois* (b) *temps* (c) *heure*} est-il ? 6 heures moins vingt ? Je dois vite partir ! Au revoir ! »

B. Les Familles de mots

Using the noun as a clue, guess what these verbs mean.

1 une instruction / instruire _____

2 une construction / construire _____

3 une comparaison / comparer _____

4 une proclamation / proclamer _____

5 une discussion / discuter _____

6 une dispute / se disputer _____

C. La Visite du Vieux Lyon

Fill in the blank with the logical question word from this list.

où / pourquoi / quand / combien de / comment

1 — Pardon, Monsieur. Savez-vous _____ est le restaurant Chez Marcel ?

— Tournez à gauche et c'est tout droit.

2 — _____ s'appellent les restaurants traditionnels de Lyon ?

— Ils s'appellent des « bouchons ».

3 — _____ est-ce que nous pouvons visiter le musée ?

— Le musée ouvre demain à 8h.

4 — _____ est-ce qu'on appelle les Lyonnais des « gones » ?

— Parce que c'est une expression traditionnelle de cette ville.

5 — Il faut _____ temps pour visiter le Vieux Lyon ?

— Une heure ou deux, si vous voulez tout voir.

D. Au marché en France

Complete the second sentence with the correct form of the adjective used in the first sentence. Follow the model.

> **Modèle** : Au marché, le fromage est bon. Les légumes (m. pl.) sont <u>bons</u> aussi.

1 Le marchand de légumes est heureux. La marchande de fruits est _____ aussi.

2 Les pommes sont excellentes. Le bœuf est _____ aussi.

3 Les fraises en Bretagne sont délicieuses. Et le poisson est _____ aussi.

4 Les olives de Nyons sont célèbres. Et la lavande de Provence est _____ aussi.

5 La choucroute en Alsace est très bonne. Les tartes (f.) aux oignons sont _____ aussi.

6 Le pain n'est jamais mauvais. Les pâtisseries (f.) ne sont jamais _____, non plus.

E. Aujourd'hui et demain

Transform the following sentences to the near future, using **aller** + an infinitive.

> **Modèle** : Je parle français. Je vais parler français.

1 Je fais des progrès en français.

_____

2 Je connais quelques pays francophones.

_____

3 Nous étudions les cultures francophones.

_____

4 Nous allons dans des restaurants de différents pays francophones.

_____

5 Les restaurants sénégalais servent du poulet yassa.

_____

6 Avec le poulet yassa vous mettez de la sauce piquante [hot sauce].

_____

7 On mange le poulet yassa avec du riz.

_____

8 Vous êtes contents de votre repas.

_____

F. Non !

Using the structure **venir** + **de** + an infinitive, explain why the following people aren't going to do what's suggested.

parler à mon ami / arriver / regarder un film à la télé / se réveiller / boire / aller au centre sportif [gym] / manger

Modèle : Allez-vous dormir ? Non, merci, je viens de me réveiller.

1 Allez-vous partir ? Non, nous _____.

2 Paul veut-il un sandwich ? Non, il _____.

3 Voulez-vous un verre d'eau ? Non, merci, je _____.

4 Paul et Marc vont-ils faire du jogging ? Non, ils _____.

5 Allez-vous téléphoner à votre ami ? Non, je _____.

G. Soyons polis

Transform the following requests by changing the verb to the conditional.

1 Je veux un café.

_____

2 Peux-tu faire la cuisine ce soir ?

_____

3 Est-ce que nous pouvons nous asseoir à cette table ?

_____

4 Voulez-vous faire les courses pour moi ?

_____

5 Pouvez-vous faire le ménage ?

_____

6 Nous voulons partir.

_____

H. Vivre en ville

Use **qui**, **que** (**qu'**), **où**, or **dont** to complete the paragraph.

Je vis dans une grande ville française [1]_____ la cuisine est très importante.

Il y a des restaurants traditionnels [2]_____ s'appellent des « bouchons ». C'est

une ville [3]_____ j'aime beaucoup. J'habite ici depuis seulement deux mois,

mais c'est une ville [4]_____ est assez facile à connaître. Il y a une basilique,

Notre-Dame de la Fourvière, [5]_____ vous pouvez voir facilement parce

qu'elle sur une grande colline [hill]. Comment s'appelle la ville [6]_____ je

parle ? Lyon, bien sûr.

BONNES RÉPONSES

A. Fois, temps, heure ?

1 (a) fois   **2** (b) temps   **3** (b) temps   **4** (c) heures   **5** (a) fois   **6** (c) heure

B. Les Familles de mots

1 to instruct, to teach   **2** to build   **3** to compare   **4** to proclaim   **5** to discuss
6 to argue (with each other)

C. La Visite du Vieux Lyon

1 où **2** comment **3** quand **4** pourquoi **5** combien

D. Au marché en France

1 heureuse **2** excellent **3** délicieux **4** célèbre **5** bonnes **6** mauvaises

E. Aujourd'hui et demain

1 Je vais faire des progrès en français.

2 Je vais connaître quelques pays francophones.

3 Nous allons étudier les cultures francophones.

4 Nous allons aller dans des restaurants de différents pays francophones.

5 Les restaurants sénégalais vont servir du poulet yassa.

6 Avec le poulet yassa vous allez mettre de la sauce piquante.

7 On va manger le poulet yassa avec du riz.

8 Vous allez être contents de votre repas.

F. Non !

1 Non, nous venons d'arriver.

2 Paul, veut-il un sandwich ? Non, il vient de manger.

3 Voulez-vous un verre d'eau ? Non, merci, je viens de boire.

4 Paul et Marc vont-ils faire du jogging ? Non, ils viennent d'aller au centre sportif.

5 Allez-vous téléphoner à votre ami ? Non, je viens de parler à mon ami.

G. Soyons polis

1 Je voudrais un café.

2 Pourrais-tu faire la cuisine ce soir ?

3 Est-ce que nous pourrions nous asseoir à cette table ?

4 Voudriez-vous faire les courses pour moi ?

5 Pourriez-vous faire le ménage ?

6 Nous voudrions partir.

H. Vivre en ville

1 où **2** qui **3** que **4** qui **5** que **6** dont

LA MUSIQUE, LE THÉÂTRE ET LA DANSE

This lecture begins by introducing new verbs, then moves on to talk about past tenses in French. The lecture also covers some phrases to indicate something happened in the past. The activities section will have you work with the concepts learned earlier in the lecture.

RÉVISION DE GRAMMAIRE

I. Nouveaux verbes

CRÉER • TO CREATE

Le chorégraphe crée un nouveau ballet. C'est une création très moderne.

APPLAUDIR • TO APPLAUD

Nous applaudissons quand nous aimons un spectacle.

ASSISTER (À) • TO ATTEND AN EVENT

J'assiste souvent à des concerts de rock.

MÉLANGER • TO MIX

Le drame mélange des éléments de la comédie et de la tragédie.

II. Le Passé

◈ There are two simultaneous past tenses in French.

    ◇ One tense is called **le passé composé**.

        J'ai regardé un bon film hier soir (last night).

        I watched the movie. It was an event in my life.

        J'ai mangé au restaurant.

    ◇ The other tense is called **l'imparfait**, the imperfect tense. This is less defined. It's not an event. It's a description.

        Dans le film, il y avait des images de Paris.

◈ In this lecture, the focus is on the **passé composé**. The **passé composé** is a compound tense, which simply means it always has two parts: the helping verb and the main verb. (Simple tenses use only the main verb.)

PRESENT (SIMPLE TENSE)	PASSÉ COMPOSÉ (COMPOUND TENSE)
je regarde	j'ai regardé
nous finissons	nous avons fini
ils entendent	ils ont entendu

◈ The first part, or helping verb, is also called an auxiliary verb. The two auxiliary verbs in French are **avoir** and **être**. These are used in the present tense. This lecture focuses on verbs conjugated with **avoir**.

AVOIR • TO HAVE

j'ai	nous avons
tu as	vous avez
il / elle / on / tout le monde a	ils / elles ont

◈ The second part of the **passé composé** is the past participle of the main verb. Most verbs are regular. You need to know the following patterns for -er, -ir, and -re infinitive endings:

◇ **-er → é**

regarder
Je regarde. (present tense) / J'ai regardé. (passé composé)

For regular -er verbs, the past participle is made by dropping the infinitive ending (the -er) and adding é with the accent.

◇ **-ir → i**

finir
Je finis. (present tense) / J'ai fini. (passé composé)

For -ir verbs, the past participle ends in -i.

◇ **-re → u**

entendre
J'entends. (present tense) / J'ai entendu. (passé composé)

For regular -re verbs, the past participle ends in -u.

◆ Here are irregular past participles for verbs that do not follow this pattern. All of the following verbs are conjugated with **avoir**. (You'll notice that **aller** is not here. It is an **être** verb.)

INFINITIVE	IRREGULAR PAST PARTICIPLE	ENGLISH TRANSLATION
apprendre	appris	to learn
avoir	eu	to have
boire	bu	to drink
comprendre	compris	to understand
conduire	conduit	to drive
connaître	connu	to know
découvrir	découvert	to discover
devoir	dû	to be obliged to, to have to, to owe
dire	dit	to say, to tell
écrire	écrit	to write
éteindre	éteint	to turn off, to put out
être	été	to be
faire	fait	to do, to make
lire	lu	to read
mettre	mis	to put, to place, to put on
obtenir	obtenu	to obtain
offrir	offert	to offer
ouvrir	ouvert	to open
pleuvoir	plu	to rain
pouvoir	pu	to be able
recevoir	reçu	to receive
reconnaître	reconnu	to recognize
vivre	vécu	to live
voir	vu	to see
vouloir	voulu	to want

III. La Négation au passé composé

◇ To make the verb negative in the **passé composé**, simply put the **ne … pas** (or **jamais**, **plus**, **encore**, etc.) around the auxiliary verb.

> Je n'ai pas assisté au concert.
> *I didn't attend the concert.*

> Malheureusement, je n'ai pas pu trouver la salle de concert. *Unfortunately, I couldn't find the concert hall.*

IV. Poser des questions au passé composé

◇ You may use intonation or **est-ce que** in the same ways you did in the present tense.

> Est-ce que vous avez aimé le concert ?
> *Did you like the concert?*

> Pourquoi est-ce que vous avez aimé le concert ?
> *Why did you like the concert?*

◇ You can also invert like this, with the helping verb:

> Avez-vous aimé le concert ?
> *Did you like the concert?*

> Pourquoi avez-vous aimé le concert ?
> *Why did you like the concert?*

◇ When you have a third person singular question to ask, it's more complicated with inversion:

> Est-ce que l'orchestre a joué du Ravel ?
>
> L'orchestre a-t-il joué du Ravel ?
>
> Est-ce que Paul a fini ?
>
> Paul a-t-il fini ?
>
> Est-ce que Paul a entendu ?
>
> Paul a-t-il entendu ?

◇ Either form is fine, but, as in the present tense, you don't need both **est-ce que** and inversion.

V. Vocabulaire pour parler du passé

hier	yesterday
avant-hier	the day before yesterday
il y a (+ a time period)	ago
il y a longtemps	a long time ago
l'année dernière	last year
le mois dernier	last month
la semaine dernière	last week

Nous avons visité Paris il y a deux ans.
We visited Paris two years ago.

ACTIVITÉS

A. La semaine dernière

Select the correct past participle to add in order to form a logical sentence.

1 J'ai {(a) *assisté* (b) *bu* (c) *créé*} à des spectacles au théâtre avec mes amis.

2 Nous avons {(a) *applaudi* (b) *bu* (c) *mélangé*} parce que c'était très bon.

3 Mes parents habitent loin. Ils ont {(a) *dû* (b) *eu* (c) *fini*} prendre l'avion.

4 Vous avez {(a) *traversé* (b) *voulu* (c) *dû*} venir mais le théâtre était complet.

5 Les comédiens ont {(a) *choisi* (b) *fini* (c) *parti*} le spectacle très fatigués.

B. Une pièce de théâtre à Dakar

Put the verbs in the **passé composé**.

> **Modèle** : {*visiter*} Il y a 5 ans, <u>j'ai visité</u> Dakar.

1 {*decider*} J'_____ à la dernière minute d'aller au théatre.

2 {*vouloir*} Mon ami et moi , nous _____ voir une pièce en français.

3 {*choisir*} Nous _____ une comédie par Alfred de Musset.

4 {*prendre*} Nous _____ un taxi pour aller au théâtre.

5 {*trouver*} Nous _____ nos places.

6 {*dire*} Une dame à côté de moi _____ « Bonsoir, Madame. Bonsoir, Monsieur. »

7 {*commencer*} Nous_____ une petite conversation avant le spectacle.

8 Moi : {*voir*} Bonsoir, Madame. Est-ce que vous _____ d'autres pièces par cette troupe ?

9 Elle: {*jouer*} Oh oui, Madame. L'année dernière ils _____ une pièce de Molière.

10 Moi: {*aimer*} Et vous _____ la pièce ?

11 Elle: {*oublier*} Oui, oui. La troupe est excellente. Mais j'_____ le titre de la pièce. Oh ! Le spectacle va commencer !

12 {*eteindre*} Ils _____ les lumières dans la salle. Et le spectacle a commencé !

C. *Le Tartuffe* de Molière

Transform the following statements into negatives to see a bit of the history of this play. Follow the model, replacing the underlined words with the words in parentheses.

Modèle : Molière a écrit cette pièce pour <u>ses comédiens</u> (une autre troupe).

Il n'a pas écrit cette pièce pour une autre troupe.

1 Molière a voulu critiquer <u>les hypocrites</u> (les personnes sincèrement religieuses).

_____

2 <u>Les spectateurs</u> ont aimé la pièce (les censeurs).

_____

3 Le roi a accepté la pièce <u>avec des révisions</u> (dans sa première version).

_____

4 <u>Les comédiens</u> ont célébré le succès de la pièce (les hypocrites).

_____

D. Les rappeurs et journalistes sénégalais

Young Senegalese rap musicians and journalists had a positive influence on the 2012 Senegalese presidential elections. They created a movement called **Y'en a marre** [Fed Up].

Imagine an interview with some of the members of the group. Using **est-ce que**, ask a question that will elicit the part of the answer that's in bold. Use one of the following expressions:

Quand / Pourquoi / Où / Que

Modèle : — <u>Pourquoi est-ce que vous avez choisi</u> le nom « Y en a marre » ?

— Nous avons choisi le nom « Y'en a marre » **pour montrer notre mécontentement [discontent] avec le gouvernement.**

1 — _____ votre grande campagne d'information ?

— Nous avons commencé notre grande campagne d'information **un an avant les élections.**

2 — _____ des meetings ?

— Nous avons organisé des meetings **dans toutes les villes !**

3 — _____ un CD ?

— Le groupe de rappeurs a fait un CD **en 2012.**

4 — _____ des chansons ?

— Ils ont écrit des chansons **pour protester contre les injustices sociales.**

5 — _____ aux jeunes ?

— Nous avons parlé aux jeunes **parce qu'ils avaient besoin d'information** [they needed information] **sur les candidats.**

6 — _____ aux jeunes ?

— Nous avons dit « **Il faut voter !** » aux jeunes.

7 — _____ vos conseils ?

— Ils ont écouté nos conseils [our advice] **parce qu'ils en avaient marre** [they were fed up] **!**

E. L'Inversion

Now ask the same questions using inversion, the questions that will elicit the parts of the answer in bold. Again, use one of the following expressions:

Quand / Où / Que (Qu') / Pourquoi

Modèle : — <u>Pourquoi avez-vous choisi</u> le nom « Y en a marre » ?

— Nous avons choisi le nom « Y'en a marre » **pour montrer notre mécontentement avec le gouvernement.**

1 — _____ votre grande campagne d'information ?

— Nous avons commencé notre grande campagne d'information **un an avant les élections**.

2 — _____ des meetings ?

— Nous avons organisé des meetings **dans toutes les villes** !

3 — _____ un CD ?

— Le groupe de rappeurs a fait un CD **en 2012**.

4 — _____ des chansons ?

— Ils ont écrit des chansons **pour protester contre les injustices sociales**.

5 — _____aux jeunes ?

— Nous avons parlé aux jeunes **parce qu'ils avaient besoin d'information sur les candidats.**

6 — _____aux jeunes ?

— Nous avons dit « **Il faut voter !** » aux jeunes.

7 — _____vos conseils ?

— Ils ont écouté nos conseils **parce qu'ils en avaient marre !**

BONNES RÉPONSES

A. La semaine dernière

1 (a) assisté   **2** (a) applaudi   **3** (a) dû   **4** (b) voulu   **5** (b) fini

B. Une pièce de théâtre à Dakar

1 ai décidé   **2** avons voulu   **3** avons choisi   **4** avons pris   **5** avons trouvé   **6** a dit
7 avons commencé   **8** avez vu   **9** ont joué   **10** avez aimé   **11** ai oublié   **12** ont éteint

C. _Le Tartuffe_ de Molière

1   Il n'a pas voulu critiquer les personnes sincèrement religieuses.

2   Les censeurs n'ont pas aimé la pièce.

3   Le roi n'a pas accepté la pièce dans sa première version.

4   Les hypocrites n'ont pas célébré le succès de la pièce.

D. Les rappeurs et journalistes sénégalais

1 Quand est-ce que vous avez commencé votre grande campagne d'information ?

2 Où est-ce que vous avez organisé des meetings ?

3 Quand est-ce que le groupe de rappeurs a fait un CD ?

4 Pourquoi est-ce qu'ils ont écrit des chansons ?

5 Pourquoi est-ce que vous avez parlé aux jeunes ?

6 Qu'est-ce que vous avez dit aux jeunes ?

7 Pourquoi est-ce qu'ils ont écouté vos conseils ?

E. L'Inversion

1 Quand avez-vous commencé votre grande campagne d'information ?

2 Où avez-vous organisé des meetings ?

3 Quand le groupe de rappeurs a-t-il fait un CD ?

4 Pourquoi ont-ils écrit des chansons ?

5 Pourquoi avez-vous parlé aux jeunes ?

6 Qu'avez-vous dit aux jeunes ?

7 Pourquoi ont-ils écouté vos conseils ?

LA LITTÉRATURE ET LE CINÉMA

This lecture covers how to talk about literature and film. But it starts out with a look at verbs that have to do with the cycle of life, then covers information on the construction of the **passé composé**. The activities section will have you work on sentences and stories.

RÉVISION DE GRAMMAIRE

I. Naître et mourir

NAÎTRE · TO BE BORN

je nais	nous naissons
tu nais	vous naissez
il naît	ils naissent

Les hommes naissent libres.

MOURIR · TO DIE

je meurs	nous mourons
tu meurs	vous mourez
il meurt	ils meurent

Les fleurs meurent après quelques jours.

II. Le passé

◈ As you saw in Lecture 18, the **passé composé** is a compound tense, which means it always has two parts: the helping verb (auxiliary verb) and the main verb (in the past participle form).

PRESENT (SIMPLE TENSE)	PASSÉ COMPOSÉ (COMPOUND TENSE)
je regarde	j'ai regardé
nous finissons	nous avons fini
ils entendent	ils ont entendu

◈ You just saw how **avoir** is used as the first of the two auxiliary verbs used in French. The other auxiliary verb is **être**. This lecture focuses on verbs conjugated with **être**.

ÊTRE · TO BE

je suis	nous sommes
tu es	vous êtes
il / elle / on / tout le monde est	ils / elles sont

◈ The second part of the **passé composé** is the past participle of the main verb, as you saw in Lecture 18. One particularity of verbs conjugated with **être** is that the past participle agrees in gender and number with the subject. Past participles with **avoir** do not agree with the subject.

Marc est allé au cinéma. Il a vu un film.

Anne est all**é**e au cinéma. Elle a vu un film.

Anne et Marc sont all**és** au cinéma. Ils ont vu un film.

Anne et Marie sont all**ées** au cinéma. Elles ont vu un film.

◈ With **tu**, **vous**, and **nous**, the agreement will depend upon to whom those pronouns are referring. Thus:

Monsieur Dubois, êtes-vous allé au cinéma ?

Madame Dubois, êtes-vous allée au cinéma ?

Paulette et Linette, est-ce que vous êtes allées au cinéma ?

NAÎTRE · TO BE BORN

PRESENT (SIMPLE TENSE)	PASSÉ COMPOSÉ (COMPOUND TENSE)
je nais	je suis né(e)
tu nais	tu es né(e)
il naît	Il est né / Elle est née
nous naissons	Nous sommes né(e)(s)
vous naissez	Vous êtes né(e)(s)
ils naissent	Ils sont nés / Elles sont nées

◊ There are a limited number of verbs that are normally conjugated with **être**. When used with être, they do not take a direct object. You'll see the past participles on the next page.

INFINITIVE	ENGLISH TRANSLATION
aller	to go
arriver	to arrive
descendre	to descend, to go down
entrer	to enter
monter	to ascend, to go up
mourir	to die
naître	to be born
partir	to depart, to leave
passer par	to go by somewhere
rentrer	to go home
rester	to stay
retourner	to go back
sortir	to exit, to go out
tomber	to fall
venir	to come

◊ In addition to this short list of **être** verbs, note that all pronominal verbs are also conjugated with être.

SE LAVER · TO WASH YOURSELF

PRESENT (SIMPLE TENSE)	PASSÉ COMPOSÉ (COMPOUND TENSE)
je me lave	je me suis lavé(e)
tu te laves	tu t'es lavé(e)
il / elle / on se lave	il / elle / on s'est lavé(e)
nous nous lavons	nous nous sommes lavé(e)s
vous vous lavez	vous vous êtes lavé(e)(s)
ils / elles se lavent	ils / elles se sont lavé(e)s

Marguerite Duras s'est mariée en 1939.

◈ Concerning the past participles, many verbs are regular. In the last lecture, you learned the patterns for -er, -ir and -re infinitive endings:

-er → é

-ir → i

-re → u

◈ Even though it is irregular, **aller** has a regular past participle :

Je suis allé(e).

◈ Here are some irregular past participles:

◇ **naître**

Je suis né(e).

◇ **venir**

Je suis venu(e).

◇ **mourir**

Je suis mort(e).

In all of the examples above, you see the option of adding an "e" to the end of the participle, just in case the subject **je** refers to a woman.

◈ As you learn new verbs throughout this course and elsewhere, just note the past participle when you learn the conjugation.

ACTIVITÉS

A. Allons au cinéma !

Fill in the blank to form a logical sentence.

1 Je n'ai pas bien entendu les dialogues, à cause de (because of) la mauvaise qualité de {(a) *la bande-son* (b) *la séance* (c) *la critique*}.

2 Jack est un grand {(a) *acteur* (b) *cinéphile* (c) *critique*}. Il voit systématiquement tous les nouveaux films de ses réalisateurs (directors) favoris.

3 Nous sommes allés {(a) *à la séance* (b) *au cinéma* (c) *au popcorn*} de 19h.

4 Les acteurs ne parlent pas leur langue natale : c'est un film {(a) *en version originale* (b) *doublé* (c) *français*}.

5 Ce film a eu une excellente {(a) *version originale* (b) *critique* (c) *séance*} dans les journaux (newspapers).

B. Petite interview avec Christian

Translate the following paragraphs.

Je ne suis pas d'accord avec le sondage. Ces deux films sont très amusants, mais je préfère les films avec plus de nuances et d'ambiguïtés. Si tout est trop clair et facile et sans ambiguïtés, je regrette d'avoir payé mon ticket.

_____

_____

_____

Si je vais au cinéma, c'est pour voir dans les conditions idéales le résultat d'un travail personnel et original. Je ne vais pas voir une suite d'images basées sur une formule, comme un sitcom ! Je suis donc prêt à faire un grand effort de concentration ; mais dans un cinéma américain, il y a souvent un problème : le popcorn !

Un soir, à Denver, je suis allé voir un film français inspiré d'un roman de Balzac.

La première scène se passe sur un champ de bataille napoléonien.

_____

_____

La musique évoque la tristesse face aux horreurs de la guerre. Mais comment entrer dans cette ambiance si votre voisin mange des popcorns pendant les quinze premières minutes ?

_____

_____

_____

_____

Pour moi, les conversations qui suivent la séance sont un vrai plaisir. Si l'on discute du film à une terrasse de café avec un groupe de bons amis, le plaisir du cinéphile est complet !

_____

_____

_____

_____

C. Notre voyage en France

Choose the correct form of **être** in the present tense to complete this story.

1 Je _____ très content d'aller en France avec vous cet été !

2 Ma sœur et moi, nous _____ aussi très contents. Tu _____ prêt pour le départ ?

3 Oui, mes bagages _____ prêts et mon passeport _____ valide. Vous _____ prêts ?

4 Ma sœur _____ très organisée, elle a tout préparé il y a deux mois.

D. Au poste de police

Select the correct past participle to add in order to form a logical sentence.

Deux cambrioleurs [robbers], Dany G. et Dany R., ont été arrêtés.

L'agent de police : Vous êtes en état d'arrestation [under arrest] pour cambriolage [robbery]. À quelle heure êtes-vous [1] {(a) *nés* (b) *arrivés* (c) *descendus*} devant la maison ?

Dany G : Moi, j'habite près à 20 minutes de la maison et je suis [2] {(a) *tombée* (b) *partie* (c) *montée*} de chez moi à 23h.

L'agent : Comment êtes-vous [3] {(a) *entrés* (b) *montés* (c) *tombés*} ? Par la porte ou la fenêtre ?

Dany R. : Je suis [4] {(a) *monté* (b) *tombé* (c) *descendu*} dans un arbre pour entrer par le balcon.

Dany G. : Et je suis [5] {(a) *sortie* (b) *tombée* (c) *passée*} par la porte. Je suis civilisée, moi !

L'agent : Qui est [6] {(a) *monté* (b) *entré* (c) *descendu*} dans le sous-sol ?

Dany R. : Tous les deux ! Nous sommes [7] {(a) *venus* (b) *sortis* (c) *allés*} dans la cave à vin. Nous avions soif ! Et puis nous avons bu trop de vin …

L'agent : Comment êtes-vous [8] {(a) *partis* (b) *nés* (c) *tombés*} de la maison ?

Dany G. et Dany R., ensemble : Nous sommes [9] {(a) *sortis* (b) *descendus* (c) *montés*} par la porte !

10 Quel « Dany » est une femme ? Dany R. ou Dany G. ?

_____

E. Questions et réponses au passé

Put the verbs in the **passé composé**.

1 — Christian, tu _____ {*naître*} dans la même ville que ton ami Marc ?

— Oui, mon ami d'enfance et moi, nous _____ {*naître*} dans le même hôpital.

2 — Est-ce que les petites fleurs dans le jardin _____ {*mourir*} la nuit dernière ? Il a fait froid !

— La belle plante devant la maison _____, {*mourir*} malheureusement.

3 — Annette, tu _____ {*arriver*} à l'heure ?

— Oui, je _____ {*arriver*} à 8h, comme prévu [as planned].

4 — Marc et Paul, vous _____ {*partir*} en vacances il y a deux mois ?

— Oui, _____ {*partir*} le deux février.

5 — Qui _____ {*descendre*} de l'avion après vous ?

— Le pilote et le co-pilote _____ {*descendre*} après tous les passagers.

F. Marie-Antoinette

Put the sentences in the **passé composé**.

> **Modèle** : Marie-Antoinette et Louis XVI se rencontrent juste avant leur mariage.
>
> Marie-Antoinette et Louis XVI se sont rencontrés juste avant leur mariage.

1 Marie-Antoinette arrive en France très jeune.

_____

2 Elle se marie avec Louis XVI.

_____

3 Pour un bal, la reine et ses dames s'habillent de façon extravagante.

_____

4 Une fille, Marie-Thérèse, naît en 1778.

_____

5 Deux fils naissent.

_____

6 La dernière fille naît en 1786, mais elle meurt un an après.

_____

7 Un des fils, Louis-Joseph, meurt à l'âge de 7 ans.

_____

8 Le peuple français se révolte en 1789 avec la prise de la Bastille.

_____

G. Marceline Desbordes-Valmore, poétesse

Using **est-ce que**, ask a question that will elicit the part of the answer that's in italics. Use one of the following expressions:

Quand / Pourquoi / Où / Comment / Combien de

Follow the model.

> **Modèle** : Où est-ce que Marceline Desbordes-Valmore est née ?
>
> Marceline Desbordes-Valmore est née **à Douai, en France**.

1 _____ ?

Marceline est née **trois ans avant la Révolution**.

2 _____ ?

La mère et le père de Marceline se sont séparés **pour des raisons financières**.

3 _____ ?

Marceline et sa mère sont parties pour la Guadeloupe **parce que la famille a perdu leur argent pendant la Révolution**.

4 _____ ?

Le voyage en bateau s'est **mal** passé.

5 _____ ?

Le voyage a duré (lasted) **onze** jours.

6 _____ ?

La mère de Marceline est morte **en Guadeloupe.**

7 _____ ?

Marceline est retournée en France **en 1803**.

8 _____ ?

Elle a commencé à écrire des poèmes **parce qu'elle est tombée amoureuse.**

9 _____ ?

D'autres écrivains de son temps (Balzac, Baudelaire) ont trouvé ses poèmes **magnifiques.**

H. Les Roses de Saadi

Read « Les Roses de Saadi » by Marceline Desbordes-Valmore. Circle all verbs in the **passé composé**, along with the subject of the verb.

Les Roses de Saadi

J'ai voulu ce matin te rapporter des roses ;

Mais j'en avais tant pris dans mes ceintures closes

Que les nœuds trop serrés n'ont pu les contenir.

Les nœuds ont éclaté. Les roses envolées

Dans le vent, à la mer s'en sont toutes allées.

Elles ont suivi l'eau pour ne plus revenir ;

La vague en a paru rouge et comme enflammée.

Ce soir, ma robe encore en est tout embaumée …

Respires-en sur moi l'odorant souvenir.

I. Compréhension

Now read the poem along with a translation. Then decide if each statement following it is **vrai** [true] or **faux** [false].

Les Roses de Saadi

J'ai voulu ce matin te rapporter des roses ;
  This morning I wanted to bring you roses;

Mais j'en avais tant pris dans mes ceintures closes
  But I had put so many in my tied sash

Que les nœuds trop serrés n'ont pu les contenir.
  That the tight bows were not able to hold them.

Les nœuds ont éclaté. Les roses envolées
  The bows split apart, the roses flew away

Dans le vent, à la mer s'en sont toutes allées.
  In the wind, all going off to the sea.

Elles ont suivi l'eau pour ne plus revenir ;
  They went with the water, never to come back

La vague en a paru rouge et comme enflammée.
  The wave appeared red and on fire with them.

Ce soir, ma robe encore en est tout embaumée …
  Tonight, my gown is still completely perfumed with them…

Respires-en sur moi l'odorant souvenir.
  Breath in the scented memory of them on me.

Vrai ou faux ?

1 La narratrice a trouvé des roses. _____

2 Elle a donné les roses à quelqu'un. _____

3 Les roses sont parties dans le vent. _____

4 Le parfum des roses est resté dans sa robe. _____

5 Dans le dernier vers [line of poetry], elle a fait une suggestion à quelqu'un [somebody]. _____

BONNES RÉPONSES

A. Allons au cinéma !

1 (a) la bande-son   **2** (b) cinéphile   **3** (a) à la séance   **4** (b) doublé   **5** (b) critique

Je ne suis pas d'accord avec le sondage. Ces deux films sont très amusants, mais je préfère les films avec plus de nuances et d'ambiguïtés. Si tout est trop clair et facile et sans ambiguïtés, je regrette d'avoir payé mon ticket.

Si je vais au cinéma, c'est pour voir dans les conditions idéales le résultat d'un travail personnel et original. Je ne vais pas voir une suite d'images basées sur une formule, comme un sitcom ! Je suis donc prêt à faire un grand effort de concentration ; mais dans un cinéma américain, il y a souvent un problème : le popcorn !

Un soir, à Denver, je suis allé voir un film français inspiré d'un roman de Balzac.

La première scène se passe sur un champ de bataille napoléonien.

La musique évoque la tristesse face aux horreurs de la guerre. Mais comment entrer dans cette ambiance si votre voisin mange des popcorns pendant les quinze premières minutes ?

Pour moi, les conversations qui suivent la séance sont un vrai plaisir. Si l'on discute du film à une terrasse de café avec un groupe de bons amis, le plaisir du cinéphile est complet !

I don't agree with the poll. Both films are very entertaining, but I prefer films with more nuance and ambiguity. If everything's too obvious and easy and unambiguous, I'm sorry to have bought a ticket.

If I go to the cinema, it's to see, under ideal conditions, the results of someone's personal and original work. I don't go to see a series of images based on a formula, like a sitcom! So I am ready to make a great effort to concentrate; but in an American movie theater, there's often a problem: popcorn!

One evening in Denver, I went to see a French film based on a Balzac novel.

The first scene takes place on a Napoleonic battlefield.

The music evokes the sadness of confronting the horrors of war. But how do you get into the mood if the person next to you is eating popcorn through the first 15 minutes?

For me, the conversations that follow the screening are a real pleasure. If they discuss a film on a café patio with a group of good friends, the cinephile's pleasure is complete!

C. Notre voyage en France

1 suis **2** sommes / es **3** sont / est / êtes **4** est

D. Au poste de police

1 (b) arrivés **2** (b) partie **3** (a) entrés **4** (a) monté **5** (c) passée **6** (c) descendu
7 (c) allés **8** (a) partis **9** (a) sortis **10** Danny G. est une femme. Elle a dit « Je suis partie de chez moi à 23h. »

E. Questions et réponses au passé

1 es né / sommes nés **2** sont mortes / est morte **3** es arrivée / suis arrivée
4 êtes partis / sommes partis **5** est descendu / sont descendus

F. Marie-Antoinette

1 Marie-Antoinette est arrivée en France très jeune.

2 Elle s'est mariée avec Louis XVI.

3 Pour un bal, la reine et ses dames se sont habillées de façon extravagante.

4 Une fille, Marie-Thérèse, est née en 1778.

5 Deux fils sont nés.

6 La dernière fille est née en 1786, mais elle est morte un an après.

7 Un des fils, Louis-Joseph, est mort à l'âge de 7 ans.

8 Le peuple français s'est révolté en 1789 avec la prise de la Bastille.

G. Marceline Desbordes-Valmore, poétesse

1 Quand est-ce que Marceline est née ?

2 Pourquoi est-ce que la mère et le père de Marceline se sont séparés ?

3 Pourquoi est-ce Marceline et sa mère sont parties pour la Guadeloupe ?

4 Comment est-ce que le voyage s'est passé ?

5 Combien de jours est-ce que le voyage a duré ?

6 Où est-ce que la mère de Marceline est morte ?

7 Quand est-ce que Marcelline est retournée en France ?

8 Pourquoi est-ce qu'elle a commencé à écrire des poèmes ?

9 Comment est-ce que d'autres écrivains de son temps ont trouvé ses poèmes ?

H. Les Roses de Saadi

Les Roses de Saadi

J'ai voulu ce matin te rapporter des roses ;
Mais j'en avais tant pris dans mes ceintures closes
Que **les nœuds trop serrés n'ont pu** [with the verb pouvoir here there is no **pas** for
the other part of the negative] les contenir.
Les nœuds ont éclaté. Les roses envolées
Dans le vent, à la mer **s'en sont** toutes **allées**.
Elles ont suivi l'eau pour ne plus revenir ;
La vague en **a paru** rouge et comme enflammée.
Ce soir, ma robe encore en est tout embaumée …
Respires-en sur moi l'odorant souvenir.

I. Compréhension

1 vrai   **2** faux   **3** vrai   **4** vrai   **5** vrai

L'ART ET LES ARTISTES

This lecture opens with a review of verbs that are useful for talking about art, then moves on to the imperfect past tense. The activities section will help you sharpen your skills when it comes to discussing art and artists.

RÉVISION DE GRAMMAIRE

I. Les Verbes

◊ **Peindre** is irregular.

PEINDRE · TO PAINT

je peins	nous peignons
tu peins	vous peignez
il peint	ils peignent

◇ The past participle is **peint**.

> Pablo Picasso a peint des tableaux.

◇ You will need to review **prendre** and **faire** to talk about art, too.

> Je prends beaucoup de photos. Robert Doisneau a pris des photos extraordinaires.

> Les peintres abstraits ne font pas souvent de portraits. Picasso a fait le portrait de Sylvette David.

II. Le Passé

◇ There are two simultaneous past tenses in French. The tense you just learned in Lectures 18 and 19 is **le passé composé**.

> Je suis allée au musée la semaine dernière. J'ai vu des tableaux de Clyfford Still.
> *I went to the museum. I saw paintings.* (These were events in the speaker's life.)

> J'ai commencé à comprendre l'art abstrait.
> *I began to understand.* (This is another event: a beginning.)

◇ The other tense is called **l'imparfait**, the imperfect tense. You saw the **imparfait** briefly back in Lecture 18 because it's difficult to tell a story without it.

> J'ai assisté à un concert de rock en 2012. **Il y avait** beaucoup de jeunes … et moi ! **C'était** le soir. Le groupe a joué pendant trois heures.

◇ **L'imparfait** is used in conjunction with the **passé composé** to tell about the past. You can use it to "set the scene" for an event that you'll recount in the **passé composé**.

> J'ai vu un tableau au musée Clyfford Still. Dans le musée, il y avait des tableaux et des dessins.

◇ This last reference to the past is less defined. It's not an event. It's a description. The paintings simply "were there."

◈ To form the **imparfait** of all verbs except **être**, start with the infinitive, just to get situated.

> **regarder**

◈ Then find the **nous** form of the verb:

> nous regardons

◈ Drop the **-ons** to make **nous regard. Regard-** is now your stem. Add these endings: **-ais**, **-ais**, **-ait**, **-ions**, **-iez**, and **-aient**. That will produce:

REGARDER • TO WATCH

je regardais	nous regardions
tu regardais	vous regardiez
il regardait	ils regardaient

◇ It might be wise to review stem change verbs like **commencer** and **manger**. They behave rather oddly, even though they follow the same rule of formation.

> **commencer**

> Nous commençons. / Il commençait. *But:* Vous commenciez.

◇ You don't need the **cédille** in front of an "I" to keep the pronunciation.

> **manger**

> Nous mangeons. / Je mangeais. *But:* Nous mangions.

◇ You don't need the letter e here to keep the pronunciation.

◈ It's common to use **avoir** in the **imparfait**.

> Quand j'avais huit ans, j'avais une très bonne amie, Lisa.

◇ **Il y a**, which becomes **il y avait**, is great for describing. It's formed just like **regarder** was above.

◇ **Avoir** becomes **nous avons**. Then, drop the **-ons** to make **nous av. Av-** is now your stem. Add the endings you saw above with **regarder**: **-ais, -ais, -ait, -ions, -iez**, and **-aient**.

AVOIR • TO HAVE

j'avais	nous avions
tu avais	vous aviez
il avait	ils avaient

Je regardais trop la télé quand j'étais petite. Alors j'avais souvent mal à la tête.

◇ For our purposes, the most-used verb in the **imparfait** is **être**. To form the **imparfait**, you'll have the stem **ét-** and the endings **-ais, -ais, -ait, -ions, -iez**, and **-aient**.

ÊTRE • TO BE

j'étais	nous étions
tu étais	vous étiez
elle était	elles étaient

Pablo Picasso était un peintre espagnol. Il a vécu entre 1881 et 1973. Il est né à Malaga, en Espagne. Il est mort en France quand il avait 91 ans.

Robert Doisneau et Henri Cartier-Bresson étaient des photographes français. Ils prenaient des photos tout le temps [all the time].

◈ Another use of the imperfect is to tell about habitual actions in the past: things you, or someone, would do on a regular basis.

Quand j'**étais** petite, ma mère et moi **regardions** souvent des livres d'art. Je **choisissais** une page dans le livre. Maman ne **disait** rien. Elle **attendait**. Après quelques minutes, je **devais** parler de la scène. J'**inventais** souvent une petite histoire.	When I was little, my mother and I would often look at art books. I would pick a page in the book. Mom didn't say anything. She waited. After a few minutes, I was supposed to talk about the scene. Often, I would invent a little story.

III. Le Vocabulaire de l'imparfait

◈ Here's a list of words and expressions that can prompt the **imparfait**:

d'habitude	usually, as a rule, habitually
en général	in general
souvent	often
toujours	always
tous les jours	everyday
tous les soirs	every night
tous les week-ends	every weekend
tout le temps	all the time
toutes les semaines	every week

◈ You can also use **parfois** and **quelquefois** [sometimes] and other adverbs, like **rarement**.

◈ Negative expressions will work, too. Here's a little reminder of four of them from Lecture 9 that will help when you talk about what you used to not do: **ne … pas**, **ne … jamais**, **ne … personne**, and **ne … pas encore** [not yet].

En 1980, je ne **parlais** pas encore français. Eh oui ! Je ne **comprenais** pas encore le français.

Je ne **comprenais** que l'anglais !

◈ **Ne … que** is not a real negative. It indicates limitations. It's like **seulement** [only].

> Je ne parlais qu'anglais.

IV. « Pendant » et « pendant que »

◈ **Pendant** is often translated as "during." You can use it with a noun, like you can in English.

> pendant les vacances / pendant la semaine / pendant cette leçon

>> **Pendant** cette leçon, je parle de l'art.

>> **Pendant** mes promenades à Paris, j'ai vu beaucoup de sculptures de Rodin.

>> Rodin a vécu **pendant** le XIXème siècle.

◈ **Pendant que** [while] is used to talk about simultaneous actions.

>> Pendant que je me promenais dans le jardin du musée Rodin, je pensais à Rodin et sa vie.
>> *While I was walking around I was thinking about the artist's life.*

>> Mon ami Philippe lisait pendant que son père peignait.
>> *My friend Philippe would read while his father painted.*

◇ If both actions are "habitual," as they are here, both are in the imperfect.

V. L'imparfait et le passé composé ensemble

◈ One use of the two together is when you have a description in the **imparfait** and there is an interruption expressed in the **passé composé**. You're describing an action or situation that was going on when another action or event interrupted it.

ACTIVITÉS

A. Pour faire un tableau

Fill in the blank with a form of the verb **peindre** in the present tense.

1 Cet artiste _____ les paysages à l'extérieur, mais ces portraitistes

_____ souvent les portraits à l'intérieur.

2 — Est-ce que tu _____ des aquarelles?

— Oui, je _____ souvent des aquarelles.

3 — Vous _____ dans le style figuratif ou abstrait ?

— Nous _____ dans le style abstrait.

B. Les Peintres

Fill in the blank with one of these verbs to form a logical sentence. Take a close look at the verb forms, too, since they're in the **imparfait**.

1 Les impressionistes aimaient la nature et il {(a) *vivaient* (b) *peignaient* (c) *arrivaient*} souvent à l'extérieur.

2 Les peintres impressionistes ne {(a) *vendaient* (b) *achetaient* (c) *applaudissaient*} pas toujours leurs tableaux.

3 — Et vous, M. Chapillon, est-ce que vous {(a) *sortiez* (b) *mangiez* (c) *dessiniez*} de votre studio pour peindre ?

4 — Oui, nous {(a) *dessinions* (b) *mangions* (c) *partions*}, mon fils Philippe et moi, sur mon Solex.

5 — Philippe, est-ce que tu {(a) *dessinais* (b) *observais* (c) *travaillais*} ton père quand il peignait ?

6 — Oui, je me souviens quand il {(a) *allumait* (b) *taillait* (c) *mangeait*} une allumette pour dessiner à l'encre.

C. Une promenade dans Paris

Fill in the blank with the **imparfait** of **être** or **avoir**.

1 — Où est-ce que vous _____, Philippe et toi ?

— Nous _____ à Montmartre.

2 — Vous _____ des amis musiciens ?

— Oui, nous _____ beaucoup d'amis musiciens.

3 — Ils _____ célèbres ?

— Ils n'_____ pas tous célèbres.

4 — Quand j'_____ jeune, j'_____ un piano chez moi.

— Tu _____ envie de jouer ?

— Oui, mais j'_____ trop paresseux [lazy].

D. Un artiste américain à Paris

Choose the **imparfait** or the **passé composé** (in braces) to read about one of painter Robert Gratiot's adventures in Paris.

Robert ¹ {*a marché / marchait*} dans les rues de Paris et il ² {*a regardé / regardait*} les vitrines *(windows)* des magasins quand il ³ {*a vu / voyait*} le reflet d'un bus dans une vitrine.

Quand le bus ⁴ {*s'est arrêté / s'arrêtait*} il ⁵ {*a pris / prenait*} une photo et il ⁶ {*a écrit / écrivait*} l'adresse du magasin dans un cahier.

Pendant qu'il ⁷ {*a écrit / écrivait*} le nom du magasin, une dame ⁸ {*est venue / venait*} parler avec lui. Elle ⁹ {*a demandé / demandait*} « Pourquoi est-ce que vous ¹⁰ {*avez pris / preniez*} cette photo ? » Et Robert ¹¹ {*a répondu / répondait*} « Je (J') ¹² {*ai vu / voyais*} immédiatement la beauté de cette scène et je (j') ¹³ {*ai décidé / décidais*} d'en faire un tableau [make a painting of it]. Et en 2002, il ¹⁴ {*a terminé / terminait*} le tableau *Paris Bus*.

BONNES RÉPONSES

A. Pour faire un tableau

1 peint / peignent   **2** peins / peins   **3** peignez / peignons

B. Les Peintres

1 (b) peignaient   **2** (a) vendaient   **3** (a) sortiez   **4** (c) partions   **5** (b) observais
6 (b) taillait

C. Une promenade dans Paris

1 étiez / étions   **2** aviez / avions   **3** étaient / étaient   **4** étais / avais / avais / étais

D. Un artiste américain à Paris

1 marchait   **2** regardait   **3** a vu   **4** s'est arrêté   **5** a pris   **6** a écrit   **7** écrivait
8 est venue   **9** a demandé   **10** avez pris   **11** a répondu   **12** ai vu   **13** ai décidé
14 a terminé

LE PATRIMOINE: MUSEUMS

This lecture begins with a look at a new verb meaning "to transmit." Next, it covers more information on talking about events in the past. Finally, the activities section focuses on work with verbs.

RÉVISION DE GRAMMAIRE

I. Le Verbe « transmettre »

◊ **Transmettre**, meaning "to transmit," is conjugated like the verb **mettre**. Here's the present indicative:

TRANSMETTRE · TO TRANSMIT

je transmets	nous transmettons
tu transmets	vous transmettez
il transmet	ils transmettent

◊ Here it is in the **passé compose**:

j'ai transmis	nous avons transmis
tu as transmis	vous avez transmis
il a transmis	ils ont transmis

Les enfants apprennent à danser. Les adultes ont transmis cette pratique culturelle aux enfants.

◊ Reminder: To form the **imparfait** of all verbs (except **être**), take the **nous** stem and add the endings:

nous transmett~~ons~~

je transmett**ais**	nous transmett**ions**
tu transmett**ais**	vous transmett**iez**
il transmett**ait**	ils transmett**aient**

II. L'Imparfait and le passé composé

◊ In Lecture 20, the **imparfait** was used to set up a situation, to describe, and to talk about things that were going on.

C'**était** en 1956. Picasso **avait** 74 ans et Brigitte Bardot **avait** 21 ans. Est-ce qu'elle **flirtait** avec lui pendant que le photographe **prenait** cette photo ?

◊ It was also used to talk about habitual activities. As an example:

Philippe, as a child, would go off with his father, the painter.

Il **partait** avec son père le matin.

◇ The **passé composé** was also used to talk about actions and events that interrupt something that was going on (with the verb in the **imparfait**):

> Mon ami Robert **regardait** les magasins quand un bus **est arrivé**.
> *My friend Robert was looking at stores when a bus arrived.*

◇ The **passé composé** was also used to move a story forward:

> Le bus **est arrivé**, Robert **est monté** dans le bus et il **est parti**.

◇ Verbs in the **passé composé** express a defined action or event or a "block of time": the action has a specific beginning and end:

> J'**ai visité** le Maroc du 10 au 20 juillet.

◇ The **imparfait** is less well defined. It doesn't move the story forward but it provides for context and descriptions.

> Hier, je **conduisais** ma voiture pendant la nuit. J'**étais** très fatigué et j'ai eu un petit accident.
> *Yesterday, I was driving my car at night. I was very tired and I had a little accident.*

III. Différences entre *l'imparfait* et le *passé composé*

◇ Here are some examples of some common verbs with special uses in the two tenses.

  ◇ **avoir**
> Hier, j'**avais** mal à la tête.
> *Yesterday, I had a headache.*

You don't know exactly when the headache started or stopped and you don't know how long it lasted. Contrast that with this:

> Hier, j'**ai eu** une idée.
> *Yesterday, I got an idea.*

It happened as an event. This is the **passé composé**.

The English translation of **avoir** may be totally different in the **passé composé** and the **imparfait**:

J'**avais** 17 ans et j'**habitais** en France.

I was 17 and I lived in France. (description)

J'**ai eu** 17 ans hier!

I turned 17 yesterday! (event)

◇ **pouvoir**

Hier soir, j'étais dans un restaurant. J'ai regardé la carte mais je ne **pouvais** pas choisir !

I was unable to choose (description of my state of mind).

Le serveur a dit que le plat du jour était du confit de canard. J'adore le confit de canard. J'**ai pu** choisir sans hésitation.

I was able to choose (at that very moment).

◇ **vouloir**

Paula dansait avec ses amis et elle s'amusait bien. Elle **voulait** danser toute la nuit. Son ex-mari est arrivé avec une belle blonde et elle **a voulu** partir.

Right then, she wanted to leave. (The **passé composé** shows that this was a sudden change of heart.)

◇ **aller**

When you use **aller** in the **imparfait** + an infinitive, it creates the equivalent of "I was going to …" meaning that the speaker had that intention. Also, like in English, it implies that it didn't happen.

Pendant mes vacances, je **suis allée** au Musée d'art moderne de Paris.
*During my vacation, I **went** to the Museum of Modern Art in Paris.*

J'**allais visiter** le musée Gustave Moreau, mais c'était fermé.
*I **was going to** visit the Gustave Moreau museum, but it was closed.*

◇ **falloir**

Il faut. [It is necessary.]

Il faut que … [It's necessary that …] (+ the subjunctive. See Lecture 15.)

In the **passé composé**, **il faut que** becomes **il a fallu que**:

Il **a fallu** que j'achète un billet.

I had to buy a ticket (at this point in time). (In this example, the **subjunctive** stays the same as before. It's the present subjunctive.)

Il **a fallu** que nous achetions des billets. (In this example, *achetions* looks like the **imparfait**, but it's the **subjonctif**.)

Donc, nous avons acheté les billets.

Il faut que in the **imparfait** is **Il fallait que**. This is used when the action was habitual: a description of something you "used to have to do."

Quand j'étais petite, **il fallait que** j'aille à l'école tous les jours.
*When I was little, I **used to have to** go to school every day.*

IV. « Depuis » et « pendant »

◈ In Lecture 16, you learned to use **depuis** to talk about an activity that started in the past and is continuing right now: subject + a verb in the present + **depuis** + a length of time or a time.

J'habite à Denver depuis 27 ans.

I have been living in Denver for 27 years (and I am still living in Denver).

◈ However, if the action is over, use **pendant**, + a length of time.

J'ai habité à Paris pendant trois ans.

I lived in Paris for three years. (It's over.)

◇ **Pendant** can be used with the present, the future, and past tenses.

En général, je visite un musée pendant une heure maximum. Mais je vais rester dans le nouveau musée pendant trois heures. Les conservateurs [curators] du nouveau musée ont cherché des tableaux pour ce musée pendant dix ans.

ACTIVITÉS

A. Le patrimoine matériel et immatériel

Select the correct word to form a logical sentence.

1 Versailles est un {(a) *château* (b) *métier* (c) *jeu*} célèbre.

2 Notre-Dame de Paris est une {(a) *archive* (b) *cathédrale* (c) *machine*} très ancienne.

3 Le {(a) *jeu* (b) *tombeau* (c) *site archéologique*} de Napoléon est aux Invalides depuis 1861.

4 Les jeunes aiment apprendre les {(a) *sites archéologiques* (b) *musées* (c) *danses*} traditionnelles.

5 La pétanque est un {(a) *outil* (b) *objet d'art* (c) *jeu*} très populaire en France. Les hommes jouent à la pétanque très sérieusement.

6 Les jeunes boulangers apprennent à faire du pain avec un maître-boulanger. Ensuite, ils connaissent très bien leur {(a) *musée* (b) *métier* (c) *légende*}.

B. Dans un musée

Read the robbery scene and circle all the verbs. Then read it again and decide 1) which tense the verb is in (**passé composé** or **imparfait**) and 2) why that tense works best.

Des gens visitaient une exposition dans un musée. Il faisait chaud. Le gardien dormait. Les gens regardaient les tableaux et se parlaient.

Soudain, un homme mystérieux est arrivé. Il a dit « Haut les mains ». Le gardien s'est réveillé. Tout le monde a mis les mains en l'air, sauf le jeune homme qui écoutait de la musique. Il n'a pas entendu l'ordre de l'homme masqué.

Il regardait un tableau quand l'homme masqué a fait « toc toc » sur son épaule. Le jeune homme s'est retourné. Son sac à dos a frappé l'homme masqué et une banane est tombée de sa main. L'homme masqué a regardé sa main vide avec horreur et il est parti !

C. Le Musée du judaïsme marocain

Put the verbs in the **imparfait** or **passé composé** to tell about the Moroccan Jewish Museum in Casablanca.

Nous avons visité un musée important au Maroc l'année dernière. Je ne savais pas que l'histoire et la religion juives étaient fondamentales dans la formation du Maroc d'aujourd'hui. Cette visite a aidé notre groupe à comprendre la richesse de cette culture.

Nous [1] _____ {*arriver*} au musée et nous [2] _____ {*faire*} une

petite visite du jardin et du bâtiment. Notre guide [3] _____ {*expliquer*} que

le bâtiment [4] _____ {*être*}, au début, un logement pour les enfants juifs qui

n'[5] _____ {*avoir*} plus leurs parents. Un architecte, Aimé Kakon

[6] _____ {*modifier*} le bâtiment en 1995 pour créer le musée.

Nous ⁷_____ {*regarder*} l'exposition permanente où il y ⁸_____

{*avoir*} une Torah magnifique. Le musée ⁹_____ {*exposer*} aussi des paires

de tappuhim dans cette collection permanente. Un beau caftan de mariée juive

¹⁰_____ {*attirer* [to attract]} mon attention et je / j'¹¹_____

{*voir*} aussi des fibules, ces petits bijoux traditionnels que les femmes berbères

¹²_____ {*porter*} pour des occasions spéciales.

Après la visite, une amie marocaine ¹³_____

{*trouver*} une fibule pour moi dans un marché à

Casablanca. C'est beau, non ?

D. Lyon. Présent ? Passé composé ? Imparfait ?

Fill in the blank with the same tense as the other verb in the sentence.

Modèle : Quand je / j'_____ {*être*} jeune, je n'allais pas souvent au musée.

Quand j'<u>étais</u> jeune, je n'allais pas souvent au musée.

1 — Quand vous visitiez Lyon, quel temps _____-il ? {*faire*}

— Il _____ {*pleuvoir*} et j'_____ {*avoir*} froid, alors

nous _____ {*faire*} des visites des musées.

2 — Quel musée avez-vous visité ?

— Nous _____ {*aller*} au Musée gallo-romain où nous _____

{*voir*} des sculptures intéressantes.

3 — Il y avait des Romains à Lyon ?

— Oui, les Romains _____ {*contrôler*} la région pendant longtemps !

4 Jules César a dit : « Je suis venu, je / j'_____, {*voir*} j'ai vaincu. »

Il _____ {*venir*} en Gaule et il _____ {*vaincre*} les

Gaulois—les premiers habitants de France.

5 Le Musée gallo-romain de Lyon _____ {*montrer*} les objets importants

et les touristes apprécient les commentaires des guides.

6 Quand je suis revenu de Lyon, je / j'_____ {*suivre*} un cours sur l'histoire

de la Gaule. Je / J'_____ {*apprendre*} que le héros gaulois Vercingétorix

_____ {*devoir*} se rendre à Jules César pour la protection de son peuple.

7 Pendant la période romaine, la ville de Lyon _____ {*s'appeler*}

Lugdunum et le théâtre antique _____ {*être*} un lieu important.

E. Visites et voyages

Fill in the blank with **pendant** or **depuis**.

1 Nous avons visité le musée du Louvre _____ les vacances.

2 Le musée du Quai Branly à Paris, existe _____ 2006.

3 J'habite à Denver _____ 1998.

4 J'ai habité à Paris _____ vingt ans, entre 1970 et 1990.

5 Le musée d'Art moderne était fermé _____ plusieurs semaines, à cause de travaux de construction.

F. Obligations

Fill in the blank with the subjunctive form of the verb in braces.

1 Quand j'étais enfant, il fallait que je _____ mes devoirs. {*faire*}

2 Au lycée, il a fallu que tu _____ l'algèbre. {*apprendre*}

3 À l'université, il a fallu que vous _____ une spécialité. {*choisir*}

4 Aujourd'hui, il faut que nous _____ au musée du Quai Branly. {*aller*}

5 Avant le voyage en Afrique, il a fallu que les touristes _____ un hôtel. {*réserver*}

6 Pour comprendre le français, il faut que nous _____ le Cahier d'exercices. {*finir*}

BONNES RÉPONSES

A. Le patrimoine matériel et immatériel

1 (a) un château **2** (b) cathédrale **3** (b) tombeau **4** (c) danses **5** (c) jeu **6** (b) métier

Des gens **¹ visitaient** une exposition dans un musée. Il **² faisait** chaud. Le gardien **³ dormait.** Les gens **⁴ regardaient** les tableaux et **⁵ se parlaient.**

Soudain, un homme mysterieux **⁶ est arrivé**. Il **⁷ a dit** « Haut les mains ». Le gardien **⁸ s'est réveillé.** Tout le monde **⁹ a mis** les mains en l'air sauf le jeune homme qui **¹⁰ écoutait** de la musique. Il **¹¹ n'a pas entendu** l'ordre de l'homme masqué.

Il **¹² regardait** un tableau quand l'homme masqué **¹³ a fait** « toc toc » sur son épaule. Le jeune homme **¹⁴ s'est retourné.** Son sac à dos **¹⁵ a frappé** l'homme masqué et une banane **¹⁶ est tombée** de sa main. L'homme masqué **¹⁷ a regardé** sa main vide avec horreur et il **¹⁸ est parti** !

1 The **imparfait** because it sets up the scene; it's a description. We don't know when they got there.

2 The **imparfait** because it's describing temperature. We don't know how long it's been hot.

3 The **imparfait** because it sets the scene. We don't know how long he's been sleeping, and it's a description.

4, 5 The **imparfait** because it sets the scene, we don't know how long they've been there, and it's a description of what was going on.

6 **Passé composé** because it's an interrupting action and it's moving the story forward. He arrived once, at a precise point in time.

7 **Passé composé** because it's moving the story forward. He said it once, at a precise point in time.

8 **Passé composé** because an isolated action and it's moving the story forward.

9 **Passé composé** because they did it once.

10 The **imparfait** because it's a description. You can translate it as "who was listening."

11   **Passé composé** because the order was given once, so he "didn't hear it" just once. It moves the story forward.

12, 13   The first verb is in the **imparfait** because it describes what the young man was doing when the tap on the shoulder was an interruption in the **passé composé**.

14–18   The last five verbs in this story are in the **passé composé** because they were a series of actions that, taken one after the other, definitely move the story forward.

C. Le Musée du judaïsme marocain

1 sommes arrivés   **2** avons fait   **3** a expliqué   **4** était   **5** n'avaient plus   **6** a modifié
7 avons regardé   **8** avait   **9** exposait   **10** a attiré   **11** ai vu   **12** portaient   **13** a trouvé

D. Lyon. Présent ? Passé composé ? Imparfait ?

1 faisait / pleuvait / avais / faisions   **2** sommes allés / avons vu   **3** contrôlaient
4 ai vu / est venu / a vaincu   **5** montre   **6** ai suivi / ai appris / a dû   **7** s'appelait / était

E. Visites et voyages

1 pendant   **2** depuis   **3** depuis   **4** pendant   **5** pendant

F. Obligations

1 fasse   **2** apprennes   **3** choisissiez   **4** allions   **5** réservent   **6** finissions

LE PATRIMOINE: CUSTOMS

This lecture covers many French adverbs. It starts off with a review of adjectives to help you understand how adverbs work. Finally, the activities section will have you put adverbs into use.

RÉVISION DE GRAMMAIRE

I. Les Adjectifs

◊ To form many adverbs, you'll need to remember some concepts about adjectives. Adjectives describe nouns and pronouns. In French, adjectives agree in gender and number with the nouns they modify. Sometimes the masculine and feminine forms are the same.

> L'homme est **triste**. / La femme est **triste**.

◊ Most of the time there will be a spelling change and/or a change in pronunciation.

> L'homme est **heureux**. / La femme est **heureuse**.

II. Les Adverbes

◈ Adverbs are words used to modify verbs, adjectives, or other adverbs. They fall into different categories.

◈ **Adverbs of manner** tell how things are done.

   Les Français parlent **sérieusement** de la protection du patrimoine.

◈ There are three ways of creating many adverbs of manner by using adjectives as a starting point. For example, the adjective **rapide** becomes the adverb **rapidement**. The **-ment** corresponds to the English suffix **-ly** (quickly, rapidly).

1 If the adjective ends in a vowel, simply add **-ment** to make the adverb.

   rapide becomes **rapidement**

   vrai becomes **vraiment**

   passionné becomes **passionnément**

   absolu becomes **absolument**

2 If the adjective ends in a consonant, you need to change the adjective to its feminine form and then add the **-ment**.

   heureux / heureuse / heureusement

   intellectuel / intellectuelle / intellectuellement

Two common exceptions are **gentil**, which becomes **gentiment**, and **profond**, which becomes **profondément**.

3 If the adjective ends in **-ant** or **-ent**, drop the three letters and replace them. For **-ant** use **-amment**.

   Il est bruyant [noisy]. Il parle bruyamment.

For **-ent**, use **-emment**:

Le problème est apparent. Mais **apparemment** mon mari ne comprend pas !

A common exception :

lent / lente / lentement

◈ **Adverbs of time** include:

demain, hier, tôt, tard, d'abord, ensuite, enfin

◈ **Adverbs of frequency** include:

quelquefois, parfois, toujours

◈ **Adverbs of quantity** include:

beaucoup, trop, beaucoup trop, peu, assez

◈ **Adverbs of place** include:

ici, là, partout

◈ Common adverbs modify the **intensity** of adjectives include:

très, un peu, assez, trop

Je suis **très** fatiguée.

◈ The adverb derived from **bon** is **bien**.

Je fais du bon pain. Je travaille **bien**.

◇ The adverb derived from **mauvais** is **mal**.

> Ma manière de danser est mauvaise. Je danse mal !

◇ **Vite** (fast) is an adverb, but is sometimes used as an adjective by sport commentators:

> Cet athlète est vite.

III. Le Placement des adverbes

◇ Adverbs generally go after the verb they modify.

> On **met** *souvent* des adverbes juste après le verbe conjugué.

◇ But **parfois** is frequently at the begining of a sentence:

> **Parfois**, je mets l'adverbe au début de la phrase.

◇ Adverbs generally go before the adjective they modify.

> C'est **très** facile !

◇ Most adverbs of time are short and go either at the beginning or at the end of the sentence.

> **Demain**, je pars en voyage. / Je pars en voyage **demain**.

◇ Most adverbs of place and time go at the end of the sentence.

> J'habite **ici**. / Je pars **demain**.

◇ In the **passé composé**, short adverbs go between the auxiliary (which is the conjugated verb) and the past participle. Longer adverbs sometimes come after the past participle.

> Hier soir, j'ai **beaucoup** mangé. / Elle a travaillé **sérieusement**.

ACTIVITÉS

A. La Culture immatérielle

Match the elements in the right-hand column with the appropriate category in the left. You might need to re-watch the lecture for some of the specific vocabulary.

1	une chanson	(a)	un repas de fête à la maison
2	une danse	(b)	un tatouage au henné
3	une tradition gastronomique	(c)	un mythe
4	une technique	(d)	un porteur d'eau
5	quelqu'un qui pratique un métier	(e)	la musique
6	une légende	(f)	le haka

B. Un peu de grammaire

Formez les adverbes qui correspondent aux adjectifs.

1 sérieux _____

2 parfait _____

3 gentil _____

4 constant _____

5 lent _____

6 évident _____

7 vrai _____

8 heureux _____

9 facile _____

10 franc _____

C. Le repas gastronomique à la maison

Select the correct adverb to form a logical sentence.

1 {(a) *D'abord* (b) *Malheureusement* (c) *Généralement*}, on invite des amis et des parents.

2 On choisit des invités qui s'entendent {(a) *mal* (b) *rarement* (c) *bien*}.

3 On achète {(a) *toujours* (b) *souvent* (c) *généralement*} de très bons produits.

4 On prépare {(a) *généralement* (b) *rarement* (c) *vite*} des plats traditionnels.

5 On mange {(a) *rapidement* (b) *lentement* (c) *sérieusement*} et on fait de la conversation.

6 On reste à table très {(a) *peu* (b) *longtemps* (c) *tristement*}.

D. Des pratiques culturelles

Transform the adjective in parentheses into an adverb that completes the sentence.

Modèle : Le jeune marocain participe _____ à la cérémonie traditionnel. {*actif*}

Il participe activement à la cérémonie traditionnel.

1 Les Français ne discutent pas toujours _____ {*calme*} pendant les repas de famille.

2 Heureusement, les Bretons n'ont pas _____ {*complet*} oublié les danses traditionnelles.

3 La langue régionale est en danger ? Commençons _____ {*immédiat*} à enregistrer [to record] les gens qui parlent cette langue !

4 Pendant le repas traditionnel, il faut manger _____ {*lent*} pour apprécier tous les plats.

5 Dans la Mosquée tout le monde doit parler _____. {*discret*}

6 Ce voyageur étudie _____ {*sérieux*} la culture sénégalaise pour savoir comment être poli.

7 Le voyageur sait comment parler _____ {*poli*} aux personnes âgées.

8 Il montre beaucoup de respect. Il parle _____ {*respectueux*} à tout le monde.

E. La Francophonie

Complete the sentence with an adjective or an adverb, as needed.

1 Au Maroc on sait {(a) *bien* (b) *bon*} faire les tatouages au henné.

2 Pour un repas gastronomique en France on n'achète pas de {(a) *mauvais* (b) *mal*} produits industriels.

3 Les Sénégalais de la troupe à Sobo Badè dansent très {(a) *bien* (b) *bon*}.

4 Au Maroc, les touristes acceptent {(a) *mauvais* (b) *mal*} les tapis de {(a) *mauvaise* (b) *mal*} qualité.

5 Nous avons beaucoup de {(a) *bien* (b) *bons*} souvenirs de notre voyage en Tunisie.

6 Les Québecois savent {(a) *bien* (b) *bon*} préserver les espaces naturels de leur province.

F. Un repas gastronomique chez Mamie

Put the following sentences into the **passé composé** to tell about the special meal.

1 Mamie et Papy _____ {*inviter*} les amis et la famille.

2 Mamie _____ {*choisir*} des recettes traditionnelles.

3 Papy _____ {*aller*} au marché pour des ingrédients frais.

4 Mamie _____ {*préparer*} le repas.

5 Nous _____ {*manger*} ce repas délicieux.

6 Je _____ {*dire*} « Merci ».

G. L'Ordre d'un repas traditionnel

Move the sentences around and use the adverbs below to show the sequence of events.

d'abord / ensuite / après / puis / enfin

(Note: the three adverbs **puis**, **ensuite**, and **après** are interchangeable here.)

On sert du fromage. / On sert de la viande avec des légumes. / On sert un apéritif. / On sert une entrée. / On sert un dessert.

1 _____

2 _____

3 _____

4 _____

5 _____

H. Un apprentissage important

Complete the paragraph by putting the verbs in the appropriate tense (**présent**, **passé composé**, or **imparfait**).

Aujourd'hui, au Mali il y [1]_____ {*avoir*} une tradition musicale très riche. Depuis longtemps les musiciens [2]_____ {*avoir*} une position importante dans la société. Le peuple Dogon, de l'Afrique de l'Ouest, [3]_____ {*transmettre*} encore l'histoire de cette musique aux jeunes.

Il y a 12 ans, nous [4]_____ {*rencontrer*} des musiciens maliens à Denver. Heureusement, nous [5]_____ {*être*} dans la salle des concerts assez longtemps avant le concert. Les musiciens [6]_____ {*arriver*} avec leurs instruments et Ben, mon fils, [7]_____ {*aller*} immédiatement discuter avec eux. Ben [8]_____ {*avoir*} seulement 8 ans et les musiciens [9]_____ {*accepter*} gentiment de parler avec lui. Leurs instruments [10]_____ {*être*}, pour moi, très exotiques.

Quels sont deux des instruments traditionnels ? Le balafon [11]_____ {*être*} une sorte de xylophone. La kora [12]_____ {*avoir*} des cordes, un peu comme une harpe ou un luth, mais je peux difficilement décrire cet instrument! Les musiciens [13]_____ {*jouer*} aussi de différents tam-tams.

Avant le concert, un des musiciens [14]_____ {*expliquer*} la tradition à mon fils.

« Dans une famille, quand un enfant a du talent musical, un adulte

15 _____ {*travailler*} patiemment avec lui. Les jeunes commencent

sans instrument, mais on 16 _____ {*faire*} très tôt un instrument

spécialement pour le jeune garçon ou la jeune fille. Il y 17 _____ {*avoir*}

des mouvements et des sons [sounds] que les enfants 18 _____ {*devoir*}

imiter. Ils 19 _____ {*avoir*} des leçons de musique pendant des années et

ils 20 _____ {*apprendre*} seulement la tradition des Dogons. Mais après

leur apprentissage, les musiciens dogons 21 _____ {*pouvoir*} apprendre

facilement d'autres styles de musique, tels que [such as] le jazz ou le blues, dont

les racines [whose roots] 22 _____ {*se trouver*} en Afrique. »

Mon fils 23 _____ {*adorer*} cette rencontre.

I. Les Adverbes

Now go back through the story in section H and circle the adverbs.

BONNES RÉPONSES

A. La Culture immatérielle

1 (e) la musique   **2** (f) le haka   **3** (a) un repas de fête à la maison
4 (b) un tatouage au henné   **5** (d) un porteur d'eau   **6** (c) un mythe

B. Un peu de grammaire

1 sérieusement   **2** parfaitement   **3** gentiment   **4** constamment   **5** lentement
6 évidemment   **7** vraiment   **8** heureusement   **9** facilement   **10** franchement

C. Le repas gastronomique à la maison

1 (a) D'abord **2** (c) bien **3** (a) toujours **4** (a) généralement **5** (b) lentement
6 (b) longtemps

D. Des pratiques culturelles

1 calmement **2** complètement **3** immédiatement **4** lentement **5** discrètement
6 sérieusement **7** poliment **8** respectueusement

E. La Francophonie

1 (a) bien **2** (a) mauvais **3** (a) bien **4** (b) mal / (a) mauvaise **5** (b) bons
6 (a) bien

F. Un repas gastronomique chez Mamie

1   Mamie et Papy ont invité les amis et la famille.

2   Mamie a choisi des recettes traditionnelles.

3   Papy est allé au marché pour des ingrédients frais.

4   Mamie a préparé le repas.

5   Nous avons mangé ce repas délicieux.

6   J'ai dit « Merci ».

G. L'Ordre d'un repas traditionnel

1   D'abord, on sert un apéritif.

2   Ensuite, on sert une entrée.

3   Après, on sert de la viande avec des légumes.

4   Puis, on sert du fromage.

5   Enfin, on sert un dessert.

Answers to section H are underlined, and answers to section I appear in bold face.

Aujourd'hui, au Mali il y [1] <u>a</u> une tradition musicale **très** riche. Depuis **longtemps** les musiciens [2] <u>ont</u> une position importante dans la société. Le peuple Dogon, de l'Afrique de l'Ouest, [3] <u>transmet</u> **encore** l'histoire de cette musique aux jeunes.

Il y a 12 ans, nous [4] <u>avons rencontré</u> des musiciens maliens à Denver. **Heureusement,** nous [5] <u>étions</u> dans la salle des concerts **assez longtemps avant** le concert. Les musiciens [6] <u>sont arrivés</u> avec leurs instruments et Ben, mon fils, [7] <u>est allé</u> **immédiatement** discuter avec eux. Ben [8] <u>avait</u> **seulement** 8 ans et les musiciens [9] <u>ont accepté</u> **gentiment** de parler avec lui. Leurs instruments [10] <u>étaient</u>, pour moi, **très** exotiques.

Quels sont deux des instruments traditionnels ? Le balafon [11] <u>est</u> une sorte de xylophone. La kora [12] <u>a</u> des cordes, un peu comme une harpe ou un luth, mais je peux **difficilement** décrire cet instrument ! Les musiciens [13] <u>jouent</u> **aussi** des tam-tams.

Avant le concert un des musiciens [14] <u>a expliqué</u> la tradition à mon fils.

« Dans une famille, quand un enfant a du talent musical, un adulte [15] <u>travaille</u> **patiemment** avec lui. Les jeunes commencent sans instrument, mais on [16] <u>fait</u> **très tôt** un instrument **spécialement** pour le jeune garçon ou la jeune fille. Il y [17] <u>a</u> des mouvements et des sons que les enfants [18] <u>doivent</u> imiter. Ils [19] <u>ont</u> leçons de musique pendant des années et ils [20] <u>apprennent</u> **seulement** la tradition des Dogons. Mais **après** leur apprentissage, les jeunes musiciens dogons [21] <u>peuvent</u> apprendre **facilement** d'autres styles de musique, tels que le jazz ou le blues, dont les racines [22] <u>se trouvent</u> en Afrique. »

Mon fils [23] <u>a adoré</u> cette rencontre.

LE PATRIMOINE: PLACES TO VISIT

This lecture starts out by introducing a new verb, then going to a review of two you've already been introduced to. After that, the lecture covers ordinal numbers, followed by comparisons. The activities section reinforces these ideas.

RÉVISION DE GRAMMAIRE

I. Les Verbes

◊ The verb **reconnaître** (to recognize) is conjugated like **connaître**.

RECONNAÎTRE • TO RECOGNIZE

je reconnais	nous reconnaissons
tu reconnais	vous reconnaissez
il/elle/on reconnaît	ils reconnaissent

◊ The past participle is **reconnu**.

> L'UNESCO **a reconnu** officiellement l'importance du Vieux-Québec en 1985.

◊ This is a good time to review the different uses of **savoir** and **connaître**. As you'll recall from Lecture 12, there are two different verbs for "to know."

◊ **Connaître** is "to know" in the sense of "to be familiar with" or "to be acquainted with." You know something: a person, a place, or thing, for example. In grammatical terms, **connaître** has to be followed by a direct object. It can't stand alone.

> Nous ne **connaissons** pas bien le site archéologique de Volubilis.

◊ The other verb for "to know" is **savoir**. **Savoir** has several meanings, including "to know by heart," "to have knowedge of," and "to know as a fact." It can also express "to know how to do something" when followed by an infinitive. It is often followed by a subordinate clause beginning with **qui**, **que**, **quand**, **pourquoi**, **où**, or **comment**. It can stand alone.

> Je **sais** pourquoi vous aimez voyager.
> *I know why you like to travel.*

II. Les Nombres ordinaux

◊ To form most ordinal numbers, you just add **-ième** to a cardinal number.

> trois → troisième
>
> huit → huitième
>
> deux → deuxième

◊ Ordinal numbers may be preceded by **le**, **la**, or **les**.

> le troisième jour
>
> la troisième semaine
>
> les cinquièmes jours de chaque mois

◊ These are abbreviated in this way:

> le IIIᵉ siècle

> la 8ᵉ année

◊ Some ordinal numbers are slightly irregular.

> quatre → quatrième

> cinq → cinquième

> neuf → neuvième

> vingt-et-un → vingt-et-unième

> Nous vivons au vingt-et-unième siècle.

◊ "First" and "last" have masculine, feminine, and plural forms.

le premier siècle (m.)	the first century
le dernier siècle	the last century (in a list)
le siècle dernier	the last century (preceding our own)
la première fois (f.)	the first time
la dernière fois	the last time
les premiers habitants (m. pl.)	the first inhabitants
les derniers habitants	the last inhabitants
les premières habitations (f. pl.)	the first habitations
les dernières habitations	the last habitations

III. Les Comparaisons

◊ To make comparisons with adjectives and adverbs, use this formula:

un élément de la comparaison	+	verbe	+	plus [more] (+) aussi [as] (=) moins [less] (–)	+	un adjectif un adverbe	+	que (qu')	+	un autre élément

◈ To compare with adjectives like **intéressant**:

(+) Ce château est **plus intéressant** que cette église.

(=) Ce village est **aussi intéressant** que cette petite ville.

(−) Ce site néolithique est **moins intéressant** que ce site palélolithique.

(=) À Vaison-la-Romaine, la cité médievale est **aussi intéressante** que le pont romain.

◈ To compare with adverbs like **facilement**:

(+) Je comprends **plus facilement** le français que l'italien.

(=) Je parle **aussi facilement** le français que l'italien.

(−) Je lis **moins facilement** le français que l'italien.

(−) On visite la cité médiévale **moins facilement** que le pont romain. (Il faut monter pour visiter la cité médiévale).

(+) On voit la cité médiévale **plus facilement** que le pont romain (parce que la cité médiévale est sur une colline [hill]).

(=) On trouve des restaurants **aussi facilement** que des magasins de souvenirs.

◈ Here are the structures for comparisons with nouns:

un élément de la comparaison	+	verbe	+	plus de (+) autant de (=) moins de (−)	+	noun	+	que (qu')	+	un autre élément

(+) J'ai **plus de** livres que Paul.

(=) Je visite **autant de** musées que mon fils.

(−) Ils ont **moins de** problèmes que moi.

◈ And the comparative with **verbs**:

un élément de la comparaison	+	verbe	+	plus (+) autant (=) moins (−)	+	que (qu')	+	un autre élément

(+) Il parle **plus** que moi.

(=) Elle travaille **autant** que son mari.

(−) Ils voyagent **moins** que nous.

◈ Here are some irregular comparative forms:

◇ The comparative of the adjective **bon(ne/nes/s)** is **meilleur(e / es / s)**.

Les brochettes de poulet sont **bonnes** en France, mais les brochettes au Maroc sont **meilleures**.

◇ The comparative of the adjective **mauvais(e/es)** is **plus mauvais(e/es)**.

Le café dans un fast-food est **plus mauvais** que le café dans un vrai café.

◇ If you use **moins bon(ne/nes/s)**, you will seem less critical.

Ce pain est **moins bon** que le pain de l'autre boulangerie.

La bière est **moins bonne** en France qu'en Belgique.

◇ If you compare two bad things, you can use **pire**.

Ce spectacle est **mauvais**, mais l'autre spectacle est **pire**.

◇ The comparative of the adverb **bien** est **mieux**. It does not change.

J'aime **mieux** le site mégalithique que le château de Voltaire.

◇ The comparative of the adverb **mal** is **plus mal**. It is invariable, too.

Mon mari skie **plus mal** que moi.

◇ If you use **moins bien**, you will seem less critical.

Mon mari skie **moins bien** que moi. Mais il joue **mieux** au tennis que moi !

IV. Les Pronoms démonstratifs

◈ To avoid repetition, or to indicate something that has already been referred to, you can use demonstrative pronouns. In English, examples include "this one," "that one," "these," and "those."

J'aime ce village, mais je préfère **celui-là**.

J'aime ce restaurant, mais je préfère **celui** d'hier.

Parmi (*among*) les villages, tu préfères **celui-ci** ou **celui-là** ?

◈ Here are the demonstrative pronouns in French:

MASCULINE SINGULAR	MASCULINE PLURAL	FEMININE SINGULAR	FEMININE PLURAL
celui	ceux	celle	celles
celui-ci	ceux-ci	celle-ci	celles-ci
celui-là	ceux-là	celle-là	celles-là

Le Mont-Saint-Michel est sur la liste de l'UNESCO et sur **celle** du Centre des Monuments Historiques.

ACTIVITÉS

A. Lascaux

Fill in the blank with the appropriate verb in in the **présent**, the **passé composé**, or the **imparfait**.

En 1940, des adolescents ont découvert une grotte avec des peintures magnifiques.

Il ne **1**_____ {*connaître / savoir*} pas que cette grotte allait changer

notre perception de l'homme préhistorique. Quand ils ont vu les peintures, ils

2_____ {*savoir / reconnaître*} certains animaux sur les murs de la grotte,

mais d'autres étaient impossibles à identifier.

Un archéologue qui est arrivé après, l'Abbé Breuil, **3**_____ {*savoir /

reconnaître*} tous les animaux. Il ne **4**_____ {*reconnaître / connaître*} pas

l'identité des artistes de Lascaux, bien sûr, mais il **5**_____ {*connaître /

savoir*} approximativement quand ils avaient fait [had made] ces peintures.

En 1979, l'UNESCO **6**_____ {*reconnaître / savoir*} officiellement

l'importance de la grotte de Lascaux. Nous **7**_____ {*connaître /

savoir*} aujourd'hui que ces grottes n'étaient pas des habitations, mais nous ne **8**_____

{*connaître / savoir*} pas la motivation des artistes. Est-ce que c'était pour pratiquer

une religion ? Pour honorer les animaux ? Nous ne **9**_____ {*savoir /

connaître*} pas.

B. L'histoire ? Quel siècle ?

During what century did each of the following take place? Follow the model using ordinal numbers:

Modèle : Il y a eu un violent combat à Lyon (Lugdunum) entre deux généraux romains en l'an 196. C'était au <u>deuxième (IIᵉ) siècle.</u>

1   Un peuple germanique, les Alamans, ont pris une partie de la Gaule romaine
    (la France d'aujourd'hui) en 275. C'était au _____.

2   Clovis, un roi franc, s'est converti au christianisme en 496.
    C'était au _____.

3   Charlemagne est devenu empereur en l'an 800.
    C'était au _____.

4   La victoire des Français à Marignan et 1515 était très importante pour
    le jeune roi François Ier. C'était au _____.

5   En 1661, Louis XIV a déclaré sa décision de gouverner seul, en monarque absolu.
    C'était au _____.

6   Napoléon Bonaparte est devenu empereur en 1804. C'était
    au _____.

7   François Mitterrand a été élu président de la République en 1981. C'était
    au _____.

C. Comparaisons culturelles

Make comparisons using adjectives according to the +, –, or = sign. Follow the model.

Modèle : (–) L'huile d'Argan _____ connue l'huile de tournesol [sunflower].

L'huile d'Argan <u>est moins</u> connue que l'huile de tournesol.

1 (+) Les grottes de Lascaux _____ anciennes que les ruines de Volubilis.

2 (+) Le Mont-Saint-Michel _____ spectaculaire que l'église du village.

3 (–) Le Canal du Midi _____ vieux que la cathédrale de Chartres.

4 (=) Pour l'UNESCO, les monuments _____ importants que les pratiques culturelles.

5 (+) Les vitraux [stained-glass windows] de Chartres _____ complexes que les bisons de Lascaux.

6 (=) La ville fortifiée de Mazagan _____ intéressante que Carcassonne.

D. Les visites culturelles

Make comparisons using adverbs according to the +, –, or = sign. Follow the model.

Modèle : (+) On visite _____ facilement Lascaux II que Lascaux I

On visite <u>plus</u> facilement Lascaux II que Lascaux I.

1 (+) Les touristes voyagent _____ souvent en avion qu'en vélo.

2 (+) Les touristes américains font la queue _____ patiemment que les touristes français.

3 (–) On visite les monuments _____ difficilement en été qu'en hiver.

4 (+) On trouve _____ facilement les produits industriels que les produits traditionnels.

5 (=) Nous écoutons _____ attentivement le guide français que le guide américain.

6 (=) Ils vont _____ rarement en France qu'à New York.

E. Le Tourisme

Make comparisons using nouns according to the +, –, or = sign. Follow the model.

> **Modèle :** (=) il y a _____ touristes français que de touristes américains.
>
> Il y a <u>autant de</u> touristes français que de touristes américains.

1 (=) Il y a _____ traditions au sud de la France qu'au nord de la France.

2 (+) Il y a _____ ruines romaines au sud de la France qu'au nord de la France.

3 (–) Il y a _____ plages au nord de la France qu'au sud de la France.

4 (=) Il y a _____ spécialités culinaires au nord de la France qu'au sud de la France.

5 (+) Il y a _____ grottes préhistoriques au sud de la France qu'au nord de la France.

6 (–) Il y a _____ touristes à Lille qu'à Paris.

BONNES RÉPONSES

A. Lascaux

1 savaient   **2** ont reconnu   **3** a reconnu   **4** connaissait   **5** savait   **6** a reconnu
7 savons   **8** connaissons   **9** savons

B. L'histoire ? Quel siècle ?

1   C'était au troisième (IIIe) siècle.

2   C'était au cinquième (V^e) siècle.

3   C'était au neuvième (IXe) siècle.

4   C'était au seizième (XVIe) siècle.

5   C'était au dix-septième (XVIIe) siècle.

6   C'était au dix-neuvième (XIXe) siècle.

7   C'était au vingtième (XXe) siècle.

C. Comparaisons culturelles

1 sont plus   **2** est plus   **3** est moins   **4** sont aussi   **5** sont plus   **6** est aussi

D. Les visites culturelles

1 plus   **2** plus   **3** moins   **4** plus   **5** aussi   **6** aussi

E. Le Tourisme

1 autant de   **2** plus de   **3** moins de   **4** autant de   **5** plus de   **6** moins de

LE TOURISME ET LES RÉGIONS

This lecture starts off with a recap of adjectives, then covers use of superlatives. In the same vein, the activities section will have you put adjectives and superlatives to use.

RÉVISION DE GRAMMAIRE

I. Les Superlatifs

◊ In Lecture 3, you learned that most adjectives come after the noun they modify. You also learned that there were several adjectives (dealing with beauty, age, goodness, and size) that usually go before the noun:

> autre, beau, bon, grand, joli, mauvais, nouveau, petit, vieux

◊ Here are a few examples from Lecture 3:

> Serigne est un bel homme.
>
> Le danseur est un beau jeune homme.
>
> J'ai une petite statuette.
>
> J'ai un grand batik.

◈ It's important to know whether the adjective comes before or after the noun in order to correctly use the superlative (of superiority or inferiority), which you will practice below. You need the superlative to decide which is or does "the most" or "the least."

◇ Superlatives apply to:

adjectives: C'est le plus beau village. [It's the most beautiful village.]

adverbs: Il parle le plus vite. [He speaks the fastest.]

verbs: Il s'inquiète le plus. [He worries the most.]

nouns: Don a le plus d'argent. [Don has the most money.]

II. Le Superlatif des adjectifs

◈ Let's start with adjectives.

1 Cette région est **belle**. C'est une **belle** région. (This is a statement.)

2 Cette autre région est **plus belle** que la première. C'est une **plus belle** région que la première. (This is a comparison.)

3 Et cette troisième région est **la plus belle**. C'est **la plus belle** région de France. (This is a superlative.)

◈ In the second part of each example, you are reminded that **belle** is one of the adjectives that precedes the noun it modifies. The first step to making the superlative is to put **le**, **la**, or **les** in front of the comparative:

plus belle = more beautiful

la plus belle = the most beautiful

◈ Here's an example where the structure is a bit more complicated because the adjective **populaire** goes after the noun it modifies.

1 L'Aquitaine est une région **populaire**. (This is a statement.)

2   La Provence est **plus populaire** que l'Aquitaine. (This is a comparison.)

3   Auvergne-Rhône-Alpes est la région **la plus populaire** des trois. (This is a superlative.)

◈   Since the adjective has to come after the noun in a normal description, in the superlative form, the noun comes first, then the superlative, then the adjective. You must repeat the article.

> C'est **la région la plus populaire** des trois.
>
> L'Auvergne est **la région la plus difficile** à visiter.
>
> La vallée du Rhône est **la région la plus industrielle** des trois.

◈   If you want to express "of the three" or "in the world" (or other expressions), use **de** or the contractions **des** and **du**.

III. Le Superlatif des verbes et adverbs

◈   The superlatives of verbs and adverbs are invariable. You don't change the article; it's always **le**.

> On trouve les vestiges romains **le plus facilement** dans le sud de la France.
>
> Les touristes aiment ces vestiges **le plus**.

IV. Le Superlatif des noms

◈   Lastly, to form the superlative of nouns, the definite article **le** never changes. You'll need a **de** before the noun, and the **de** never changes to **des**.

> Le Pont du Gard a **le plus de** visiteurs.
>
> Le petit village de Saint-Germain (en Ardèche) a **le moins de** visiteurs.

V. Superlatifs irréguliers

◈ To say "the best" and "the worst" in French, use these forms:

◊ bon(ne)(s) → le / la / les meilleur(e)(s)

Vaison-la-Romaine est **le meilleur endroit** pour voir les vestiges d'une ville romaine.

Vaison a **les meilleurs guides** et **les meilleures informations** sur le site à l'Office de tourisme.

◊ mauvais(e)(s) → le / la / les pires

Vercingétorix, le chef gaulois, était **le pire ennemi** de Jules César.

◊ bien → le mieux

Jules César comprenait **le mieux** comment gagner des guerres contre les Gaulois.

Ses armées attaquaient **le mieux**.

◊ mal → le plus mal

Certains chefs gaulois étaient mal organisés. Ils défendaient leurs régions **le plus mal**.

◈ It is also possible to say **le moins bien**.

Ils défendaient leurs régions **le moins bien**.

VI. Le Pronom adverbial « y »

◊ **Y** can take the place of a thing, a place, or an idea when there is a preposition other than **de** attached to it. It is placed right before the verb in the simple tenses like the present tense and the **imparfait**.

Je réponds à tes SMS. / J'y réponds.

Je pensais à l'importance de l'histoire. / J'y pensais.

Je vais à Nîmes. / J'y vais.

Je vais au festival de musique. / J'y vais.

◊ In the negative, it stays next to the verb:

Je n'y vais pas.

◊ It is placed before the infinitive in constructions where there are two verbs.

Je vais manger dans ce restaurant.

Je vais y manger. J'adore y manger ! Mais je ne voudrais pas y travailler.

◊ In the **passé composé**, the **y** goes before before the auxiliary verb.

J'y suis allée.

J'y ai mangé.

— Est-ce que vous êtes allés à Orange?
— Non, nous n'**y** sommes pas allés.

ACTIVITÉS

A. Les Vestiges grecs et romains en France

Put the correct form of the adjective in braces in the right place to describe the words in bold.

Modèles :

{*beau*} La colline de Fourvière à Lyon est un endroit où il y a **un théâtre antique**.
La colline de Fourvière à Lyon est un endroit où il y a <u>un beau théâtre antique</u>.

{*beau*} La colline de Fourvière à Lyon est **un endroit** où il y a un théâtre antique.
La colline de Fourvière à Lyon est <u>un bel endroit</u> où il y a un théâtre antique.

{*beau*} **La colline** de Fourvière à Lyon est un endroit où il y a un théâtre antique.
<u>La belle colline</u> de Fourvière à Lyon est un endroit où il y a un théâtre antique.

1 {*vieux*} À Nîmes on trouve la Maison Carrée. C'est **un temple** romain.

_____

2 {*joli*} Glanum est **une ville gréco-romaine** qui se trouve en Provence.

_____

3 {*nouveau*} Entre les années 40 et 60 de notre ère, les Romains ont construit **un aqueduc** pour transporter l'eau vers la ville de Nîmes.

_____

4 {*grand*} **Le théâtre romain** d'Orange a été classé au patrimoine mondial de

l'UNESCO. _____

5 {*beau*} **Les Arènes de Lutèce** sont à Paris dans un quartier historique.

_____

6 {*beau*} Les Arènes de Lutèce sont à Paris dans **un quartier historique.**

_____

B. Le plus et le moins

Turn the adjective into a superlative of superiority (+) or inferiority (−).

Modèle : (+) Le continent Africain est chaud. C'est <u>le plus chaud</u>.

1 (+) Ce caviar est cher. C'est _____.

2 (−) Cette route n'est pas longue. C'est _____.

3 (+) Ces problèmes sont compliqués. Ce sont _____.

4 (+) Cette carte est précise. C'est _____.

5 (−) Ce chien n'est pas méchant [mean]. C'est _____.

6 (+) Cette voiture est rapide. C'est _____.

C. Qui fait le plus et le moins ?

Turn the verb into a superlative of superiority (+) or inferiority (–).

> **Modèle** : (+) Il parle. <u>Il parle le plus.</u>
>
> (–) Nous comprenons facilement. <u>Nous comprenons le plus facilement.</u>

1 (+) Elles mangent. _____

2 (–) Ils travaillent. _____

3 (+) Je parle lentement. _____

4 (–) Vous parlez vite. _____

5 (+) Nous dormons longtemps. _____

6 (–) Tu attends patiemment. _____

D. Le Plus ou le mois de ...

Rewrite each sentence to include a noun superlative.

> **Modèle** : (+) Tu achètes des livres. <u>Tu achètes le plus de livres.</u>

1 (+) Tu regardes des films. _____

2 (–) Elle organise des photos. _____

3 (+) Nous finissons les projets. _____

4 (–) Vous prenez des risques. _____

5 (+) J'écoute les informations. _____

6 (–) Ils prennent des médicaments. _____

E. Tu exagères !

Supply the irregular superlative for each sentence.

> **Modèle** : C'est une bonne idée ! <u>C'est la meilleure idée !</u>

1 C'est un mauvais hôtel. _____

2 C'est un bon itinéraire pour le tourisme. _____

3 C'est une bonne spécialité régionale. _____

4 Ce sont de bons compagnons de voyage [traveling companions].

_____

5 Ce sont de mauvaises suggestions de visites. _____ /

_____

6 C'est une mauvaise route. _____ /

_____

F. Allons-y !

Answer affirmatively to the following questions, using the pronoun **y** in your answer.

> **Modèle** : Tu voyages souvent en France ?
> Oui, <u>j'y voyage</u> très souvent.

1 Vous allez en Europe ? Oui, nous _____ le mois prochain.

2 Vous arrivez en France ? Oui, nous _____ le quinze juin.

3 Avez-vous déjà passé du temps à Paris ?

Oui, j' _____ deux semaines il y a 10 ans et Jack _____ un an pendant ses études.

4 Quand Jack était à Paris, il a rencontré des gens ?

Oui, il _____ des Français et ils sont toujours amis.

5 Allez-vous retourner aux mêmes endroits ?

Oui, nous _____ retourner, mais nous allons aussi découvrir de nouveaux endroits.

G. On y trouve le superlatif !

Use the adverbial pronoun **y** and replace the adverb **bien** or **mal** with a superlative.

Modèle : On mange bien à Lyon. <u>On y mange le mieux.</u>

1 On dort bien à la campagne. _____

2 On dort mal au camping municipal. _____

3 On skie bien à Chamonix. _____

4 On mange mal dans ce restaurant. _____ /

_____

5 Les gens chantent bien dans ce village. _____

6 Les touristes s'amusent bien dans ce club. _____

BONNES RÉPONSES

A. Les Vestiges grecs et romains en France

1 À Nîmes on trouve la Maison Carrée. C'est un vieux temple romain.

2 Glanum est une jolie ville gréco-romaine qui se trouve en Provence.

3 Entre les années 40 et 60 de notre ère, les Romains ont construit un nouvel aqueduc pour transporter de l'eau vers la ville de Nîmes.

4 Le grand théâtre romain d'Orange a été classé au patrimoine mondial de l'UNESCO.

5 Les belles Arènes de Lutèce sont à Paris dans un quartier historique.

6 Les Arènes de Lutèce sont à Paris dans un beau quartier historique.

B. Le plus et le moins

1 C'est le plus cher.   **2** C'est la moins longue.   **3** Ce sont les plus compliqués.
4 C'est la plus précise.   **5** C'est le moins méchant.   **6** C'est la plus rapide.

C. Qui fait le plus et le moins ?

1 Elles mangent le plus.   **2** Ils travaillent le moins.   **3** Je parle le plus lentement.
4 Vous parlez le moins vite.   **5** Nous dormons le plus longtemps.
6 Tu attends le moins patiemment.

D. Le Plus ou le mois de ...

1 Tu regardes le plus de livres.   **2** Elle organise le moins de photos.
3 Nous finissons le plus de projets.   **4** Vous prenez le moins de risques.
5 J'écoute le plus d'informations.   **6** Ils prennent le moins de médicaments.

E. Tu exagères !

1 C'est le pire hôtel.

2 C'est le meilleur itinéraire pour le tourisme.

3 C'est la meilleure spécialité régionale.

4 Ce sont les meilleurs compagnons de voyage.

5 Ce sont les pires suggestions de visites. / Ce sont les plus mauvaises suggestions de visites.

6 C'est la pire route. / C'est la plus mauvaise route.

F. Allons-y !

1 y allons   2 nous y arrivons   3 y ai passé / y a passé   4 y a rencontré   5 allons y

G. On y trouve le superlatif !

1 On y dort le mieux.   2 On y dort le plus mal.   3 On y skie le mieux.
4 On y mange le plus mal / le moins bien.   5 Les gens y chantent le mieux.
6 Les touristes s'y amusent le mieux.

LES FÊTES ET LES FESTIVALS

This lecture begins with a look at the conditional mood, focusing on four useful verbs for politeness. Next, the lecture discusses the idea of consequences in French. The activities section will have you work with the **imparfait** and make suggestions and hypotheses.

RÉVISION DE GRAMMAIRE

I. Le Conditionnel et la politesse

◈ In the **Cahier d'exercices** section for Lecture 10, you practiced using the conditional mood for politeness.

◈ Four useful verbs in the conditional for pôliteness are **aimer**, **préférer**, **vouloir**, and **pouvoir**.

AIMER · TO LIKE

j'aimerais	nous aimerions
tu aimerais	vous aimeriez
il / elle / on aimerait	ils / elles aimeraient

PRÉFÉRER • TO PREFER

je préférerais

tu préférerais

il / elle / on préférerait

nous préférerions

vous préféreriez

ils / elles préféreraient

VOULOIR • TO WANT TO

je voudrais

tu voudrais

il / elle / on voudrait

nous voudrions

vous voudriez

ils / elles voudraient

POUVOIR • TO BE ABLE TO

je pourrais

tu pourrais

il / elle / on pourrait

nous pourrions

vous pourriez

ils / elles pourraient

II. Formation of the conditional

◊ To form the conditional, begin by finding the invariable stem. For most verbs, this is the infinitive.

j'**aimer**ais

je **choisir**ais

◊ For verbs ending in **-re**, drop the final e.

je **vendr**ais

◇ Here are some verbs that change spelling to form the conditional stem:

> **e → è** : acheter → achèter- / lever → lèver- / se promener → se promèner-
>
> **y → i** : payer → paier- / essayer → essaier- / employer → emploier-
>
> **l → ll** : appeler → appeller-

◇ Verbs like **préférer** keep the accents as they appear in the infinitive.

> **é → é** : espérer / préférer / épéter / célébrer

◇ Several verbs have irregular stems:

> **aller** : J'**ir**ais en Bretagne.
>
> **avoir** : Nous **aur**ions des amis bretons.
>
> **devoir** : **Je devr**ais contacter nos amis.
>
> **envoyer** : J'**enverr**ais un mél aux amis.
>
> **être** : Je **serai**s contente.
>
> **faire** : Je **fe**rais un voyage.
>
> **falloir** : Il **faudr**ait faire attention aux pick-pockets à la gare.
>
> **mourir** : Je ne **mourr**ais pas de faim. Les crêpes sont bonnes.
>
> **pouvoir** : Je **pourr**ais voyager en première classe ?
>
> **recevoir** : Je **recevr**ais une invitation à une fête.
>
> **savoir** : Je **saur**ais comment aller aux fêtes de village.
>
> **venir** : Vous **viendr**iez avec moi.
>
> **voir** : Je **verr**ais des danses bretonnes.
>
> **vouloir** : Je **voudr**ais écouter la musique celtique.

◇ The conditional endings are the same as the imperfect. The endings are **-ais, -ais, -ait, ions, -iez, -aient**. Use the Language Lab to help you with the pronunciation.

II. Le Conditionnel et les conseils

◈ In Lecture 25's video, you heard this sentence:

> À votre place, je regarderais le Cahier d'exercices !

◈ When using the conditional to give advice, start a suggestion with **à ta place** or **à votre place**:

> À votre place, je ferais les activités dans cette leçon.

III. Le Conditionnel et les conséquences

◈ The present conditional is used when you want to express a possible consequence that *would* happen if a certain condition *were* to be met. *If* something were to occur, *then* something else would happen. To get this idea of cause and effect across, the **si** will always be followed by the **imparfait**.

> Si + imparfait + conditionnel
>
> Si j'étais au Maroc en juin, j'irais au Festival Mawazine.
>
> J'irais au Festival Mawazine, si j'étais au Maroc en juin.

◈ The possible result is in the conditional in the other clause.

IV. Review of the imparfait

◈ Since you'll need the **imparfait** in conjunction with the conditional, here's a quick review.

◈ To form the **imparfait** of all verbs (except for **être**) find the **nous** form of the verb:

> **regarder** : nous regardons

◈ Drop the **-ons** (**regard-**), add the endings **-ais**, **-ais**, **-ait**, **-ions**, **-iez**, **-aient**, and you have:

REGARDER • TO WATCH

je regardais	nous regardions
tu regardais	vous regardiez
il regardait	ils regardaient

ÊTRE • TO BE

j'étais	nous étions
tu étais	vous étiez
il était	ils étaient

V. L'Adjectif « tout »

◈ The word **tout** when used as an adjective will always accompany a noun and will agree with it in gender and number, just like other adjectives. **Tout** relates to the idea of integrality.

◈ Depending on the context, it can be translated as "the (a) whole," "each," "every," "the (an) entire," or "all (of)."

	SINGULAR	PLURAL
MASCULINE	tout	tous
FEMININE	toute	toutes

tous les jours [every day]

toute la journée [all day long]

Tout citoyen peut voter. [Each and every citizen can vote.]

J'ai visité toute la ville.

J'ai mangé tout un steak.

Tous mes amis aiment un festival.

◊ Note that **tout** is often followed by a definite or indefinite article. It can also be followed by a possessive adjective.

tout un / tous les / toute une / toutes les / tout le / tous les / toute la / toutes les / tout mon / toute ma / tous mes / toutes mes

◊ A related adjective is **certain(e)(s)**. But instead of integrality, **certain(e)(s)** refers to a part of an entity.

Certains amis aiment les festivals de danse.

Certaines semaines, je travaille plus que d'autres.

V. Le Pronom « tout »

◊ Use the masculine singular pronoun **tout** to mean "all" or "everything." It is invariable when used this way.

Tout est bon dans ce restaurant.

◊ **Tous** (pronounce the "s") and **toutes** are also used as pronouns to say "everyone" or "all of them" (whoever they are). The first is masculine; the second is feminine.

Ces artistes ? Ils sont tous bons.

Ces danseuses ? Elles sont toutes bonnes.

ACTIVITÉS

A. Au conditionnel

Practice forming the present conditional by transforming the verbs.

> **Modèle** : nous aimons _____ / <u>nous aimerions</u>

1 je prends _____

5 elles font _____

2 tu es _____

6 il doit _____

3 tu viens _____

7 tu as _____

4 nous savons _____

8 je peux _____

B. Une reconstitution historique

Put the verbs in the conditional to make suggestions. Follow the model.

> **Modèle** : Jane voudrait participer à une reconstitution historique.
> À sa place je / j'_____ aux Médiévales de Provins. {aller}
> À sa place, j'<u>irais</u> aux Médiévales de Provins.

1 Je veux chanter comme un troubadour.

À votre place, je _____ de la musique médiévale. {apprendre}

2 Nous voudrions porter des costumes du Moyen Âge.

À votre place, je _____ un magasin de costumes à Paris. {chercher}

3 Nick et David voudraient participer à une bataille.

À leur place, je _____ très attention. {faire}

4 Je voudrais acheter une armure [suit of armor].

À votre place, je ne _____ pas plus de 1 000 euros. {*payer*}

5 Denise et Marie voudraient danser.

À leur place, je _____ des cours avant le festival. {*suivre*}

6 Nous voudrions boire un apéritif médiéval.

À votre place, je _____ un verre d'hypocras. {*choisir*}

Et j'_____ de l'aspirine. {*acheter*}

C. Une fête à La Vieille Mine, Missouri

Fill in the blanks using the **imparfait** and the **conditionnel** to make hypotheses.

Modèle : Si j'_____ {*avoir*} des vacances en automne, j'_____ {*aller*} à la Fête de l'Automne dans le village de La Vieille Mine.

Si j'avais des vacances en automne, j'irais à la Fête de l'Automne dans le village de La Vieille Mine.

1 Si nous _____ {*habiter*} à St. Louis, nous _____ {*pouvoir*}

aller facilement à la fête.

2 Si nous _____ {*aller*} à la fête, nous _____ {*voir*}

l'importance de la tradition pour ce village.

3 Si vous _____ {*décider*} de venir avec nous, vous _____

{*entendre*} du Paw Paw French.

4 Si vous _____ {*écouter*} avec beaucoup d'attention,

vous _____ {*comprendre*}.

5 Si je _____ {*ne pas avoir*} le livre *It's Good To Tell You: French Folktales*

from Missouri, je _____ {*ne pas pouvoir*} lire des histoires en Paw Paw French.

6 Si je _____ {*visiter*} La Vieille Mine, j'_____ {*apprendre*}

l'histoire de cette région francophone.

7 Si nous _____ {*être*} à La Vieille Mine pendant la Fête de l'Automne,

le boulanger _____ {*faire*} du pain dans le four à pain du village.

Et je _____ {*manger*} beaucoup de pain !

D. On est d'accord

Fill the blanks with the appropriate form of the adjective **tout**.

> **Modèle :** _____ les Québecois aiment le Carnaval.
>
> Tous les Québecois aiment le Carnaval.

1 J'ai lu _____ les histoires de La Vieille Mine en Paw Paw French !

2 Je connais _____ l'histoire de La Vieille Mine.

3 J'adore la cuisine marocaine et _____ ses épices (fem.) [spices].

4 Les invités ont adoré cette recette. Ils ont mangé _____ le tajine.

5 Pour la reconstitution historique de Provins, _____ la population
participe.

6 À Provins, _____ les participants portent un costume médiéval

---

E. Tout, tous, ou toutes ?

Fill the blank with the correct pronoun.

> **Modèle** : Tu comprends ces mots ? <u>Tous</u> sont clairs.

1 Ces femmes marocaines ? Elles sont _____ d'excellentes cuisinières !

2 Ces Québecois ? Ils sont _____ très contents. Ils participent _____ au Carnaval.

3 — Tu comprends _____ ?

— Oui, je comprends _____ !

BONNES RÉPONSES

A. Au conditionnel

1 je prendrais   **2** tu serais   **3** tu viendrais   **4** nous saurions   **5** elles feraient
6 il devrait   **7** tu aurais   **8** je pourrais

B. Une reconstitution historique

1 apprendrais   **2** chercherais   **3** ferais   **4** paierais   **5** suivrais   **6** choisirais / achèterais

---

C. Une fête à La Vieille Mine, Missouri

1 habitions / pourrions   **2** allions / verrions   **3** décidiez / entendriez
4 écoutiez / comprendriez   **5** n'avais pas / ne pourrais pas   **6** visitais / apprendrais
7 étions / ferait / mangerais

D. On est d'accord

1 toutes **2** toute **3** toutes **4** tout **5** toute **6** tous

E. Tout, tous, ou toutes ?

1 toutes **2** tous / tous **3** tout / tout

UNDERLYING CULTURAL VALUES

This lecture recaps some information on yes-no questions. Then, it moves on to some work with direct and indirect object pronouns. The activities section will have you practice using pronouns as well as forming questions and answers.

RÉVISION DE GRAMMAIRE

I. Poser des questions

◈ Remember that for most yes-no questions, it's best to use **est-ce que** or inversion to make it very clear to your listener that you are asking a question. But you can, of course, use rising intonation and normal word order.

> Est-ce que vous connaissez la devise de la France ?

> Connaissez-vous la devise du Sénégal ?

> Vous connaissez la devise du Québec ?

◈ You have already learned to use the questions words **qui** and **que** + **est-ce que**.

     — Qui est-ce que vous aimez ? / Qui aimez-vous ? [Whom do you love?]
     — J'aime mon enfant. [I love my child.]

     — Qu'est-ce que vous regardez ? / Que regardez-vous ? [What are you watching?]
     — Je regarde un documentaire. [I'm watching a documentary.]

◈ You also learned the question words **où**, **quand**, **comment**, **pourquoi**, and **combien de**.

     — Pourquoi regardez-vous les documentaires ?
     — Je regarde les documentaires parce que j'aime l'histoire.

II. Les Objets directs et indirects

◈ Lecture 26's video introduced new vocabulary and also focused your attention on direct and indirect objects. Direct objects are things or people in a sentence that receive the action of the verb. They answer the questions "whom?" and "what?"

     — Qu'est-ce que vous aimez ?
     — J'aime **le café**.

     — Qu'est-ce que vous apprenez ?
     — Nous apprenons **le français.**

     — Qui est-ce que vous aimez ?
     — J'aime **les étudiants sérieux.**

     — Qui est-ce que vous voyez régulièrement ?
     — Je vois **mon mari** tous les jours.

◈ Indirect objects are the people, animals, or things for whom or to whom an action is being done. The indirect object is often preceded by the preposition **à**:

Je parle à Christian.

Je donne un os (bone) à Rocky.

◈ Instead of a name you may use a noun preceded by the definite article (**à la**, **à l'**) …

> Je parle à la femme et à l'homme.

… or the contracted forms (**au**, **aux**):

> Je parle au professeur.

> Je parle aux professeurs.

◈ Common verbs using the structure with **à** are:

> **demander à** : Nous demandons aux Français de parler lentement.

> **donner à** : Je donne des fleurs à mon ami.

> **envoyer à** : J'envoie des cartes postales aux amis.

> **montrer à** : Je montre les photos à ma sœur.

> **parler à** : Je parle aux étudiants.

> **téléphoner à** : Nous téléphonons au professeur.

III. Les Pronoms d'objet directs

◈ A direct object pronoun replaces the direct object in a sentence. It allows you to avoid repetition when the direct object is already clear, often in response to a question.

> — Est-ce que vous lisez **le roman Les Misérables** ?
> — Oui, nous **le** lisons.

◈ The direct object pronouns are:

me / m' [me]	**nous** [us]
te / t' [you]	**vous** [you]
le / l' [him or it], **la / l'** [her or it]	**les** [them]

— Connaissez-vous **mes étudiants** ?

— Oui, je **les** connais.

◇ As you can see in the example above, the direct object pronoun comes before the verb. In sentences where you have a verb plus an infinitive, the pronoun comes before the infinitive. You learned this pattern in Lecture 24 with the adverbial pronoun **y**.

— Connaissez-vous **les étudiants** dans la classe ?

— Non, je vais **les** rencontrer le premier jour des cours.

◇ Note that in a negative sentence, the **ne … pas** (or other negative) goes around the pronoun and the verb.

— Est-ce que tu m'aimes ?

— Non, chéri, je ne t'aime pas.

IV. Les Pronoms d'objet indirects

◇ An indirect object pronoun replaces the indirect object in a sentence. It allows you to avoid repetition when the indirect object is already clear, often in response to a question.

— Parlez-vous **à vos amis** ?

— Oui, je **leur** parle tous les jours.

◇ The French indirect object pronouns to use when replacing a person or animal are:

me / m' [me]	**nous** [us]
te / t' [you]	**vous** [you]
lui [him / her]	**leur** [them]

◇ As you can see in the example above, the indirect object pronoun comes before the verb. In sentences where you have a verb plus an infinitive, the pronoun comes before the infinitive.

— Est-ce que vous allez téléphoner **à votre meilleur ami** ?

— Oui, je vais **lui** téléphoner ce soir.

Le professeur horrible : Est-ce que vous allez **me** donner mille dollars ?

L'étudiant horrible : Non, mais je peux **vous** donner cent dollars si vous pouvez **me** donner une copie de l'examen final !

Le professeur horrible : Je ne **vous** donne pas l'examen pour cent dollars. Je ne vais pas **vous** donner l'examen !

◊ As in the case of direct object pronouns, in a negative sentence, the **ne … pas** (or other negative) goes around the pronoun and the verb.

◊ Note: Because this is an introductory course, you will not learn how to use these pronouns together in the same sentence, nor will the course present the **passé composé** with direct or indirect object pronouns.

ACTIVITÉS

A. Jane ne comprend pas

Select the correct expression to form a logical sentence.

1 Son prof lui {(a) *parle* (b) *dit* (c) *montre*} seulement en français ?

2 Non, il lui {(a) *répond* (b) *raconte* (c) *donne*} aussi des instructions en anglais.

3 Il lui {(a) *montre* (b) *écrit* (c) *répond*} des photos pour l'aider à comprendre ?

4 Et les autres étudiants ? Le prof leur {(a) *donne* (b) *demande* (c) *parle*} de travailler avec Jane ?

5 Est-ce que Jane leur {(a) *cherche* (b) *travaille* (c) *envoie*} des méls ?

6 Est-ce que le prof lui {(a) *répond* (b) *dire* (c) *raconte*} des histoires simples à comprendre ?

B. Répondez aux questions !

Answer using the appropriate indirect object pronouns to replace the words in italics.

> **Modèle**: Il dit bonjour *au professeur* ?
> Oui, <u>il lui dit bonjour.</u>

1 Tu donnes des devoirs *aux étudiants* ?

Oui, _____.

2 Tu racontes une histoire *à Jane* ?

Oui, _____.

3 Nous montrons les réponses *au professeur* ?

Non, _____.

4 Ils parlent *aux autres étudiants* ?

Non, _____.

5 Elle envoie des méls *aux parents* ?

Oui, _____.

6 Il parle *à Mary* ?

Non, _____.

C. Les Manifestations

Complete a question that will elicit the part of the answer in bold. Use **est-ce que** (**est-ce qu'**) plus a question word (**pourquoi**, **quand**, **que**, etc.) Follow the model.

> **Modèle :** <u>Pourquoi est-ce que</u> vous organisez les manifestations ?
> Nous organisons les manifestations **parce que nous voyons des injustices sociales.**

1 _____ certaines personnes critiquent les manifs ?
Certaines personnes critiquent les manifs **parce qu'ils ne comprennent pas les problèmes.**

2 _____ vous envoyez aux médias sociaux ?
Nous envoyons **les informations sur les manifs** aux médias sociaux.

3 _____ vous arrêtez le service des trains ?
Nous arrêtons le service de trains **parce que les salaires ne sont pas bons.**

4 _____ les profs font la grève ?
Les profs font la grève **quand les classes sont trop grandes.**

5 _____ les étudiants voient ?
Les étudiants voient **les problèmes dans les universités.**

6 _____ le gouvernement écoute vos idées ?
Le gouvernement écoute nos idées **quand nous manifestons.**

D. Les Pronoms d'objet directs et indirects

Answer the questions using the appropriate object pronoun (**me**, **te**, **nous**, **vous**); these pronouns are used both as direct and indirect object.

> **Modèle :** Est-ce que tu m'aimes ?
> Oui, <u>je t'aime.</u> / Non, <u>je ne t'aime pas.</u>

1 Est-ce que tu me comprends ?

Oui, _____. Non, _____.

2 Est-ce que je te téléphone ?

Oui, _____. Non, _____.

3 Est-ce que vous (pl.) nous regardez ?

Oui, _____. Non, _____.

4 Est-ce que nous vous (sing.) parlons ?

Oui, _____. Non, _____.

5 Est-ce que tu nous félicites ?

Oui, _____. Non, _____.

6 Est-ce que nous te connaissons ?

Oui, _____. Non, _____.

7 Est-ce que vous (pl.) me pardonnez ?

Oui, _____. Non, _____.

8 Est-ce que je vous (pl.) accompagne ?

Oui, _____. Non, _____.

E. Les Pronoms d'objet directs

Fill the blank with the appropriate direct object pronoun, both in the affirmative and negative form.

> **Modèle** : Ils m'attendent à l'aéroport ?
> Oui, <u>ils t'attendent.</u> / <u>Non, ils ne t'attendent pas.</u>

1 Ces monuments ? Vous (pl.) les connaissez.

Oui, _____. Non, _____.

2 Cette ville ? Nous la visitons ?

Oui, _____. Non, _____.

3 Et toi ? Tu vas m'accompagner ?

Oui, _____. Non, _____.

4 Marie et John ? Vous (pl.) allez les loger ?

Oui, _____. Non, _____.

5 Et nous ? Vous (pl.) allez nous inviter ?

Oui, _____. Non, _____.

F. Les valeurs

Fill the blank with the appropriate pronoun.

1 Les valeurs d'une nation sont très importantes. Les enfants _____ apprennent

   dans les livres ; on _____ raconte des histoires édifiantes et on _____ parle

   sérieusement de ces valeurs à l'école. Mais les devises, on _____ voit aussi sur

   les édifices publics.

2 Les Français sont fiers de leur devise. Liberté, Egalité, Fraternité : ces valeurs,

   ils _____ ont héritées de la Révolution de 1789. La fraternité, Ils _____

   associent à la solidarité. On _____ pratique avec le système d'assurance maladie

   [health care] et de retraite [retirement].

3 Au Maroc, le roi est omniprésent. On doit _____ respecter et on _____ voit

   un peu partout : dans les maisons et dans les lieux publics. Il est un guide pour les

   Marocains et il _____ parle des valeurs importantes.

4 La devise des Quèbecois est « Je me souviens ». Ils _____ inscrivent sur les plaques

   d'immatriculation [license plates] des voitures. Cette devise _____ montre que le

   passé est important et qu'il faut _____ respecter.

5 Au Sénégal, les enfants ont un livre consacré aux valeurs de la nation.

   Ils _____ lisent souvent et on _____ demande de

   bien _____ comprendre.

BONNES RÉPONSES

A. Jane ne comprend pas

1 (a) parle   **2** (c) donne   **3** (a) montre   **4** (b) demande   **5** (c) envoie   **6** (c) raconte

---

B. Répondez aux questions !

1 je leur donne des devoirs   **2** je lui raconte une histoire   **3** nous ne lui montrons pas les réponses   **4** ils ne leur parlent pas   **5** elle leur envoie des méls   **6** il ne lui téléphone pas

---

C. Les Manifestations

1 Pourquoi est-ce que   **2** Qu'est-ce que   **3** Pourquoi est-ce que   **4** Quand est-ce que **5** Qu'est-ce que   **6** Quand est-ce que

---

D. Les Pronoms d'objet directs et indirects

1   je te comprends / je ne te comprends pas

2   tu me téléphones / tu ne me téléphones pas

3   nous vous regardons / nous ne vous regardons pas

4   vous me parlez / vous ne me parlez pas

5   je vous félicite / je ne vous félicite pas

6   vous me connaissez / vous ne me connaissez pas

7   nous te pardonnons / nous ne te pardonnons pas

8   tu nous accompagnes / tu ne nous accompagnes pas

E. Les Pronoms d'objet directs

1 nous les connaissons / nous ne les connaissons pas

2 nous la visitons / nous ne la visitons pas

3 je vais t'accompagner / je ne vais pas t'accompagner

4 nous allons les loger / nous n'allons pas les loger

5 nous allons vous inviter / nous n'allons pas vous inviter

F. Les valeurs

1 les / leur / leur / les   **2** les / l' / la   **3** le / le / leur   **4** l' / leur / le   **5** le / leur / le

AVENTURES: CONVERSATION

This lecture starts off with a review of verbs that are particularly useful for talking about social situations. Next up is a review of the use of the words **de** and **en**. The activities section will have you work on forming sentences with the words reviewed throughout the first part of the lecture, with a focus on conversations.

RÉVISION DE GRAMMAIRE

I. Les Verbes

◊ These verbs are regular or follow patterns you have learned before. In this lecture, you will review them and focus on their uses in talking about social situations.

serrer la main à quelqu'un	to shake someone's hand
se serrer la main	to shake hands
connaître (quelqu'un)	to know someone
se connaître	to know each other
rencontrer quelqu'un	to meet someone or to meet up with someone

se rencontrer	to meet or meet up with each other
présenter (quelqu'un à quelqu'un d'autre)	to introduce someone to someone else
se présenter	to introduce oneself
embrasser (quelqu'un)	to kiss (someone)
s'embrasser	to kiss each other
faire la bise (à quelqu'un)	to kiss (someone) on the cheek
se faire la bise	to kiss each other on the cheek
parler (à quelqu'un)	to talk (with someone / to someone)
se parler	to talk with each other
entendre	to hear
s'entendre (bien / mal) (avec quelqu'un)	to get along (well/ badly) (with someone)
disputer	to contest
se disputer (avec quelqu'un)	to argue (with someone)

◇ Here is a quick reminder of how pronominal verbs work. As an example, we'll use the present indicative of **se disputer**:

SE DISPUTER • TO ARGUE (WITH SOMEONE)

je me dispute (avec mon ami)	nous nous disputons
tu te disputes	vous vous disputez
il / elle / on se dispute	ils / elles se disputent

◇ Here's the passé composé of **rencontrer** versus **se rencontrer**:

RECONTRER • TO MEET SOMEONE OR TO MEET UP WITH SOMEONE

j'ai rencontré	nous avons rencontré
tu as rencontré	vous avez rencontré
il a rencontré	ils ont rencontré

◇ **Se rencontrer** is used with plural subjects:

> nous nous sommes rencontré(e)s / vous vous êtes rencontré(e)(s) / ils se sont rencontrés / elles se sont rencontrées

II. Verbes et expressions avec la préposition « de »

◇ You have learned several verbs and expressions that take **de** before a noun.

> avoir besoin de [to have need of / to need]
> avoir envie de [to have a desire for / to desire]
> avoir peur de [to be afraid of / to fear]
> être content de [to be pleased with]
> parler de [to talk about]

◇ You can also use **de** and its contracted forms as partitive articles when talking about quantities or parts of a whole.

> — On mange des escargots ?
> — Je mange du pain.

◇ Additionally, you can use **de** to talk about where something or someone is from, leaves from, goes out of, and so on.

> Je suis de Denver. / Je viens de Denver. / Je sors de chez moi.

III. Le Pronom adverbial « en »

◇ **En** means "some," "any," "of it," "of them," "from there," and "about it," for example. It commonly takes the place of a location, a thing or an idea. It is used to replace **de** (**du**, **des**, **de la**, **de l'**) plus the noun or to refer to a number plus a noun.

◇ **En** follows the placement pattern you've already seen with **y** and the direct and indirect object pronouns. Contrary to **y**, it can also be used to refer to people.

◈ Here are four categories that will help you to use **en**.

1 **En** can be used to refer to a place.

> Je reviens du restaurant. / J'en reviens.

2 **En** can refer to a thing or idea or phrase containing

> **an indefinite article**: Tu as des amis ? Oui, j'en ai.
>
> **a partitive article**: Tu manges du pain ? Oui, j'en mange.
>
> **an expression of quantity**: Tu as combien d'enfants ? J'en ai trois.

3 When **en** replaces a number plus a noun (**deux escargots**) or a measurement (**beaucoup d'escargots**), you'll need to keep the number or expression in the sentence (for clarity).

> Je mange deux tartelettes. / J'en mange deux.
> Je mange beaucoup de chocolat. / J'en mange beaucoup.

4 Lastly, **en** can be used in cases where a verb or expression requires **de** before a noun.

> J'ai besoin de chocolat. / J'en ai besoin.
> Je parle de mes voyages. / J'en parle.
> Je ne parle pas de politique. / Je n'en parle pas.
> Qu'est-ce que vous pensez de ce restaurant ? / Qu'est-ce que vous en pensez ?

ACTIVITÉS

A. Au café

Select the correct verb to form a logical sentence.

1 Deux vieux amis {(a) *se font la bise* (b) *s'entendent mal* (c) *se rencontrent*} au café pour parler d'un film.

2 Ils n'ont pas besoin de {(a) *se présenter* (b) *se connaître* (c) *s'entendre*} parce qu'ils se connaissent bien.

3 Ils ne {(a) *s'embrassent* (b) *se connaissent* (c) *se parlent*} pas souvent au téléphone ; ils préfèrent se voir.

4 Ils ne sont pas toujours d'accord et ils {(a) *se disputent* (b) *se font la bise* (c) *s'embrassent*} souvent.

5 Ils n'ont pas peur de se disputer. Ils {(a) *se serrent la main* (b) *se disputer* (c) *s'entendent*} très bien quand même [nonetheless].

B. Quand on rencontre les futurs beaux-parents [in-laws]

Use the correct form of the preposition **de** in each of the following sentences.

1 Marc va apporter _____ fleurs pour sa future belle-mère [mother-in-law].

2 Il va arriver directement _____ travail, alors il va être bien habillé.

3 Il va avoir peur _____ papa de la jeune femme qu'il aime.

4 Marc ne va pas parler _____ ses ex-petites amies. Il va dire qu'il n'a pas _____ ex-petites amies.

5 Le futur beau-père [father-in-law] va parler _____ situation financière du jeune homme.

6 Et Marc ne va pas être content _____ question !

7 Sa fiancée va calmer la conversation. Elle va dire « Papa, tu sais bien que je n'ai pas besoin _____ beaucoup _____ argent pour être contente de ma vie ! »

8 Finalement, le futur beau-père va parler _____ sport avec son futur gendre [son-in-law].

C. Quand on rencontre les futurs beaux-parents

Can you use **en** to replace the part preceded by **de** from the previous story ?

> **Modèle** : Marc va apporter **des fleurs**.
> Marc va en apporter.

1 Il va arriver directement **du travail**.

_____

2 Il va avoir peur **du papa**.

_____

3 Marc ne va pas parler **de ses ex-petites amies**.

_____

4 Il n'a pas **d'ex-petites amies**.

_____

5 Le futur beau-père va parler **de la situation financière du jeune homme**.

_____

6 Et Marc ne va pas être content **de la question** !

_____

7 Je n'ai pas besoin **de beaucoup d'argent**.

_____

8 Le futur beau-père va parler **de sport**.

_____

D. « Y » versus « en »

Fill in the blank with the correct pronoun.

1 Au café :

— Tu vas souvent au café pour parler avec tes amis ?
— Oui, j'(a)_____ vais souvent.
— Vous parlez de politique ?
— Oui, nous (b)_____ parlons souvent.
— Vous arrivez à un compromis ?
— Nous n'(c)_____ arrivons pas toujours.

2 À la boulangerie :

— Bonjour, Madame.
— Bonjour, Monsieur.
— Je voudrais des baguettes s'il vous plaît.

— Vous **(a)**_____ voulez combien ?

— J'**(b)**_____ voudrais deux.

— Avez-vous besoin de croissants ?

— Non, je n'**(c)**_____ veux pas aujourd'hui.

— Est-ce que votre femme est à la maison ?

— Oui, elle **(d)**_____ travaille.

— Alors je vous donne un croissant pour elle.

— Merci beaucoup, Madame.

— Ce n'est rien. Je sais qu'elle **(e)**_____ a toujours envie.

3   Le jeu de la conversation :

— La conversation ressemble au tennis ?

— Oui, elle **(a)**_____ ressemble.

— On peut avoir combien de joueurs ?

— On peut **(b)**_____ avoir deux ou plus de deux.

— Où peut-on jouer au tennis-conversation ?

— On peut **(c)**_____ jouer n'importe où [anywhere].

4   La bise :

— On fait beaucoup de bises à chaque personne en France ?

— Parfois, on **(a)**_____ fait une, parfois on **(b)**_____ fait deux, ou plus.

— Comment sait-on combien on **(c)**_____ fait ?

— Ça dépend des coutumes locales.

— Où est-ce qu'on **(d)**_____ fait le moins ?

— En Bretagne ; on **(e)**_____ fait seulement une.

— Où est-ce qu'on **(f)**_____ fait plus ?

— Dans quelques départements du Sud on **(g)**_____ fait trois.

— Est-ce qu'on peut **(h)**_____ faire quatre ?

— Oui, dans quelques départements au sud-est de Paris on **(i)**_____ fait quatre.

— Et est-ce qu'on peut **(j)**_____ faire cinq ?

— Ça arrive. Est-ce que tu connais Mayotte ?

— Je n'**(k)**_____ suis jamais allé, mais je connais le nom.

— C'est une île française. On **(l)**_____ fait cinq bises.

— Mon dieu, je ne vais jamais savoir combien **(m)**_____ faire !

— Si ! Tu peux aller sur le site « Combiendebises.com ».

— J'**(n)**_____ vais tout de suite !

E. La conversation

Select the correct pronoun to form a logical sentence.

> **Modèle** : Pour contacter mes amis, je {*leur / en*} envoie un texto.
> Pour contacter mes amis, je **leur** envoie un texto.

Quand je rencontre de vieux amis en France, je [1]{*leur / les*} fais la bise. Souvent

nous allons au café ensemble et nous [2]{*en / y*} restons pendant une ou deux heures.

Si une autre connaissance [acquaintance] entre dans le café, nous [3]{*la / lui*} serrons

la main. Au café on fait des sandwichs et nous [4]{*y / en*} mangeons quand nous

[5]{*le / en*} avons envie. La conversation est différente en France et aux États-Unis.

Mes amis français s'intéressent beaucoup à la politique et nous [6]{*la / en*} parlons

souvent. Mes amis américains s'[7]{*en / y*} intéressent aussi. mais ils [8]{*la / en*} parlent

moins, surtout s'ils savent que leurs opinions ne sont pas partagées par tout le

groupe. Mais les Français évitent moins la dispute ; au contraire, ils [9]{*les / l'*} aime

bien ! Ils donnent leurs opinions et ils [10]{*la / les*} défendent. Si une opinion opposée

est présentée, ils [11]{*les / l'*} attaquent énergiquement, et même s'ils sont amis avec

leurs adversaires, ils [12]{*les / leur*} contredisent sans problème. La conversation est

vraiment un sport en France et on [13]{*le / leur*} pratique pour gagner !

BONNES RÉPONSES

A. Au café

1 (c) se rencontrent   **2** (a) se présenter   **3** (c) se parlent   **4** (a) se disputent
5 (c) s'entendent

B. Quand on rencontre les futurs beaux-parents [in-laws]

1 des   **2** du   **3** du   **4** de / d'   **5** de la   **6** de la   **7** de / d'   **8** de

C. Quand on rencontre les futurs beaux-parents

1 Il va en arriver.   **2** Il va en avoir peur.   **3** Marc ne va pas en parler.   **4** Il n'en a pas.
5 Le futur beau-père va en parler.   **6** Marc ne va pas en être content.
7 Je n'en ai pas besoin.   **8** Il va en parler.

D. « Y » versus « en »

1 (a) y (b) en (c) y   **2** (a) en (b) en (c) en (d) y (e) en   **3** (a) y (b) en (c) y
4 (a) en (b) en (c) en (d) en (e) en (f) en (g) en (h) en (i) en (j) en (k) y (l) y
(m) en (n) y

E. La conversation

1 leur   **2** y   **3** lui   **4** en   **5** en   **6** en   **7** y   **8** en   **9** l'   **10** les   **11** l'   **12** les   **13** le

AVENTURES: TELLING A STORY

Beginning this lecture is a review of **l'imparfait** and **le passé composé**, followed by coverage of the past perfect tense. Next up is a discussion of something called the literary past tense. The activities section will have you work on sentence formation, with a focus on building stories.

RÉVISION DE GRAMMAIRE

I. L'imparfait et le passé composé

◇ In Lecture 21, the **imparfait** was used to set up a situation, to describe, and to talk about things that "were going on" and habitual activities in the past. It provides context and descriptions.

> Hier soir il **faisait** froid et j'**étais** fatiguée.

◇ The **passé composé** was used to talk about actions and events that interrupt something that "was going on" (using verbs in the **imparfait**). The **passé composé** was also used to move a story forward, since verbs in the **passé composé** express a defined action or event: The action has a specific beginning and end.

> Hier soir, j'**ai regardé** un album-photo.

◈ Together:

> Hier soir, il **faisait** froid et j'**étais** un peu fatiguée. J'**ai regardé** un album-photo.

II. Le Plus-que-parfait

◈ The **plus-que-parfait** (the pluperfect or past perfect tense) allows you to speak of a past action that preceded another past action. It will let you step back in time to describe something that happened before the main point.

◈ To form the **plus-que-parfait**, take the **imparfait** of the helping verb, **avoir** or **être**, and add the past participle. Here are examples of verbs that use **avoir** and **être** and pronominal verbs:

FAIRE • TO DO, TO MAKE

j'avais fait	nous avions fait
tu avais fait	vous aviez fait
il / elle / on avait fait	ils / elles avaient fait

Louis Gascon avait fait une carrière dans la marine *(navy)*. Après, il est devenu bijoutier [jeweler].

ALLER • TO GO

j'étais allé(e)	nous sommes allé(e)s
tu étais allé(e)	vous êtes allé(e)(s)
il / elle / on était allé(e)	ils sont allés / elles sont allées

Benjamin Gascon **était allé** à l'école secondaire (au lycée) à Toulon avant d'aller à la Première Guerre mondiale.

SE FIANCER • TO GET ENGAGED

je m'étais fiancé(e)
tu t'étais fiancé(e)
il / elle / on s'était fiancé(e)

nous nous étions fiancé(e)s
vous vous étiez fiancé(e)(s)
ils s'étaient fiancés / elles s'étaient fiancées

Benjamin Gascon s'était fiancé avec Mimi Lauriol quelques mois avant de l'épouser.

◊ The same verbs that use **être** in the **passé composé** take **être** in the **plus-que-parfait**.

III. Le Passé simple

◊ There is a literary past tense in French called **le passé simple**. It's a tense consisting of one word. It is used to express defined completed actions and it functions much like the **passé composé** does in spoken and most written French.

◊ The **passé simple** is used mostly for literary and historical writing, so you just need to recognize it and understand that it allows an author to move the story forward. You can usually recognize it by identifying the stem of the verb and knowing what the **passé simple** endings look like. Here are several examples:

◊ Regular -er verbs like **monter, inviter, proposer, décider, placer, marcher,** and so on work this way. **Aller** works like this, too.

MONTER • TO ASCEND

je mont**ai**
tu mont**as**
elle mont**a**

nous mont**âmes**
vous mont**âtes**
ils mont**èrent**

◊ Regular -ir verbs like **choisir, finir,** and so on work like this:

CHOISIR • TO CHOOSE

je chois**is**	nous chois**îmes**
tu chois**is**	vous chois**îtes**
elle chois**it**	ils chois**irent**

◈ Regular -re verbs like **entendre**, **rendre**, **vendre**, and so on follow this pattern:

RENDRE • TO RETURN

je rend**is**	nous rend**îmes**
tu rend**is**	vous rend**îtes**
il rend**it**	elles rend**irent**

◈ Here are some irregular verbs.

ÊTRE • TO BE

je fus	nous fûmes
tu fus	vous fûtes
il fut	elles furent

FAIRE • TO DO, TO MAKE

je fis	nous fîmes
tu fis	vous fîtes
il fit	elles firent

AVOIR · TO HAVE

j'eus	nous eûmes
tu eus	vous eûtes
il eut	ils eurent

DEVOIR · TO HAVE TO (MUST), TO BE OBLIGED TO (SHOULD), TO OWE

je dus	nous dûmes
tu dus	vous dûtes
il dut	ils durent

METTRE · TO PUT

je mis	nous mîmes
tu mis	vous mîtes
il mit	ils mirent

MOURIR · TO DIE

je mourus	nous mourûmes
tu mourus	vous mourûtes
il mourut	ils moururent

NAÎTRE · TO BE BORN

je naquis	nous naquîmes
tu naquis	vous naquîtes
il naquit	ils naquirent

PRENDRE · TO TAKE

je pris	nous prîmes
tu pris	vous prîtes
il prit	ils prirent

POUVOIR · TO BE ABLE TO

je pus	nous pûmes
tu pus	vous pûtes
il put	ils purent

SAVOIR · TO KNOW

je sus	nous sûmes
tu sus	vous sûtes
il sut	ils surent

VENIR · TO COME

je vins	nous vînmes
tu vins	vous vîntes
il vint	ils vinrent

VIVRE · TO LIVE

je vécus	nous vécûmes
tu vécus	vous vécûtes
il vécut	ils vécurent

je vis	nous vîmes
tu vis	vous vîtes
il vit	ils virent

◊ You only need to recognize verbs in the **passé simple**; you do not need to produce them.

ACTIVITÉS

A. Et avant ?

Select the correct verb to form a logical sentence.

1 J'ai habité aux États-Unis pendant vingt ans, et avant {(a) *j'étais arrivé* (b) *j'étais entré* (c) *j'avais vécu*} en France.

2 Il est devenu prof de français à Saint-Louis, et avant {(a) *il avait travaillé* (b) *il avait donné* (c) *il avait rencontré*} à Paris comme musicien.

3 Ils ont voyagé en Europe, et avant {(a) *ils s'étaient fait la bise* (b) *ils s'étaient mariés* (c) *Ils s'étaient levés*} aux Etats-Unis.

4 Nous avons écrit des activités pour le Cahier d'exercices, et avant {(a) *nous avions donné* (b) *nous avions écrit* (c) *nous avions mangé*} un Language Lab.

5 Vous avez vu la Tour Eiffel, et avant {(a) *vous aviez lu* (b) *vous aviez compris* (c) *vous aviez visité*} le Louvre.

6 On a appris le français, et avant {(a) *on avait étudié* (b) *on avait demandé* (c) *on avait regardé*} l'Italien.

B. Une histoire de famille

Put the verbs in the **passé composé** or in the **imparfait** to complete the story.

Un jour, récemment, je / j'**1**_____ {*parler*} avec Jean-Philippe Gascon de

la vie de son grand-père, Benjamin. Il me / m'**2**_____ {*raconter*} quelques

histoires qu'il **3**_____ {*connaître*}.

Benjamin Gascon **4**_____ {*naître*}

en février 1897, à Toulon. Son père,

Louis, **5**_____ {*être*} marin et il

6_____ {*voyager*} beaucoup, donc le

petit Benjamin **7**_____ {*vivre*} avec

sa mère et **8**_____ {*attendre*} le retour

de son père. Il **9**_____ {*être*} baptisé

en 1899.

Avec Jean-Philippe, nous **10**_____ {*essayer*} d'imaginer la vie de cet enfant.

Toulon en 1899 **11**_____ {*avoir*} un Arsenal important, et en mars de cette

année une explosion de poudre noire [gunpowder] **12**_____ {*causer*} la

mort de deux personnes.

La vie à Toulon en 1900 ¹³_____ {*ne … pas être*} toujours

facile, mais le petit Benjamin ¹⁴_____ {*s'amuser*} avec sa

trompette et son chapeau de gendarme.

BENJAMIN GASCON,
VERS 1900

Les parents de Benjamin ¹⁵_____

{*pratiquer*} la religion catholique, donc

il ¹⁶_____ {*faire*} sa première

communion vers 1909.

C. Avant d'écrire l'histoire de famille

Put the verbs in the **plus-que-parfait** to see what went on before the story of Benjamin Gascon was written.

1 Je / J'_____ {*aller*} chez Jean-Philippe Gascon.

2 Je / J'_____ {*trouver*} des photos anciennes.

3 Nous _____ {*parler*} de sa famille.

4 Jean-Philippe et sa cousine _____ {*vouloir*} savoir l'histoire de leur grand-père.

5 Sa cousine _____ {*s'intéresser*} à l'histoire de leur famille.

6 Sa tante et sa cousine _____ {*faire*} des recherches à Toulon.

7 Sa cousine _____ {*écrire*} plus de 60 pages sur la vie de Benjamin Gascon.

8 Jean-Philippe _____ {*accepter*} de me parler de ces histoires.

9 Et il me / m'_____ {*donner*} les photos.

D. À Toulon, en 1915

Use the **passé composé**, the **imparfait**, or the **plus-que-parfait** to continue this story.

En 1915 Louis Gascon, le père de Benjamin, ¹_____ {*prendre*} sa retraite

de la marine. Il ²_____ {*travailler*} comme marin pendant toute sa vie, et

il ²_____ {*vouloir*} une vie plus sédentaire.

LOUIS GASCON, AU MILIEU, EN 1915. IL N'AVAIT
PAS ENCORE CHANGÉ LE NOM DU MAGASIN.

Cette année-là, il **4**_____ {*acheter*} un magasin qui, avant, **5**_____ {*être*} un magasin de chapeaux. Il **6**_____ {*transformer*} ce magasin en bijouterie [jewelry store].

Et en 1915, Louis et sa famille **7**_____ {*s'installer*} là, au coin de la rue du Canon et la rue Anatole France. Leur appartement **8**_____ {*être*} au-dessus de la bijouterie, au premier étage, et Louis **9**_____ {*travailler*} dans la bijouterie.

Et Benjamin ? Il **10**_____ {*aller*} au lycée. Il **11**_____ {*adorer*} le français et il **12**_____ {*détester*} les maths. Il **13**_____ {*passer*} son baccalauréat [took the high school exit exam] en automne 1915.

Et en automne 1915, il **14**_____ {*être*} mobilisé pour aller au front. Et il **15**_____ {*partir*} pour la guerre dans les Flandres en janvier 1916. Quand il **16**_____ {*revenir*} du front, il **17**_____ {*être*} malade parce qu'il **18**_____ {*respirer*} des gaz toxiques dans les tranchées.

E. Benjamin après la guerre

Rewrite the following paragraph by replacing the verbs in the **passé simple** with the passé composé.

BENJAMIN GASCON
APRÈS LA GUERRE

Après sa démobilisation en septembre 1919, Benjamin ne **retourna** pas tout de suite à Toulon, au grand désespoir de sa famille. Il **alla** à Paris où il **fit** partie d'un groupe de jeunes écrivains et artistes. Il **rencontra** la poétesse Anna de Noailles et **écrivit** lui-même des poèmes.

Il **resta** à Paris jusqu'en 1922. Puis, il **rentra** à Toulon où il **commença** à travailler dans la bijouterie de son père.

Il **se fiança** avec Marguerite Lauriol et ils **se marièrent** en 1928. Leur fille, Claude, **naquit** en 1928, et leurs fils Louis et Alain **naquirent** en 1931 et 1937, respectivement.

À la mort de son père, il **devint** le propriétaire de la bijouterie – la Bijouterie B. Gascon.

_____

_____

_____

_____

_____

_____

_____

_____

_____

_____

_____

_____

_____

BONNES RÉPONSES

A. Et avant ?

1 (c) j'avais vécu   **2** (a) il avait travaillé   **3** (b) ils s'étaient mariés
4 (b) nous avions écrit   **5** (c) vous aviez visité   **6** (a) on avait étudié

B. Une histoire de famille

1 j'ai parlé   **2** m'a raconté   **3** connaissait   **4** est né   **5** était   **6** voyageait   **7** vivait
8 attendait   **9** a été   **10** avons essayé   **11** avait   **12** a causé   **13** n'était pas
14 s'amusait   **15** pratiquaient   **16** a fait

C. Avant d'écrire l'histoire de famille

1 étais allée   **2** avais trouvé   **3** avions parlé   **4** avaient voulu   **5** s'était intéressée
6 avaient fait   **7** avait écrit   **8** avait accepté   **9** avait donné

D. À Toulon, en 1915

1 a pris   **2** avait travaillé   **3** voulait   **4** a acheté   **5** avait été   **6** a transformé
7 se sont installés   **8** était   **9** travaillait   **10** allait   **11** adorait   **12** détestait
13 a passé   **14** a été   **15** est parti   **16** est revenu   **17** était   **18** avait respiré

Après sa démobilisation en septembre 1919, Benjamin **n'est pas retourné** tout de suite à Toulon, au grand désespoir de sa famille. Il **est allé** à Paris où il **a fait** partie d'un groupe de jeunes écrivains et artistes. Il **a rencontré** la poétesse Anna de Noailles et **a écrit** lui-même des poèmes.

Il **est resté** à Paris jusqu'en 1922. Puis, il **est rentré** à Toulon où il **a commencé** à travailler dans la bijouterie de son père.

Il **s'est fiancé** avec Marguerite Lauriol et ils **se sont mariés** en 1928. Leur fille, Claude, **est née** en 1928, et leurs fils Louis et Alain **sont nés** en 1931 et 1937, respectivement.

À la mort de son père, il **est devenu** le propriétaire de la bijouterie – la Bijouterie B. Gascon.

Conclusion

Cent ans après, en 1997, un autre Benjamin Gascon est né. Il a grandi à Denver, dans le Colorado et il joue de la guitare.

AVENTURES: READING CULTURES

This lecture starts out with a review of the subjunctive mood. Then, you'll learn how to talk about obligations and express doubt or certainty. The activities section mainly has you work with verbs in order to complete phrases and sentences.

RÉVISION DE GRAMMAIRE

I. Le Subjonctif

◈ As you learned in previous lectures, the subjunctive mood sets a particular tone for the sentence you are saying or writing. There are several "triggers" for the subjunctive mood—expressions that need to be followed by the subjunctive. Here is one that you have learned: one subject + **vouloir** + que + another subject + a verb in the subjunctive mood.

Je veux que vous **fassiez** toutes les activités dans le Cahier d'exercices.

◈ The other is the impersonal expression **il faut que** + a verb in the subjunctive mood.

Il faut que vous **fassiez** toutes les activités dans le Cahier d'exercices.

II. The Subjunctive Form

◈ Here's a quick review of how to form regular verbs in the subjunctive. Remember that you'll follow patterns.

1 start with the third person plural form (the **ils / elles** form)

2 drop the **-ent**

3 add a subjunctive ending: **-e, -es, -e, -ions, -iez, -ent**

visiter → ils visitent → visit → + the ending

◈ **Que** is in the conjugations below because the subjunctive will always follow a clause or expression using **que**.

VISITER • TO VISIT

que je visit**e**	que nous visit**ions**
que tu visit**es**	que vous visit**iez**
qu'il visit**e**	qu'ils visit**ent**

CHOISIR • TO CHOOSE

choisir → ils choisissent → choisiss-

que je choisiss**e**	que nous choisiss**ions**
que tu choisiss**es**	que vous choisiss**iez**
qu'il choisiss**e**	qu'ils choisiss**ent**

VENDRE · TO SELL vendre → ils vendent → vend-

que je vend**e**	que nous vend**ions**
que tu vend**es**	que vous vend**iez**
qu'il vend**e**	qu'ils vend**ent**

◈ There is also another set of subjunctive forms. For these, there are two stems.

◇ The stem for **je**, **tu**, **il / elle / on** and **ils / elles** comes from the **ils** form of the present indicative (**ils boivent / ils prennent**).

◇ The other stem, for **nous** and **vous**, comes from the **nous** form of the verb in the present indicative (**nous buvons / nous prenons**).

BOIRE · TO DRINK

que je boive	que nous buvions
que tu boives	que vous buviez
qu'il boive	qu'ils boivent

PRENDRE · TO TAKE

que je prenne	que nous prenions
que tu prennes	que vous preniez
qu'il prenne	qu'ils prennent

◈ Other verbs work this way too, including **venir**, **préférer**, and **acheter**.

◈ Irregular verbs in the subjunctive include these:

ÊTRE • TO BE

que je sois	que nous soyons
que tu sois	que vous soyez
qu'il soit	qu'ils soient

AVOIR • TO HAVE

que j'aie	que nous ayons
que tu aies	que vous ayez
qu'il ait	qu'ils aient

POUVOIR • TO BE ABLE TO

que je puisse	que nous puissions
que tu puisses	que vous puissiez
qu'il puisse	qu'ils puissent

SAVOIR • TO KNOW

que je sache	que nous sachions
que tu saches	que vous sachiez
qu'il sache	qu'ils sachent

ALLER • TO GO

que j'aille	que nous allions
que tu ailles	que vous alliez
qu'il aille	qu'ils aillent

FAIRE • TO DO, TO MAKE

que je fasse	que nous fassions
que tu fasses	que vous fassiez
qu'elle fasse	qu'elles fassent

III. Les Expressions d'obligation et de judgement

◊ Here's a short set of impersonal expressions that help you talk about obligation, necessity, and judgment. They trigger the subjunctive, just like **il faut que**. Sometimes you have the option to use **c'est** or **il est** to start your phrase.

> il est nécessaire que / il est essentiel que / il est préférable que / il est important que / c'est important que / il est bon que / c'est bon que

> **Il est important que** vous **observiez** et que vous **analysiez** la culture.

IV. Les Expressions de doute (au subjonctif) et de certitude (à l'indicatif)

◈ The subjunctive lets you express doubt. Here are some expressions that help you talk about doubt. They trigger the subjunctive.

> il est douteux que [it's doubtful that]
> il est peu probable que [it's unlikely that]
> il n'est pas certain que [it's not certain that]
> il est possible que / c'est possible que [it's possible that]
> je ne pense pas que [I don't think that] (this can be used with all subject pronouns)
> je ne crois pas que [I don't believe that] (this can be used with all subject pronouns)

◈ When going from probability toward certainty, expressions take the indicative:

> il est certain que / c'est certain que
> il est sûr que / c'est sûr que
> il est évident que / c'est évident que [it's obvious that]
> il est clair que
> il est probable que
> je pense que (can be used with all subject pronouns)
> je crois que (can be used with all subject pronouns)

V. « Pour » (suivi d'un infinitif) and « pour que » (suivi du subjonctif)

◈ When it precedes an infinitive, **pour** means "in order to." Sometimes the "in order to" is just "to" in English.

> Je regarde des scènes de rue en France **pour** mieux **comprendre** la culture.
> *I look at street scenes in France to (in order to) better understand the culture.*

◈ **Pour que** can be translated as "in order for," "in order that," or "so that." It is followed by a second subject and by the subjunctive.

> Je prends des photos **pour que** mes étudiants **puissent** apprendre à les analyser.
> *I take photos so that my students can learn to analyze them / in order for my students to be able to learn to analyze them.*

ACTIVITÉS

A. Pour bien apprendre le français

Select the correct verb to form a logical sentence.

1 Je voudrais que les étudiants {(a) *soient* (b) *aient* (c) *aillent*} courageux.

2 Il faudrait que vous {(a) *appreniez* (b) *parliez* (c) *invitiez*} à observer une autre culture.

3 Je veux que nous {(a) *fassions* (b) *ayons* (c) *allions*} en vacances dans un pays francophone.

4 Il faut qu'on {(a) *soit* (b) *ait* (c) *aille*} des réservations dans les hôtels.

5 Il est préférable que nous {(a) *restions* (b) *arrivions* (c) *choisissions*} optimistes.

6 Je veux que tu {(a) *ailles* (b) *sois* (c) *fasses*} tout le Cahier d'exercices et tout le « Language Lab » !

B. Au subjonctif

Practice forming the present subjunctive by transforming the verbs.

Modèle : il finit / qu'il finisse

1 nous mangeons / que _____

2 vous êtes / que _____

3 ils font / qu' _____

4 je vais / que _____

5 tu as / que _____

6 il choisit / qu' _____

7 nous vendons / que _____

8 elle regarde / qu' _____

9 tu bois / que _____

10 on préfère / qu' _____

11 il s'appelle / qu' _____

12 vous pouvez / que _____

13 je finis / que _____

14 nous dormons / que _____

15 elles demandent / qu' _____

C . Les Bonnes manières en croisière.

Fill the blank with the subjunctive form of the verb in parentheses.

Toute la famille va bientôt partir en croisière [cruise] ! Il est nécessaire que nous

¹_____ {*respecter*} certaines règles et que nous ²_____ {*être*} très

polis avec les autres voyageurs et le personnel. Vous, les enfants, il ne faut pas que

vous ³_____ {*faire*} du bruit dans le couloir des cabines. Il est important

que vous ne ⁴_____ {*fermer*} pas brusquement les portes des cabines.

Quand nous attendons l'ascenseur, je ne veux pas que vous ⁵_____ {*rester*}

devant la porte et que vous ⁶_____ {*bloquer*} la sortie des occupants.

Quand l'ascenseur arrive, j'exige [demand] que vous ⁷_____ {*laisser*} sortir les gens et que vous ⁸_____ {monter} ensuite. Au restaurant il

est important que nous ne ⁹_____ pas {remplir} trop notre assiette et

que nous n'en ¹⁰_____ pas {manger} pas seulement la moitié. Pour les

spectacles, il est bon que toute la famille y ¹¹_____ {arriver} à l'heure.

Si on est en retard, je veux que nous ¹²_____ {attendre} le prochain

spectacle pour ne pas déranger les autres.

D. Une Enquête [investigation] sur un kidnapping

A journalist is interviewing Lieutenant Limier of the Paris Police Department about a
recent kidnapping. Fill in the blank with the indicative form of the verb in parentheses.

> **Modèle** : Il est probable que le coupable [culprit] _____ un homme. {être}
> Il est probable que le coupable <u>est</u> un homme.

1 **Limier** : Nous sommes certains que le gangster _____ {porter} des

moustaches et _____ {être} chauve [bald].

Journaliste : Vous pensez que le témoin [witness] ne _____ {se tromper

[to be mistaken]} pas?

2 **Limier** : Nous avons plusieurs témoins, et il est évident qu'ils _____

{avoir} raison.

Journaliste : Vous pensez que la victime _____ {connaître} le ravisseur

[kidnapper] !

3 **Limier** : Il est évident qu'ils _____ {se connaître} bien.

Journaliste : Pourquoi ?

4 Limier : Je suis certain qu'il la _____ {*voir*} très souvent, et qu'elle

lui _____ {*faire*} confiance.

Journaliste : Il est clair que vous _____ {*avoir*} une piste [lead] !

5 Limier : Il est évident que je ne _____ {*pouvoir*} rien vous dire

aujourd'hui.

E. John participe à un séminaire d'études interculturelles

Indicative or subjunctive?

> **Modèle** : Le prof : Il faut que vous _____ {*apprendre*} l'histoire du pays.
> Il faut que vous <u>appreniez</u> l'histoire du pays.

1 John : Pourquoi est-il nécessaire que nous _____ l'histoire ? {*savoir*}

Le prof : Parce qu'il est impossible que vous _____ comprendre des

traditions sans connaître l'histoire politique et religieuse du pays. {*pouvoir*}

2 John : À mon avis, il est important que je _____ les valeurs du monde

moderne. {*défendre*}

Le prof : Mais il est nécessaire que vous _____ les gens avant de juger.

{*écouter*}

3 John : Oui, mais il est certain que je ne _____ pas d'accord avec

certaines coutumes. {*être*}

Le prof : Est-ce que l'individu _____ faire ce qu'il veut ? {*devoir*}

4 John : Non, mais pour moi il est préférable que tout le monde _____

une liberté individuelle. {*avoir*}

Le prof : Il est possible que vous _____ trop individualiste pour

comprendre une culture traditionnelle. {*être*}

5 **John** : D'accord. Il est préférable que j'_____ de discuter. {*arrêter*}

Le prof : Il est essentiel que les étudiants _____ aux débats de ce séminaire. Merci, John. {*participer*}

John : C'est bon que vous _____ de discuter avec nous. Merci, M. le professeur. {*accepter*}

BONNES RÉPONSES

A. Pour bien apprendre le français

1 (a) soient **2** (a) appreniez **3** (c) allions **4** (b) ait **5** (a) restions **6** (c) fasses

B. Au subjonctif

1 que nous mangions **2** que vous soyez **3** qu'ils fassent **4** que j'aille **5** que tu aies
6 qu'il choisisse **7** que nous vendions **8** qu'elle regarde **9** que tu boives
10 qu'on préfère **11** qu'il s'appelle **12** que vous puissiez **13** que je finisse
14 que nous dormions **15** qu'elles demandent

C . Les Bonnes manières en croisière.

1 respections **2** soyons **3** fassiez **4** fermiez **5** restiez **6** bloquiez **7** laissiez
8 montiez **9** remplissions **10** mangions **11** arrive **12** attendions

D. Une Enquête [investigation] sur un kidnapping

1 porte / est / se trompe **2** ont / connaît **3** se connaissent **4** voit / fait / avez
5 peux

E. John participe à un séminaire d'études interculturelles

1 sachions / puissiez **2** défende / écoutiez **3** suis / doit **4** ait / soyez
5 arrête / participent / acceptiez

YOUR FUTURE WITH FRENCH

This lecture focuses on talking about the future. It starts with a review of the conditional mood stems, which you'll need for the future tense. The activities section focuses on choosing and transforming verbs, and closes with work on a poem.

RÉVISION DE GRAMMAIRE

I. Le Futur

◈ The future in French is a simple tense, made up of one word. To form the future tense, use the stems you learned for the conditional mood in Lecture 25. Here is a summary:

◈ Begin by finding the invariable stem. For most verbs, this is the infinitive.

      j'**aimer**ai / je **choisir**ai

◈ For verbs ending in -re, drop the final e.

      je **attendr**ai

◇ Here are some verbs that change spelling to form the future stem:

e → è : acheter → achèter-, lever → lèver-, se promener → se promèner-

y → i : payer → paier-, essayer → essaier-, employer → emploier-

l → ll : appeler → appeller-

◇ Verbs like **préférer** keep the accents as they appear in the infinitive.

é → é : espérer, préférer, répéter, célébrer

◇ Several verbs have irregular stems:

aller : **ir-**	mourir: **mourr-**
faire : **fer-**	vouloir : **voudr-**
être : **ser-**	venir : **viendr-**
savoir : **saur-**	avoir : **aur-**
recevoir : **recevr-**	devoir : **devr-**
voir : **verr-**	envoyer : **enverr-**
pouvoir : **pourr-**	falloir : **faudr-**

◇ The future endings are **-ai, -as, -a, -ons, -ez**, and **-ont**

Nous parlerons français au Sénégal. Nous ne pourrons pas parler wolof. Ce sera trop difficile.

II. Les Actions futures

◇ The **futur simple** expresses a state of being or an action that will occur in the future.

Je regarderai ce film bientôt.
I will see this film soon.

◇ It can also be used to express a strong request.

> Tu seras à l'heure demain, non ?
> *You'll be on time tomorrow, right?*

◇ You need the **futur simple** when you want to say *if* something happens, something else *will be* the result. The **si** (if) clause, is in the present tense and the result is in the future. This is like in English.

> Si vous écoutez la radio en français, vous **comprendrez** beaucoup.

> Vous **comprendrez** beaucoup si vous regardez les films français.

◇ Lastly, when you have two clauses linked by **quand** to talk about future action, you need the future tense in both. In this respect, French and English are quite different.

  ◇ In English, you have "when" plus the present tense and then second part is in the future.

> When I am in Geneva, I will be able to speak French.

  ◇ In French, both verbs have to be in the simple future tense.

> Quand je **serai** à Genève, je **pourrai** parler français.

◇ **Quand** is a key word here. Other words that can be used to link two actions in the future are **dès que** (as soon as), **aussitôt que** (as soon as), and **lorsque** (when). In the following activities, be sure to look for **si** and **quand** to help you decide which verb tenses you need.

ACTIVITÉS

A. Projets d'avenir

Select the correct verb to form a logical sentence.

1 Si tu parles français, tu {(a) *seras* (b) *iras* (c) *auras*} bientôt des amis français.

2 Nous {(a) *discuterons* (b) *applaudirons* (c) *dormirons*} au café pendant des heures.

3 Vous {(a) *analyserez* (b) *détesterez* (c) *prendrez*} la culture française et la culture américaine.

4 Tes amis français t' {(a) *téléphoneront* (b) *inviteront* (c) *pourront*} à des repas gastronomiques !

5 On se {(a) *sera* (b) *ira* (c) *fera*} la bise à chaque rencontre.

6 Je t'{(a) *enverrai* (b) *dirai* (c) *serai*} des méls en français !

B. Au futur

Practice forming the future by transforming these regular verbs.

Modèle : il finit / <u>finira</u>

1 il voyage / _____

2 nous choisissons / _____

3 tu vends / _____

4 je mange / _____

5 elle dort / _____

6 vous attendez / _____

7 il chante / _____

8 je pars / _____

9 vous demandez / _____

10 tu rougis [blush] / _____

C. Les Verbes irréguliers

Practice forming the future by transforming these irregular verbs

Modèle : il sait / <u>saura</u>

1 je reçois / _____

7 ils meurent / _____

2 tu es / _____

8 tu veux _____

3 vous avez / _____

9 nous devons / _____

4 il va / _____

10 j'envoie / _____

5 nous faisons / _____

11 il faut / _____

6 elle peut / _____

12 vous voyez / _____

D. Projets d'avenir de John

Transform the infinitive into the future or present, as necessary.

Modèle : Quand je serai adulte, je ne _____ {*manger*} jamais de broccoli !
Quand je serai adulte, je ne <u>mangerai</u> jamais de broccoli !

1 Si je _____ {*recevoir*} mon diplôme, je _____ {*faire*} la fête pendant deux ans.

2 J'_____ {*inviter*} tous mes amis quand on _____ {*organiser*} une réception officielle.

3 Si mon père n'_____ {*être*} pas trop fatigué, il _____ {*venir*} aussi.

4 Quand on _____ {*être*} réunis, on _____ {*danser*}.

5 Je _____ {*se marier*} si je _____ {*rencontrer*} quelqu'un.

6 Si ma femme _____ {*vouloir*} bien, nous _____ {*avoir*} trois enfants.

7 Nous _____ {*envoyer*} des cartes à nos amis quand leurs enfants _____ {*naître*}.

8 Je les _____ {*aider*} quand ils _____ {*aller*} à l'école.

9 On _____ {*faire*} la fête s'ils _____ {*réussir*} leurs études.

10 Quand ils _____ {*se marier*}, on _____ {*faire*} encore la fête !

E. Un séjour à Paris ?

Fill the blank with **si** or **quand**.

1 _____ je vais à Paris, je visiterai la tour Eiffel.

2 J'étudierai beaucoup _____ je décide de partir.

3 Je partirai _____ je parlerai bien français.

4 Je comprendrai les conversations _____ j'écoute attentivement.

5 _____ je serai à Paris, je prendrai des photos.

6 Je verrai beaucoup de spectacles _____ je peux payer tous les billets.

7 Je m'installerai dans un café _____ je voudrai !

8 J'enverrai des SMS _____ j'aurai le temps.

9 Je ne regarderai pas Facebook même _____ j'en ai très envie.

10 J'irai à l'aéroport _____ tu viendras me voir.

F. « Demain dès l'aube » de Victor Hugo

Read the poem and underline the verbs that are in the future tense.

Demain, dès l'aube, à l'heure où blanchit la campagne,
Je partirai. Vois-tu, je sais que tu m'attends.
J'irai par la forêt, j'irai par la montagne.
Je ne puis demeurer loin de toi plus longtemps.
Je marcherai les yeux fixés sur mes pensées,
Sans rien voir au dehors, sans entendre aucun bruit,
Seul, inconnu, le dos courbé, les mains croisées,
Triste, et le jour pour moi sera comme la nuit.
Je ne regarderai ni l'or du soir qui tombe,
Ni les voiles au loin descendant vers Harfleur,
Et quand j'arriverai, je mettrai sur ta tombe
Un bouquet de houx vert et de bruyère en fleur.

BONNES RÉPONSES

A. Projets d'avenir

1 (c) auras   **2** (a) discuterons   **3** (a) analyserez   **4** (b) inviteront   **5** (c) fera
6 (a) enverrai

B. Au futur

1 voyagera   **2** choisirons   **3** vendras   **4** mangerai   **5** dormira   **6** attendrez
7 chantera   **8** partirai   **9** demanderez   **10** rougiras

C. Les Verbes irréguliers

1 recevrai   **2** seras   **3** aurez   **4** ira   **5** ferons   **6** pourra   **7** mourront   **8** voudras
9 devrons   **10** enverrai   **11** faudra   **12** verrez

D. Projets d'avenir de John

1 reçois / ferai   **2** inviterai / organisera   **3** est / viendra   **4** sera / dansera
5 me marierai / rencontre   **6** veut / aurons   **7** enverrons / naîtront   **8** aiderai / iront
9 fera / réussissent   **10** se marieront / fera

E. Un séjour à Paris ?

1 si   **2** si   **3** quand   **4** si   **5** quand   **6** si   **7** quand   **8** quand   **9** si   **10** quand

F. « Demain dès l'aube » de Victor Hugo

1 partirai   **2** irai   **3** irai   **4** marcherai   **5** sera   **6** regarderai   **7** arriverai   **8** mettrai

"Tomorrow, Just at Dawn" (traduction)

Tomorrow, just at dawn, at the time when light touches the countryside,
I will depart. You see, I know that you are waiting for me.
I will go through the forest, I will go over the mountains.
I cannot stay far from you any longer.
I will walk with eyes focused on my thoughts,
Without seeing anything around outside, nor hearing a single noise,
Alone, unknown, back hunched, hands crossed,
Sad, and daytime for me will be like night.
I will neither look at the gold of evening that falls,
Nor at the distant sails descending towards Harfleur.
And when I arrive, I will put on your tomb
A bouquet of green holly and flowering heather.

LANGUAGE LABS

The Language Labs are thirty 15-minute audio sessions that reinforce new vocabulary and help you practice French pronunciation. This section of the **Cahier d'exercices** serves as a reference that you can use while listening to the Language Labs. Think of it as an organized transcript. You can also use this section as a standalone tool to help you master French terms.

Each Language Lab is organized into two sections:

1 Activities in Group I will help you understand and pronounce French language used in everyday contexts.

2 Activities in Group II will help your reading and listening comprehension of complete paragraphs so you can answer questions about them.

Groupe I : Vocabulaire, grammaire, et dialogues

◈ **La Politesse / Politeness**

Écoutez et répétez, s'il vous plaît. / Listen and repeat, please.

bonjour [hello, good day] / bonsoir [good evening, good night, good-bye (at night)] /
au revoir [good-bye] / Je m'appelle... [My name is…] / Enchanté(e). [Nice to meet you;
It's a pleasure to meet you.] / Excusez-moi. [Excuse me.] / Pardon. [Excuse me.] / Pas de
problème. [It's OK. (response to "Excusez-moi")] / oui [yes] / non [no] / Je ne sais pas.
[I don't know.] / s'il vous plaît [please] / merci [thank you] / de rien [you're welcome, it's
nothing] / monsieur [sir, Mr.] / madame [ma'am, madam, Mrs.] / mademoiselle [miss]

◈ **Les Substantifs apparentés / Noun Cognates**

Écoutez et répétez, s'il vous plaît. / Listen and repeat, please.

un entrepreneur / un week-end / une réception / une résidence / un ambassadeur / une
rose / un parfum / un concert / un récital / la musique

◈ **Verbes en -er / -er Verbs**

Écoutez et répétez, s'il vous plaît. / Listen and repeat, please.

parler [to speak, to talk] / inviter [to invite] / présenter [to present] / apprécier
[to appreciate] / adorer [to adore]

◈ Adjectifs apparentés / Adjective Cognates

Écoutez et répétez, s'il vous plaît. / Listen and repeat, please.

important / intense / délicat / classique / populaire / moderne

◈ Nationalités / Nationalities

Écoutez et répétez, s'il vous plaît. / Listen and repeat, please.

américain [American (with masculine nouns)] / américaine [American (with feminine nouns)]

français [French (with masculine nouns)] / française [French (with feminine nouns)]

canadien [Canadian (with masculine nouns)] / canadienne [Canadian (with feminine nouns)]

◈ Mots français utilisés en anglais / French Words Used in English

Écoutez et répétez, s'il vous plaît. / Listen and repeat, please.

la pasteurisation / le coup d'état / la détente / le laissez-faire / la façade / l'architecture / l'art / l'étude / le fuselage / la vinaigrette / le coq au vin

◈ Les Pronoms sujets / Subject Pronouns

Écoutez et répétez, s'il vous plaît. / Listen and repeat, please.

SINGULAR	PLURAL
je [I]	nous [we]
tu [you (informal)]	vous [you (formal)]
il [he or it] / elle [she or it] / on [one / they / we]	ils [they (masculine)] / elles [they (feminine)]

◊ Conjugaison des verbes réguliers en -er / Conjugation of regular -er verbs

Écoutez et répétez, s'il vous plaît. / Listen and repeat, please.

PARLER • TO SPEAK

je parle [I speak]

tu parles [you speak]

il / elle / on / tout le monde parle
[he / she / we / everybody speaks]

nous parlons [we speak]

vous parlez [you speak]

ils / elles parlent [they speak]

ADORER • TO LOVE, TO ADORE

j'adore [I adore]

tu adores [you adore]

il / elle / on adore [he / she adores]

nous adorons [we adore]

vous adorez [you adore]

ils, elles adorent [they adore]

Note that with verbs the **-ent** is silent: il adore / ils adorent / elle parle / elles parlent

◊ La Conjugaison d'un verbe irrégulier / Conjugation of an Irregular Verb

Écoutez et répétez, s'il vous plaît. / Listen and repeat, please.

ÊTRE • TO BE

je suis [I am]

tu es [you are]

il / elle / on / tout le monde est
[he, she, one, everybody is]

nous sommes [we are]

vous êtes [you are]

ils / elles sont [they are]

Notice that several of the letters you see are not pronounced here.

je suis / tu es / il est / nous sommes / vous êtes / ils sont

And with ils sont and elles sont, you hear an [s] sound.

◊ Les sons du français / The Sounds of French

◊ Trois sons de voyelles ([i], [y], [u]) / Three Vowel Sounds ([i], [y], [u])

Prononcez, s'il vous plaît. / Pronounce, please.

[i] il / [u] vous / [y] tu / [i]

Notice how tight the sound [i] is. There's no diphthong, which is to say that the vowel sound doesn't change.

[i] / Sylvie / Mimi

[u] / To make the sound [u], I round my lips and the inside of my mouth as though I were saying "goose" [u]. Again, no diphthong.

[u] / vous / nous / où

[y] / For the French [y], begin with the sound [i]. Pronounce [i]. Now, while keeping the inside of your mouth in the [i] position, round your lips, like [u].

[i] / [u] / [i] / [u]

tu / du / sur / Excusez-moi. / communication

◊ Petits Dialogues / Short Dialogues

Écoutez et répétez, puis lisez le dialogue entier, s'il vous plait. / Listen and repeat, then read the whole dialogue, please.

Ann : Bonjour, Monsieur. [Good day, sir.]
Christian : Bonjour, Madame. [Good day, ma'am.]
Christian : Bonjour, Mademoiselle. [Good day, miss.]

Ann : Bonsoir, Monsieur. [Good evening, sir.]
Christian : Bonsoir, Madame. [Good evening, ma'am.]
Christian : Bonsoir, Mademoiselle. [Good evening, miss.]

Ann : Au revoir, Monsieur. [Good-bye, sir.]
Christian : Au revoir, Madame. [Good-bye, ma'am.]
Christian : Au revoir, Mademoiselle. [Good-bye, miss.]

Christian : Excusez-moi, Madame. [Excuse me, ma'am.]
Ann : Pas de problème, Monsieur. [It's OK, sir.]

Christian : Excusez-moi, Mademoiselle. [Excuse me, miss.]
Ann : Je parle français. [I speak French.]

Ann : Tu parles français ? [Do you speak French?]
Christian : Oui, je parle français. [Yes, I speak French.]
Ann : Tu parles anglais ? [Do you speak English?]
Christian : Oui, je parle anglais. [Yes, I speak English.]
Ann : Christian parle anglais et français. [Christian speaks English and French.]
Christian : Ann parle français et anglais. [Ann speaks French and English.]
Ann et Christian : Nous parlons français et anglais. [We speak French and English.]

Christian : Tout le monde parle français. [Everybody speaks French.]
Ann : Vous parlez français, Monsieur ? [You speak French, sir?]
Christian : Oui, Madame, je parle français. [Yes, ma'am, I speak French.]

Écoutez et répétez, s'il vous plaît. / Listen and repeat, please.

Ann : Je m'appelle Ann Williams. Et vous ? [My name is Ann Williams. What's yours?]
Christian : Je m'appelle Christian Roche. Et vous ? [My Name is Christian Roche. And you?]
You : Je m'appelle … (say your name here) [My name is…]

Ann : Vous êtes français ? [You are French?]
Christian : Oui, je suis français. [Yes, I'm French.]
Ann : Christian est français. [Christian is French.]
Christian : Vous êtes américaine ? [You are American?]
Ann : Oui, je suis américaine. [Yes, I am American.]
Christian : Ann est américaine. [She's American.]

Groupe II : Compréhension

A Écoutez et puis répondez aux questions. / Listen and then answer the questions.

> Tous les week-ends, il y a une grande réception à la résidence de l'ambassadeur américain. L'ambassadeur invite des entrepreneurs importants pour les échanges économiques entre la France et les États-Unis. Au début de la soirée, pendant le cocktail, des musiciens présentent un concert ou un récital. Les chefs-d'œuvre classiques sont très populaires mais les invités apprécient aussi la musique moderne de Ravel ou de Debussy. Dans les jardins du château, il y a de belles roses avec un parfum intense et délicat. Quel plaisir !

B Répondez « oui » ou « non », s'il vous plaît.

1 La réception est à l'ambassade de France ?

2 Les musiciens présentent un concert.

3 Il y a des roses dans le jardin.

Réponses

1 Non 2 Oui 3 Oui

LECTURE 2 • LANGUAGE LAB

Groupe I : Vocabulaire, grammaire, et dialogues

◈ **Les Articles définis / Definite Articles**

Écoutez et répétez, s'il vous plaît. / Listen and repeat, please.

le (masculine singular) / le garçon [the boy]

l' (in front of a vowel or an h) / l'homme [the man]

la (feminine singular) / la fille [the girl] / la femme [the woman]

les (plural) / les garçons [the boys] / les filles [the girls] / les hommes [the men] / les femmes [the women]

◈ **Les Articles indéfinis / Indefinite Articles**

Écoutez et répétez, s'il vous plaît. / Listen and repeat, please.

un (masc. sing.) / un garçon [a boy]

une (fem. sing.] / une fille [a girl]

des (plural) / des filles [(some) girls] / des garçons [(some) boys]

◈ **Quelques pays francophones / Some French-Speaking Countries**

le Luxembourg [Luxemburg] / la Suisse [Switzerland] / le Bénin [Benin] / le Canada [Canada] / la Belgique [Belgium]

◈ **Autres pays / Other Countries**

les États-Unis [United States] / l'Angleterre [England] / le Japon [Japan] / l'Italie / [Italy] / l'Espagne [Spain]

◈ **Les Adjectifs de nationalité / Adjectives of Nationality**

américain, américaine [American] / anglais, anglaise [English] / japonais, japonaise [Japanese] / italien, italienne [Italian] / espagnol, espagnole [Spanish] / canadien, canadienne [Canadian]

◈ **Les Régions du monde / Regions of the World**

l'Asie [Asia] / le Pacifique [Pacific] l'Afrique [Africa] / l'Europe [Europe] / l'Océanie [Oceania] / l'Antarctique [Antarctica] / l'Amérique [America]

◈ **Les Langues / Languages**

l'espagnol [Spanish] / l'anglais [English] / l'arabe [Arabic]

◈ **L'Alphabet / The Alphabet**

a	a	j	ji	s	esse
b	bé	k	ka	t	té
c	cé	l	elle	u	u
d	dé	m	emme	v	vé
e	e	n	enne	w	double vé
f	effe	o	o	x	iks
g	gé	p	pé	y	i grec
h	hache	q	ku	z	zède
i	i	r	erre		

◈ Les Accents / Accents

´	accent aigu	élégant, éléphant
`	accent grave	scène, règle
^	accent circonflexe	fête, tête
ç	cé cédille	français
¨	tréma	Haïti
-	trait d'union	Jean-Paul
'	apostrophe	l'arabe

◈ Verbes en -er / Verbs with -er endings

parler [to speak] / regarder [to watch, to look at] / habiter [to live] / visiter [to visit] / chercher [to look for] / trouver [to find] / travailler [to work] / écouter [to listen] / penser [to think] / aimer [to like, to love] / préférer [to prefer] / adorer [to adore]

◈ Conjugaison des verbes réguliers en -er / Conjugation of Regular -er Verbs

PARLER • TO SPEAK

je parle [I speak]

tu parles [you speak]

il / elle / on parle [he, she, we speak]

nous parlons [we speak]

vous parlez [you speak (plural or formal singular)]

ils / elles parlent [they speak]

◈ Les Chiffres 0 à 9 et le nombre 10 / Digits from 0 to 9 and the Number 10

0	zéro	4	quatre	8	huit
1	un	5	cinq	9	neuf
2	deux	6	six	10	dix
3	trois	7	sept		

◈ Les Nombres de 11 à 20 / Numbers from 11 to 20

11	onze	16	seize
12	douze	17	dix-sept
13	treize	18	dix-huit
14	quatorze	19	dix-neuf
15	quinze	20	vingt

◈ 10 et multiples de 10 / 10 and Multiples of 10

10	dix	60	soixante
20	vingt	70	soixante-dix
30	trente	80	quatre-vingt
40	quarante	90	quatre-vingt-dix
50	cinquante	100	cent

◈ Ajouter 1 aux multiples de 10 / Adding 1 to Multiples of 10

21	vingt-et-un	61	soixante-et-un
31	trente-et-un	71	soixante-et-onze
41	quarante-et-un	81	quatre-vingt-un
51	cinquante-et-un	91	quatre-vingt-onze

To add 2, 3, etc., get rid of et.

22	vingt-deux	66	soixante-six
33	trente-trois	72	soixante-douze
44	quarante-quatre	93	quatre-vingt-douze
55	cinquante-cinq		

◈ **Expressions utiles / Useful Expressions**

Il y a [there is / there are] des francophones. / **Il n'y a pas** [there is no / there are no] de francophones.

Qu'est-ce que c'est ? [What is this?] / Qui est-ce ? [Who is it?] / c'est un [this is / it is] / Ce n'est pas un belge. [That's not a Belgian.] / ce sont [these are] / ce ne sont pas [these are not]

◈ **La Description d'Ahmed / Description of Ahmed**

1 Listen once to understand the gist of the short passage.

Je m'appelle Ahmed. J'habite en Afrique, au Maroc. Je suis marocain. Je parle français, anglais, arabe et berbère. Je visite Denver et j'adore les États-Unis.

2 After you hear each sentence, please repeat.

Je m'appelle Ahmed. [My name is Ahmed.] / J'habite en Afrique, au Maroc. [I live in Africa, in Morocco.] / Je suis marocain. [I am Moroccan.] / Je parle français, anglais et berbère. [I speak French, English, and Berber.] / Je visite Denver. [I am visiting Denver.] / J'adore les États-Unis. [I love the United States.]

3 Listen again to the paragraph.

Je m'appelle Ahmed. J'habite en Afrique, au Maroc. Je suis marocain. Je parle français, anglais, arabe et berbère. Je visite Denver et j'adore les Etats-Unis.

◈ **Les sons du français / The Sounds of French**

◇ **La Consonne [r]**

Prononcez, s'il vous plaît. / Pronounce, please.

[r] Robert

The French [r] is tricky. It's not the American "are" sound. It's [r]. It's not the rolled "rr" of some other languages. It's [r].

Répétez : [r].

If you're having trouble, try this: Say "AG," like the beginning of "Agatha." [AG.] Drop your tongue where it's touching the roof of your mouth. [AG / AR, EGG / ER]

Prononcez, s'il vous plaît. / Pronounce, please.

> **r**iche / **R**obe**r**t / Ch**r**istian / Pa**r**is / quat**r**e / t**r**ente / t**r**ente-t**r**ois / Robert et Christian sont riches.

Groupe II : Compréhension

A Listen once to understand the gist of the short passage.

> Dakar, c'est au Sénégal ou au Maroc ? C'est au Sénégal. Il y a des restaurants sénégalais en France. Les français aiment la musique sénégalaise.

B After you hear the sentences again, please repeat.

> Dakar, c'est au Sénégal ou au Maroc ? [Dakar, it's in Senegal or in Morocco?] / C'est au Sénégal. [It's in Senegal.] / Il y a des restaurants sénégalais en France. [There are Senegalese restaurants in France.] / Les français aiment la musique sénégalaise. [The French love Senegalese music.]

C Now listen to the whole passage again.

> Dakar, c'est au Sénégal ou au Maroc ? C'est au Sénégal. Il y a des restaurants sénégalais en France. Les français aiment la musique sénégalaise.

D And now read the whole passage aloud. Keep it flowing.

Groupe I : Vocabulaire, grammaire, et dialogues

◈ **Les Salutations / Greetings**

Écoutez et répétez, s'il vous plaît. / Listen and repeat, please.

Comment allez-vous ? [How are you doing?] / Comment vas-tu ? [How are you?] / Ça va bien. [I am all right.] / Comme-ci, comme-ça. [So-so.] / Ça va pas mal, et vous ? [It's going rather well (literally, "not bad").] / Ça va très bien. [It's going very well.]

◈ **Le présentateur radio / The Radio Host**

Bonjour, Messieurs-dames. [Hello, ladies and gentlemen.] / Comment allez-vous aujourd'hui ? [How are you today?] / Bien ? Très bien ? [Well? Very well?] / Comme-ci, comme-ça ? Mal ? [So-so? Bad?]

◈ **Une Rencontre dans la rue / A Meeting on the Street**

— Bonjour, Madame. [Hello, ma'am.]
— Bonjour, Monsieur. Comment allez-vous ? [Hello, sir. How are you?]
— Aujourd'hui, ça va pas mal. Et vous, Madame ? [Today, it's going rather well. What about you?]
— Ça va très bien. Merci. [It's going very well. Thank you.]

◈ **Deux bons amis / Two Good Friends**

— Salut, Jacqueline. Ça va ? [Hi, Jacqueline. How are you doing?]
— Pas mal. Et toi, Paul, comment vas-tu ? [All right. And you, Paul, how are you?]
— Comme-ci, comme-ça. [So-so.]

◊ **Expressions utiles / Useful Expressions**

c'est un, c'est une [it is, that is, this is] / ce sont des [these are, they are]

Répétez, s'il vous plait. / Repeat, please.

C'est un vrai problème. [That's a real problem.] / C'est une histoire vraie. [It is a true story.] / Ce sont des objets africains. [These are African objects.] / C'est un endroit magnifique. [It is a wonderful place.] / C'est un artiste. [He is an artist.] / C'est une artiste. [She is an artist.] / Ce sont des artistes africains. [They are African artists.]

◊ **Les Adjectifs / Adjectives**

Répétez, s'il vous plaît. / Repeat, please.

◊ **Masculine and Feminine Adjectives That Are Identical**

Elle est dynamique, bizarre et adorable. [She's dynamic, bizarre, and adorable.] / C'est un homme bizarre. [He's a strange man.] / C'est un endroit magnifique et artistique. [It's a wonderful and artistic place.]

◊ **Masculine and Feminine Adjectives That Sound Identical**

intellectuel, intellectuelle [intellectual] / traditionnel, traditionnelle [traditional] / fatigué, fatiguée [tired] / joli, jolie [pretty] / vrai, vraie [true]

◊ **Adjectives That Change Pronunciation from Masculine to Feminine**

Il est sénégalais. [He is Senegalese.] / Elle est sénégalaise. [She is Senegalese.]

Il est intelligent. [He's intelligent.] / Elle est intelligente. [She's intelligent.]

Il est grand. [He's tall.] / Elle est grande. [She's tall.]

◊ **Adjectives Where Masculine Form -eux Changes to Feminine -euse**

Il est **courageux**. [He is courageous.] / Elle est **courageuse**. [She is courageous.]

Il est **généreux**. [He is generous.] / Elle est **généreuse**. [She is generous.]

Il est **heureux**. [He is happy.] / Elle est **heureuse**. [She is happy.]

◇ **Adjectives Where Masculine Form -if Changes to Feminine -ive**

Mamadou est **sportif**. [Mamadou is athletic.] / Yacine est **sportive**. [Yacine is athletic.]

Il est **actif**. [He is active.] / Elle est **active**. [She is active.]

◈ **Avoir**

Écoutez et répétez, s'il vous plaît. / Listen and repeat, please.

AVOIR • TO HAVE

j'ai [I have]	nous avons [we have]
tu as [you have]	vous avez [you have]
il / elle / on a [he / she / one has]	ils / elles ont [they have]

◈ **Expressions idiomatiques avec avoir / Idiomatic Expressions Using Avoir**

J'ai faim. [I am hungry.] / Tu as soif. [You are thirsty.] / Nous avons chaud. [We are hot.] / Ils ont froid. [They are cold.] / Vous avez besoin de moi ? [You need me?] / J'ai peur. [I am afraid.] / Quel âge avez-vous ? [How old are you?]

◈ **Les Adjectifs demonstratifs / Demonstrative Adjectives**

ce, cet, cette [this, that] / ces [these]

Cet endroit est **joli**. [This place is pretty.] / **Cette** danseuse est **jolie**. [This dancer is pretty.] / **Ces jeunes** danseurs sont à Sobo Badè. [These young dancers are in Sobo Badè.] / **Ce** danseur est **sportif**. [This dancer is athletic.]

◈ **Les sons du français / The Sounds of French**

◇ **Pronouncing Cognates and Words That Look the Same**

Prononcez, s'il vous plaît. / Pronounce, please.

[a] Barbara

Any given vowel in French is pronounced the same way, no matter where it is located in the word. Compare in English, "Barbara," and the French name "Barbara."

Répétez :

Madame / Barbara / Émilie

Compare in English, "Emily," and the French name "Émilie."

◇ **Next, the Sounds of -tion and -sion**

Prononcez, s'il vous plaît. / Pronounce, please.

passion / profession / nation / introduction / conversation / communication / question

◇ **Other Cognates and Near Cognates**

Many adjectives you learned in Lecture 2 are cognates or near cognates.

Prononcez, s'il vous plaît. / Pronounce, please.

ordinaire / extraordinaire / sincère / raisonnable

In French, punch the last syllable a little more than the preceding syllables.

In English: excen'tric / intel'ligent

In French : excentrique' / intelligent'

Répétez :

modeste / solitaire / pragmatique / optimiste / pessimiste

Groupe II : Compréhension

A Lisez et écoutez. / Read and listen.

> Voici Mamadou. Il est sénégalais. Ce beau jeune homme est dynamique et patient. Il est très sportif. Sobo Badè est un petit endroit magnifique. Voici la culture sénégalaise à travers les arts traditionnels et modernes.

B Écoutez et répétez, s'il vous plaît. / Listen and repeat, please.

> Voici Mamadou. [Here is Mamadou.] / Il est **sénégalais**. [He is Senegalese.] / Ce **beau jeune** homme est **dynamique** et **patient**. [This handsome young man is dynamic and patient.] / Il est très **sportif**. [He is very athletic.] / Sobo Badè est un centre **artistique**. [Sobo Badè is an artistic center.] / Sobo Badè est un **petit** endroit **magnifique**. [Sobo Badè is a magnificent little place.] / Voici la culture **sénégalaise** à travers les arts **traditionnels** et **modernes**. [Here is the Senegalese culture (as seen) through traditional and modern arts.]

C Écoutez pour comprendre et répondez aux questions. / Listen for comprehension and then answer the questions.

> Voici Mamadou. Il est sénégalais. Ce beau jeune homme est dynamique et patient. Il est très sportif. Sobo Badè est un petit endroit magnifique. Voici la culture sénégalaise à travers les arts traditionnels et modernes.

D Répondez « vrai » (true) ou « faux » (false), s'il vous plaît.

1 Mamadou n'est pas Sénégalais.

2 Mamadou est patient.

3 Mamadou est à Sobo Badè.

Réponses

1 faux 2 vrai 3 vrai

LECTURE 3 • LANGUAGE LAB

358

E Lisez et écoutez. / Read and listen.

Serigne est un professeur et Yacine est son assistante. Il est sénégalais. Elle est sénégalaise. Ils sont sénégalais. Serigne est un homme dynamique et Yacine est une femme dynamique. Ils sont dynamiques. Le Sénégal est magnifique. Serigne parle d'un livre africain. Yacine regarde une statuette africaine.

F Écoutez et répétez, s'il vous plaît. / Listen and repeat, please.

Serigne est un professeur et Yacine est son assistante. [Serigne is a professor and Yacine is his assistant.] / Il est sénégalais. Elle est sénégalaise. Ils sont sénégalais. [He is Senegalese. She is Senegalese. They are Senegalese.] / Serigne est un homme dynamique et Yacine est une femme dynamique. Ils sont dynamiques. [Serigne is a dynamic man, and Yacine is a dynamic woman. They are dynamic.] / Le Sénégal est magnifique. [Senegal is a magnificent country.] / Serigne parle d'un livre africain. [Serigne talks about an African book.] / Yacine regarde une statuette africaine. [Yacine looks at an African statue.]

G Écoutez pour comprendre et répondez aux questions. / Listen for comprehension and then answer the questions.

Serigne est un professeur et Yacine est son assistante. Il est sénégalais. Elle est sénégalaise. Ils sont sénégalais. Serigne est un homme dynamique et Yacine est une femme dynamique. Ils sont dynamiques. Le Sénégal est magnifique. Serigne parle d'un livre africain. Yacine regarde une statuelle africaine.

H Répondez « vrai » ou « faux », s'il vous plaît.

1 Serigne est l'assistant de Yacine.

2 Yacine n'est pas sénégalaise.

3 Serigne regarde une statuette.

Réponses

1 faux 2 faux 3 faux

Groupe I : Vocabulaire, grammaire, et dialogues

◊ **Endroits dans la ville / Places in the City**

Écoutez et répétez, s'il vous plaît. / Listen and repeat, please.

> une grande ville [a big city] / un petit village [a small village] / une boutique [a boutique] / un magasin [a store] / un centre commercial [a shopping mall] / un supermarché [a supermarket] / une librairie [a bookstore] / une papeterie [a stationery store] / une pharmacie [a pharmacy] / une boulangerie [a bakery] / des services pubics [public services] / la poste, un bureau de poste [the postal service, a post office] / un poste de police [a police station] / la gare [the train station] / la bibliothèque municipale [the city library] / un office de tourisme [a tourism office] / un parc [a parc] / un jardin public [a public garden] / un monument [a monument] / une place [a square] / un square [a small public garden]

◊ **Prépositions de lieu / Prepositions of place**

> dans [in] / entre [between] / près de [near, close to] / à droite de [to the right of] / à gauche de [to the left of] / en face de [facing] / dans la rue [on the street] / à côté de [next to] / devant [in front of] / derrière [behind]

ALLER • TO GO

je vais [I go (am going)]

tu vas [you go (are going)]

il / elle / on va [he / she / one goes (is going)]

nous allons [we go (are going)]

vous allez [you go (are going)]

ils / elles vont [they go (are going)]

◇ Mots interrogatifs / Questions Words

Qui ? [Who?] / Où ? [Where?] / Pourquoi ? [Why?] / Comment ? [How?] / Quand ? [When?]

— **Qui** est-ce que vous écoutez ? [Who are you listening to?]
— Beethoven. [Beethoven.]

— **Où** est-ce que tu vas ? [Where are you going?]
— À la librairie. [To the bookstore.]

— **Pourquoi** est-ce que tu travailles le dimanche ? [Why are you working on Sunday?]
— Parce que j'ai besoin d'argent. [Because I need money.]

— **Comment** est-ce que tu voyages ? [How are you traveling?]
— En voiture. [By car.]

— **Quand** est-ce qu'ils dansent ? [When do they dance?]
— Le soir. [In the evening.]

◇ Contractions

Qui va **au** musée ? [Who goes / is going to the museum?]

Qui va **à la** boulangerie ? [Who goes / is going to the bakery?]

Qui va **à l'**église ? [Who goes / is going to the church?]

Qui va **au** stade ? [Who goes / is going to the stadium?]

Qui va **aux** expositions ? [Who goes / is going to the exhibits?]

◇ Philippe et Denise

Où **vont** Philippe et Denise ? [Where are Philippe and Denise going?]
Où **vont**-ils ? [Where do they go?]

Philippe et Denise **vont à la** Basilique du Sacré-Cœur. [They are going to the Sacré-Cœur basilica.]
Ils vont **à la** poste et **au** café. They are going to the post office and to the café.]
Ils **vont** parfois **aux** expositions **au** musée du Louvre. [They sometimes go to exhibits at the Louvre museum.]

— **Où** est-ce que **vous allez ?** [Where are you going?]
— **Nous allons à l'**église Notre-Dame de Paris. [We are going to the church of Notre Dame de Paris.]
— **Quand ?** [When?]
— Tout de suite. [Right now.]

— **Où** est Notre-Dame de Paris ? [Where is Notre-Dame de Paris?]
— C'est **près de** la Seine. [It is near the Seine River.]
— **Où** est-ce que **vous allez** après ? [Where are you going after?]
— **Nous allons au** théâtre. [We are going to the theater.]
— Sur la rive **gauche** ou sur la rive **droite ?** [On the left bank or on the right bank?]
— Sur la rive **droite**. [On the right bank.]
— **Où** est-ce que **vous allez** demain ? [Where are you going tomorrow?]
— **Nous allons aux** expositions d'art contemporain. [We are going to contemporary art exhibits.]

— **Où** est-ce que tu vas ? [Where are you going?]
— Je **vais à la** boulangerie. [I am going to the bakery.]
— **Quand ?** [When?]
— Je **vais à la** boulangerie le matin. [I go to the bakery in the morning.]
— Tu as besoin de **combien de** baguettes ? [How many baguettes do you need?]
— Trois baguettes. [Three baguettes.]
— **Qui va à la** boulangerie à part toi ? [Who goes to the bakery besides you ?]
— Tout le monde **va à la** boulangerie. [Everybody goes to the bakery.]
— **Pourquoi ?** [Why?]
— **Parce que** tout le monde aime le pain. [Because everybody loves bread.]

◈ **Les sons du français / The Sounds of French**

◇ **Sounds for Asking Questions**

Prononcez, s'il vous plaît. / Pronounce, please.

[k] question

In French, the letters qu are pronounced /k/, like at the beginning of the French word **question**. French does not pronounce qu like qw, as in the English "question" or "queen."

Répétez :

question / quand / qui / que / qualité

If you have trouble remembering this, practice the que sound at the end of words.

Répétez :

musique / antique / manifique / question / qualité / quand / que / qui

◊ **Questions Using Intonation**

Prononcez, s'il vous plaît. / Pronounce, please.

Vous parlez français. / Vous parlez français ?

For a declarative sentence, drop in pitch on the last syllable.

Vous visitez le Canada. ↓

For a simple yes-no question, the pitch goes up at the end.

Vous visitez le Canada ? ↑ Vous allez à l'Office de tourisme. ↓ Vous allez à l'Office de tourisme ? ↑

◊ **Questions Using Interrogative Expressions**

Écoutez :

Pourquoi ↑ est-ce que vous allez ↑ à l'Office de tourisme ? ↑

Répétez :

Pourquoi ↑ est-ce que vous allez ↑ à l'Office de tourisme ? ↑

Quand ↑ est-ce que vous allez ↑ à la poste ? ↑

Qui ↑ étudie ↑ le français ? ↑

Qui ↑ étudie le français ↑ avec Ann et Christian ? ↑

Groupe II : Compréhension

A Lisez et écoutez. / Read and listen.

À Tanger, le Maroc est près de l'Espagne. Tanger est une ville cosmopolite. Il y a un port à droite et un cimetière chrétien à gauche. La Grande Mosquée est à côté de la place. Sur la place, il y a un café. Devant le café, il y a une terrasse. Derrière la porte, il y a une grande salle. Il y a aussi un cinéma et six hôtels. Un hôtel, le Dar Nour, n'est pas loin de la place.

B Écoutez et répétez, s'il vous plaît. / Listen and repeat, please.

À Tanger, le Maroc est **près de** l'Espagne. [At Tangier, Morocco is near Spain.] / Tanger est **une ville** cosmopolite. [Tangier is a cosmopolitan city.] / Il y a un port **à droite** [There is a harbor on the right] / et un cimetière chrétien **à gauche.** [and a Christian cemetery on the left.] / La Grande Mosquée est **à côté de** la place. [The Great Mosque to the right of the square.] / **Sur** la place, il y a **un café**. [On the square, there is a café.] / **Devant** le café, il y a une terrasse. [In front of the café, there is an outdoor seating area.] / **Derrière la porte**, il y a **une grande salle**. [Behind the door, there is a large room.] / Il y a aussi **un cinéma** et **six hôtels**. [There is also a movie theater and six hotels.] / **Un hôtel**, le Dar Nour, **n'est pas loin** de la place. [A hotel, the Dar Nour, is not far from the square.]

C Now listen to the whole text while reading. Don't stop reading or listening if you didn't get a word. It's all about keeping the flow going while reading or speaking.

À Tanger, le Maroc est près de l'Espagne. Tanger est une ville cosmopolite. Il y a un port à droite et un cimetière chrétien à gauche. La Grande Mosquée est à côté de la place. Sur la place, il y a un café. Devant le café, il y a une terrasse. Derrière la porte, il y a une grande salle. Il y a aussi un cinéma et six hôtels. Un hôtel, le Dar Nour, n'est pas loin de la place.

Groupe I : Vocabulaire, grammaire, et dialogues

◈ **Endroits dans la ville / Places in the City**

Écoutez et répétez, s'il vous plaît. / Listen and repeat, please.

> quel (masc. sing.) / quelle (fem. sing.) / quels (masc. pl.) / quelles (fem. pl.)

These have different spellings, but they always sound the same.

> Quelle ville ? [Which city?] / Quel café ? [Which bar?] / Quels monuments ? [Which monuments?] / Quelles familles ? [Which families?]

Est-ce que is used to signal questions.

Répetez : est-ce que / est-ce que / est-ce que

> — Quelle couleur **est-ce que** tu préfères ? [What color do you prefer?]
> — Je préfère le rouge. [I prefer red.]

> — Quelle région **est-ce qu'**elles préfèrent ? [What direction do they prefer?]
> — Elles préfèrent le Sud. [They prefer the South.]

> — Quelle date **est-ce que** vous célébrez ? [What date do you celebrate?]
> — Nous célébrons le 4 juillet. [We celebrate the Fourth of July.]

> — Quel événement **est-ce que** les Français célèbrent ? [What event do the French celebrate?]
> — Ils célèbrent la prise de la Bastille. [They celebrate the taking of the Bastille.]

> — **Est-ce que** nous répétons les exercices ? [Do we repeat the exercises?]
> — Oui, vous répétez les exercices. [Yes, you repeat the exercises.]

> — **Est-ce qu'**elles répètent les erreurs ? [Do they repeat the errors?]
> — Non, elles ne répètent pas les erreurs. [No they don't repeat the errors.]

◊ Directions avec aller / Directions with aller

le nord [north] / Je vais au nord. [I am going north.] / le sud [south] / Il va au sud. [He goes south.] / l'est [east] / Nous allons à l'est. [We're going east.] / l'ouest [west] / Vous allez à l'ouest. [You go west.] / le nord-est [northeast] / Ils vont au nord-est. [They go northeast.] / le sud-est [southeast] / Elles vont au sud-est. [They're going southeast.] / le sud-ouest [southwest] / Il va au sud-ouest. [He goes southwest.] / le nord-ouest [northwest] / Elle va au nord-ouest. [She goes northwest.]

◊ La Géographie de la France / The Geography of France

Oui, Strasbourg est à l'est. [Yes, Strasbourg is in the east.] / Et la ville de Brest est à l'ouest de Paris. [And the city of Brest is west of Paris.] / La ville de Lille est au nord de Paris. [The city of Lille is north of Paris.] / Et la ville de Marseille est au sud de Paris. [And the city of Marseille is south of Paris.] / Marseille est dans le sud de la France. [Marseille is in the south of France.] / On dit aussi « dans le Midi ». [We also say "in the Midi."]

— Et où est Lille ? [And where is Lille?]
— Dans le nord. [In the north.]
— Où est Lyon ? [Where is Lyon?]
— Dans le sud-est. [In the southeast.]
— Et Biarritz ? [What about Biarritz?]
— C'est dans le sud-ouest. [It's in the southwest.]

◊ Les Adjectifs possessifs / Possessive Adjectives

mon / ma / mes [my]	notre / nos [our]
ton / ta / tes [your (singular informal)]	votre / vos [your (plural / formal)]
son / sa / ses [her, his, its]	leur / leurs [their]

mon père [my father] / ma mère [my mother] / mes parents [my parents] / notre frère [our brother] / nos frères [our brothers] / votre sœur [your sister] / vos sœurs [your sisters] / leur cousin [their cousin] / leurs cousins [their cousins]

je fais [I make / do]   nous faisons [we make / do]

tu fais [you make / do]   vous faîtes [you make / do]

il / elle / on fait [he or she makes / does]   ils / elles font [they make / do]

◇ **Expressions idiomatiques avec faire / Idiomatic Expressions Using Faire**

faire du shopping [to shop] / faire un voyage [to take a trip] / faire du sport [to play a sport] / faire la fête [to party] / faire un tour (en voiture, à vélo, en moto) [to go for a ride (by car, by bike, on a motorcycle)] / faire la cuisine [to cook] / faire du camping [to go camping] / faire la sieste [to take a nap] / faire des courses [to run errands] / faire la queue [to stand in line]

◇ **La Météo / Weather**

Il fait mauvais. [The weather is bad.] / Il y a un orage. [There is a thunderstorm.] / Il fait soleil. [It's sunny.] / Il pleut. [It's raining.] / Le temps est nuageux. [It's cloudy.] / Il fait beau. [It's nice out.] / Il fait froid. [It's cold out.] / Il fait chaud. [It's hot out.]

◇ **Les Mois de l'année / Months of the Year**

janvier [January] / février [February] / mars [March] / avril [April] / mai [May] / juin [June] / juillet [July] / août [August] / septembre [September] / octobre [October] / novembre [November] / décembre [December]

— Juillet est en quelle saison ? [July is in what season?]
— Oui, juillet est en été! [Yes, July is in the summer!]

— Mai, c'est en quelle saison ? [May is in what season?]
— C'est au printemps. [It's in spring.]

— Janvier, c'est en quelle saison ? [January is in what season?]
— C'est en hiver. [It's in winter.]

— Septembre, c'est en quelle saison ? [September is in what season?]
— C'est en automne. [It is in autumn.]

◈ **Qui fait quoi ? / Who's Doing What?**

— Qui fait la cuisine ? [Who cooks?]
— Mes parents font la cuisine. [My parents cook.]
— Quand il fait beau, ils font le marché. [When the weather is nice, they shop at the outdoor market.]

— Vos frères et toi, vous faites du sport ? [Your brothers and you, do you play sports?]
— Oui ! [Yes!]
— En quelle saison ? [In which season?]
— Au printemps et en été. [In the spring and in summer.]

◈ **Les sons du français / The Sounds of French**

◇ **Deux voyelles [e] and [ɛ]**

Prononcez, s'il vous plaît. / Pronounce, please.

[e] cin**é**ma, cahi**er**, rép**é**t**ez**, / [ɛ] m**er**ci, tr**ei**ze, tr**è**s, j'**ai**me / [e]

To make the sound [e], speakers may need to smile just a little. The jaw is not dropped much at all. Notice how tight the sound [e] is. There's no diphthong, which is to say that the vowel sound doesn't change. The letter e with an accent aigu (é) is always pronounced [e].

Prononcez, s'il vous plaît :

caf**é** / pr**é**f**éré** / pr**é**férence / visit**er** / **été** / [ɛ]

The [ɛ] in French is very close to the English word "pet." To make the sound [ɛ], the lips are not spread like a smile. The jaw is dropped a little more than it is for the sound [e].

Common spellings that require the [ɛ] sound are in the words that follow.

être / **ê**tes / sc**è**ne / m**è**re / tr**è**s / b**e**lle / f**ai**re / f**ai**t / f**ai**tes

When you conjugate the verb **préférer**, you need both sounds.

Prononcez : préférer

But: je préfère / tu préfères / il préfère / tout le monde préfère

But: nous préférons / vous préférez

And lastly: Marc et Marie préfèrent / Marie et Lucie préfèrent

Répétez :

Marc et Marie préfèrent l'été. [Marc and Marie prefer summer.] / Il fait beau en été. [It's nice out in summer.] / Nous préférons aller au cinéma quand il fait frais. [We prefer to go to the movies when it's cool outside.]

Groupe II : Compréhension

A Lisez et écoutez. / Read and listen.

Aujourd'hui on est à Paris, en Décembre. Le ciel est nuageux. Il pleut et il fait froid. Mais dans le sud, à Marseille, il fait chaud. Au sud, l'hiver n'est pas très froid. Mon café préféré est au nord de Paris, près de Montmartre. Quand il fait beau, je fais le marché dans mon quartier et je vais dans mes boutiques préférées.

B Écouter et répéter, s'il vous plaît. / Listen and repeat, please.

Aujourd'hui on est à Paris, en Décembre. [Today we are in Paris, in December.] / Le ciel est nuageux. [The sky is cloudy.] / Il pleut et il fait froid. [It's raining, and it's cold.] / Mais dans le sud il fait chaud. [But in the south it is hot out.] / Au sud, il ne fait pas très froid en hiver. [In the south, it doesn't get very cold in winter.] / Mon café préféré est au nord de Paris, près de Montmartre. [My favorite café is in north Paris, near Montmartre.] / Quand il fait beau, [When the weather is nice,] / je fais le marché dans mon quartier [I shop at the outdoor market in my neighborhood] / et je vais dans mes boutiques préférées. [and I go to my favorite boutiques.]

C Écoutez et répondez aux questions. / Listen and answer questions.

Aujourd'hui on est à Paris, en Décembre. Le ciel est nuageux. Il pleut et il fait froid. Mais dans le sud, à Marseille, il fait chaud. Au sud, l'hiver n'est pas très froid. Mon café préféré est au nord de Paris, près de Montmartre. Quand il fait beau, je fais le marché dans mon quartier et je vais dans mes boutiques préférées.

D Vrai ou faux ?

1 Aujourd'hui il pleut dans le sud de la France.

2 Je ne fais pas le marché dans mon quartier.

3 À Paris, en décembre, il fait beau.

LECTURE 6 • LANGUAGE LAB

Groupe I : Vocabulaire, grammaire, et dialogues

◈ **Le Calendrier français / The French Calendar**

Écoutez et répétez, s'il vous plaît.

> lundi [Monday] / le lundi [on Mondays] /mardi [Tuesday] / le mardi [on Tuesdays] /
> mercredi [Wednesday] / le mercredi [on Wednesdays] / jeudi [Thursday] / le jeudi [on
> Thursdays] / vendredi [Friday] / le vendredi [on Fridays] / samedi [Saturday] / le samedi
> [on Saturdays] / dimanche [Sunday] / le dimanche [on Sundays]

◈ **Les Jours fériés / Public Holidays**

> le 1er janvier, le jour de l'an [January 1st, New Year's Day] / le 1er mai, la Fête du
> travail [May 1st, Labor Day] / le 8 mai, la fête de la Libération [May 8th, Liberation Day
> (WWII)] / le 11 novembre, l'Armistice [November 11th, Armistice Day (WWI) / le 25
> décembre, la Noël [December 25th, Christmas] / le 14 juillet, la Fête nationale [July 14th,
> Bastille Day] / Pâques [Easter (a Sunday in March or April)] / l'Ascension [Ascension
> Day (40 days later)] / la Pentecôte [Pentecost (50 days later)] / le 15 août, l'Assomption
> [August 15th, Assumption] / le 1er novembre, la Toussaint [November 1st, All Saints' Day]

◈ **Expressions utiles / Useful expressions**

> la vie de tous les jours [everyday life] / pendant la semaine [during the week] / travailler
> [to work] / manger [to eat] / dormir [to sleep] / en avance [early] / à l'heure [on time] /
> en retard [late (to a prearranged meeting)] / tard [late] / tôt [early] / de bonne heure [on
> time, early in the day]

DEVOIR • TO HAVE TO, TO OWE

je dois [I have to, I owe]

tu dois [you have to, you owe]

il / elle / on / tout le monde doit
[he / she / we / everyone has to, owes]

nous devons [we have to, we owe]

vous devez [you have to, you owe]

ils / elles / doivent [they have to, they owe]

Écouter attentivement chaque phrase et répétez.

— Qu'est-ce que vous devez faire aujourd'hui ? [What do you have to do today?]
— Moi, je dois téléphoner à mon amie Lucy. Et vous ? [I have to call my friend Lucy on the phone. And you?]

À la boulangerie … [At the bakery …]

— Bonjour, Madame. [Good morning, ma'am.]
— Bonjour, Monsieur. Vous désirez ? [Good morning, sir. What would you like?]
— Une baguette, s'il vous plaît. Combien vous dois-je ? [A baguette, please. How much do I owe you?]
— Quatre-vingt dix centimes, s'il vous plait. [Ninety cents, please.]

POUVOIR • TO BE ABLE TO, CAN

je peux [I can]

tu peux [you can]

il / elle / on / tout le monde peut
[he / she / we / everyone can]

nous pouvons [we can]

vous pouvez [you can]

ils / elles / peuvent [they can]

Écouter attentivement chaque phrase et répétez.

— Est-ce qu'on peut faire les courses le dimanche ? [Can we run errands on Sunday?]
— En général on ne peut pas. [In general, we can't.]
— Vous ne pouvez pas ? [You can't ?]
— Non, nous ne pouvons pas. [No, we can't.]
— Pourquoi ? [Why?]
— Parce que les magasins sont fermés ! [Because the stores are closed!]

VOULOIR • TO WANT

je veux [I want]

tu veux [you want]

il / elle / on / tout le monde veut
[he / she / we / everyone wants]

nous voulons [we want]

vous voulez [you want]

ils / elles / veulent [they want]

Écouter attentivement chaque phrase et répétez.

— Qu'est-ce que tu veux faire ? [Want do you want to do?]
— Je veux dormir ! [I want to sleep!]

— Vous voulez travailler ? [Do you want to work?]
— Oui, nous voulons travailler ! [Yes, we want to work!]

— Qu'est-ce qu'ils veulent faire ? [What do they want to do?]
— Ils veulent faire du sport. [They want to play sports.]

◈ **L'Heure / Telling Time**

Écouter et répétez, s'il vous plaît.

Quelle heure est-il ? [What time is it?] / du matin [in the morning, a.m.] / du soir [in the evening, p.m.] / de l'après-midi [in the afternoon, p.m.] / Il est cinq heures cinq du matin. [It is 5:05 a.m.] / Il est cinq heures quinze du matin. [It is 5:15 a.m.] / Il est cinq heures et quart du soir. [It is 5.15 PM] / Il est sept heures et demie du soir. [It is 7.30 PM] / Il est six heures moins vingt du soir. [It is 5.40 PM] / Il est dix-huit heures. [It is 6 p.m.] / Il est midi. [It is noon.] / Il est minuit. [It is midnight.] / Il est deux heures moins dix du matin ? [Is it 10 to 2:00 in the morning?] / Non, il est deux heures moins dix de l'après-midi ! [No, it's 10 to 2:00 in the afternoon!] / le matin [morning / in the morning] l'après-midi [afternoon / in the afternoon] / le soir [evening / in the evening]

◈ **Les sons du français / The Sounds of French**

◇ **Deux voyelles : [ø] et [œ]**

Prononcez, s'il vous plaît.

[ø] deux, veux, heureux / [œ] peur, heure, peuvent

You need to round your lips for both sounds, but the inside of your mouth will be different. [ø]

Say "girl" in English. See how your lips are rounded and your mouth is almost closed? Inside your mouth, your tongue is near the front.

In Lecture 2, you used the sound [ø] for the word **deux**. You saw it again in the word **heureux**.

Prononcez, s'il vous plaît :

deux / heureux / heureuse / jeudi / je veux / tu veux / il peut / elle peut

It's important to distinguish between the [ø] sound deux and the more open sound of [œ] in the word heure.

Start with "girl" in English again. You need to open your mouth more, keeping your lips rounded. Your tongue is more in the middle of your mouth than with deux.

Prononcez, s'il vous plaît :

heure / sœur / peur / peuvent / veulent / neuf

Répétez, s'il vous plaît :

Je veux / Marc et Marie veulent / Tu peux / Marc et Marie peuvent / Marc veut une sœur. / Marie a peur à neuf heures. / Il est deux heures deux du matin ? / Non, il est deux heures moins deux du matin !

Groupe II : Compréhension

La journée de Sabine

A Lisez et écoutez. / Read and listen.

En général, Sabine arrive à son laboratoire à 8h00 du matin. Sabine préfère commencer de bonne heure. La journée « officielle » du labo est de 9h00 du matin à 6h00 du soir. Sabine passe 8 heures au travail, donc elle quitte le labo à 4h00 de l'après-midi. Les collègues de Sabine arrivent parfois à 10h00. Ils préfèrent arriver en retard et travailler tard le soir.

B Écoutez et répétez, s'il vous plaît.

En général, Sabine arrive à son laboratoire à 8h00 du matin. [Generally, Sabine arrive at her laboratory à 8 am.] / Sabine préfère commencer de bonne heure. [Sabine prefers to start early.] / La journée « officielle » du labo est de 9h00 du matin à 6h00 du soir. [The official day at the lab is from 9 a.m. to 6 p.m.] / Sabine passe 8 heures au travail, [Sabine spends 8 hours at work,] / donc elle quitte le labo à 4h00 de l'après-midi. [so she leaves the lab at 4 p.m.] / Les collègues de Sabine arrivent parfois à 10h00. [Sabine's colleagues sometimes arrive at 10:00 a.m.] / Ils préfèrent arriver en retard, [They prefer to arrive late,] / et travailler tard le soir. [and work late in the evening.]

C Écoutez pour comprendre et répondez aux questions. / Listen for comprehension and then answer the questions.

En général, Sabine arrive à son laboratoire à 8h00 du matin. Sabine préfère commencer de bonne heure. La journée « officielle » du labo est de 9h00 du matin à 6h00 du soir. Sabine passe 8 heures au travail donc elle quitte le labo à 4h00 de l'après-midi. Les collègues de Sabine arrivent parfois à 10h00. Ils préfèrent arriver en retard et travailler tard le soir.

D Vrai ou faux ?

1 Sabine arrive à son laboratoire à 8h00 du soir.

2 La journée officielle du labo est de 9h00 à 6h00 du soir.

3 Les collègues de Sabine arrivent en retard.

Groupe I : Vocabulaire, grammaire, et dialogues

◇ **Les grands nombres / Large Numbers**

Écoutez et répétez, s'il vous plaît.

◇ **100 + multiples de 10, jusqu'à 200 / 100 + Multiples of 10 to 200**

100 cent	160 cent-soixante
110 cent-dix	170 cent-soixante-dix
120 cent-vingt	180 cent-quatre-vingts
130 cent-trente	190 cent-quatre-vingt-dix
140 cent-quarante	200 deux-cents
150 cent-cinquante	

◇ **100 + multiples de 100 jusqu'à 1 000 / 100 + multiples of 100 to 1,000**

100 cent	600 six-cents
200 deux-cents	700 sept-cents
300 trois-cents	800 huit-cents
400 quatre-cents	900 neuf-cents
500 cinq-cents	1 000 mille

◈ **1 000 + multiples de 100 jusqu'à 2 000 / 1,000 + multiples of 100 to 2,000**

1 000 mille	1 600 mille-six-cents
1 100 mille-cent	1 700 mille-sept-cents
1 200 mille-deux-cents	1 800 mille-huit-cents
1 300 mille-trois-cents	1 900 mille-neuf-cents
1 400 mille-quatre-cents	2 000 deux-mille
1 500 mille-cinq-cents	

◈ **Les Nombres à quatre chiffres et quelques fêtes nationales /
Four-Digit Numbers and Some National Holidays**

Écoutez et répétez, s'il vous plaît.

La Fête nationale, c'est le 14 juillet [Bastille Day is on July 14th] / à partir de 1880. [as of 1880.] / La Fête du travail, c'est le 1er mai [Labor Day is on May 1st] / à partir de 1919. [as of 1919.] / Le Jour de l'an, c'est le 1er janvier [New Year's Day is the first of January] / à partir de 1810. [as of 1810.] / La Fête de la Libération, c'est le 8 mai [Liberation Day is on May 8th] / à partir de 1953 jusqu'à 1959, [from 1953 until 1959,] / de 1981 jusqu'à maintenant. [from 1981 until now.]

SORTIR DE • TO LEAVE, TO EXIT

Je sors de la ville.
[I leave / am leaving the city.]

Tu sors de chez toi.
[You leave / are leaving your house.]

On sort du supermarché.
[We exit / are exiting the supermarket.]

Nous sortons de la poste.
[We exit / are exiting the post office.]

Vous sortez de la bibliothèque.
[You exit / are exiting out of the library.]

Elles sortent de l'office de tourisme.
[They leave / are leaving the tourism office.]

◇ **Verbes utilisant cette conjugaison / Verbs That Use This Conjugation**

Écoutez et répétez, s'il vous plaît.

sortir de [to leave, to exit] / je sors de / nous sortons de

partir [to leave] / je pars à / nous partons à

dormir [to sleep] / je dors / nous dormons

servir [to serve] / je sers / nous servons

sentir [to smell, to feel] / je sens / nous sentons

Écoutez attentivement et répétez, s'il vous plaît.

partir [to leave]

— Quand est-ce que vous partez en vacances ? [When do you leave for vacation?]
— Nous partons le 10 juillet. [We leave on July 10th.]

dormir [to sleep]

— Tu dors à l'hôtel pendant les vacances ? [Do you sleep in a hotel during vacations?]
— Non, je dors chez des amis. [No, I'm sleeping at some friends' place.]

servir [to serve]

— En France, est-ce qu'ils servent le fromage avant le repas ? [In France, do they serve cheese before meals?]
— Non, ils servent le fromage juste avant le dessert. [No, they serve cheese just before desert.]

sentir [to smell]

— Ce bouquet sent très bon ! [This bouquet smells very good!]
— Nous sentons les roses. [We smell the roses.]

vouloir dire [to mean]

— Qu'est-ce que ça veut dire « ordinateur » ? [What does **ordinateur** mean?]
— Ça veut dire « computer » en français. [It means "computer" in French.]

LIRE · TO READ

je lis [I read]

nous lisons [we read]

tu lis [you read]

vous lisez [you read]

il lit [he reads]

elles lisent [they read]

— Qu'est-ce que vous lisez ? [What are you reading?]
— Nous lisons des poèmes. [We're reading poems.]
— Tous vos amis lisent ces poèmes ? [Are all your friends reading these poems?]
— Non, ils lisent des romans. [No, they're reading novels.]

DIRE · TO SAY

je dis [I say]

nous disons [we say]

tu dis [you say]

vous dîtes [you say]

il dit [he says]

elles disent [they say]

— Qu'est-ce que vous dîtes ? [What are you saying?]
— Nous disons que l'école est importante. [We are saying that school is important.]
— Tous les adultes disent la même chose ! [All the adults say the same thing.]

ÉCRIRE · TO WRITE

j'écris [I write]

nous écrivons [we write]

tu écris [you write]

vous écrivez [you write]

elle écrit [she writes]

elles écrivent [they write]

— Vous écrivez à vos parents ? [Do you write to your parents?]
— Oui, mais nous écrivons sur l'ordinateur. [Yes, but we write on the computer.]
— Et vos parents ? [And your parents?]
— Ils écrivent des lettres. [They write letters.]

◈ **L'Impératif : Verbes réguliers en -er / The Imperative: Regular -er Verbs**

visiter [to visit]

Visite ! [Visit! (informal singular)] / Visitons ! [Let's visit!] / Visitez ! [Visit! (formal or plural)]

aller [to go]

Va ! [Go! (informal singular)] / Allons ! [Let's go!] / Allez ! [Go! (formal or plural)]

◈ **Les sons du français / The Sounds of French**

◇ **Consonnes finales / Final consonants**

Prononcez, s'il vous plaît :

français / important / grand

In Lecture 3, you learned that the sound at the end of an adjective can tell you if it is masculine or feminine.

The masculine form of many adjectives ends in an unpronounced consonant. Add the **-e** for the feminine form and pronounce the consonant.

Répétéz, s'il vous plaît :

amusant, amusante / différent, différente / élégant, élégante / important, importante / intelligent, intelligente / précis, précise / petit, petite / grand, grande / mauvais, mauvaise

However, when a final -x, -t, -d, -r, -s, or -n is followed by a word starting with a vowel or with a mute h, a liaison takes place. You tie the final consonant to the vowel or mute h, as in the word **homme**. If there is a -d, it becomes a [t] sound.

The mute h is explained in the Language Lab of Lecture 8.

Prononcez, s'il vous plaît :

grand / un grand jour / un grand‿éléphant / un grand‿homme

mauvais / un mauvais musicien / un mauvais‿instrument

petit / un petit problème / un petit‿accident

deux / deux fêtes / deux‿ordinateurs / deux‿hommes

premier / le premier février / le premier‿avril

Another pattern to remember is that the final consonants are not usually pronounced unless they come before a word beginning with a vowel or mute h as in **homme**.

Prononcez, s'il vous plaît :

les vacances / les monuments / les restaurants / beaucoup / assez / cours

The consonants c, r, f, and l are sometimes pronounced.

Prononcez, s'il vous plaît :

avril / parc / bonjour / neuf

Répétez, s'il vous plaît :

Nous n'avons jamais assez de vacances. / Le premier novembre est un jour férié. / Le premier avril est un jour amusant pour les enfants en France et aux États-Unis.

Groupe II : Compréhension

A Lisez et écoutez. / Read and listen.

En été beaucoup de français partent en vacances. Certains lisent sur la plage. D'autres font des promenades à la campagne. Les français lisent beaucoup de romans policiers. Ils écrivent des cartes postales. Parfois ils jouent d'un instrument de musique. Sinon ils jouent aux cartes ou ils font du vélo.

B Écoutez et répétez, s'il vous plaît.

En été beaucoup de français partent en vacances. [During the summer, a lot of French people go on a vacation.] / Certains lisent sur la plage. [Some of them read on the beach.] / D'autres font des promenades à la campagne. [Some others hike in the countryside.] / Les français lisent beaucoup de romans policiers. [French people read a lot of mystery novels.] / Ils écrivent des cartes postales. [They write postcards.] / Parfois ils jouent d'un instrument de musique. [Sometimes they play a musical instrument.] / Sinon ils jouent aux cartes ou ils font du vélo. [Or else they play cards or they ride their bike.]

C Écoutez pour comprendre et répondez aux questions. / Listen for comprehension and then answer the questions.

En été beaucoup de français partent en vacances. Certains lisent sur la plage. D'autres font des promenades à la campagne. Les français lisent beaucoup de romans policiers. Ils écrivent des cartes postales. Parfois ils jouent d'un instrument de musique. Sinon ils jouent aux cartes ou ils font du vélo.

D Vrai ou faux ?

1 Les français ne partent pas en vacances.

2 Les Français font du vélo sur la plage.

3 Ils écrivent des cartes postales.

LECTURE 8 • LANGUAGE LAB

Groupe I : Vocabulaire, grammaire, et dialogues

◈ **Les Repas de la journée / Meals of the Day**

Écoutez et répétez, s'il vous plaît.

le petit-déjeuner [breakfast] / le déjeuner [lunch] / le goûter [afterschool snack] / le dîner [dinner] / le souper [supper (late dinner)] / le pique-nique [picnic] / le buffet canadien [potluck] / l'entrée [appetizers] /le plat principal [main dish / entrée] / le fromage [cheese] / le dessert [dessert]

◈ **La Nourriture / Food**

un œuf	an egg	l'eau	water
le pain	bread	l'eau plate	plain water
les céréales	cereal	l'eau minérale gazeuse	sparkling mineral water
les fruits	fruit	le sucre	sugar
le pain grillé	toast	du bœuf	some beef
le pancake	pancake	du veau	some veal
le beurre	butter	de l'agneau	some lamb
le sirop d'érable	maple syrup	du poisson	some fish
le bacon	bacon	du saumon	some salmon
la pomme de terre	potato	de la sole	some sole
une orange	an orange	une boisson	a beverage
le jus d'orange	orange juice	de la viande	some meat
le jus de poire	pear juice	un légume	a vegetable

le jus de pamplemousse	grapefruit juice	une tomate	a tomato
le lait	milk	une aubergine	an eggplant
le café	coffee	un poivron vert	a green pepper
le bagel	bagel	un poivron rouge	a red pepper
l'omelette (fem.)	omelet	un haricot vert	a green bean
le jus de tomates	tomato juice	une carotte	a carrot
le yaourt	yoghurt	de l'oignon	some onion
les fraises	strawberries	de l'ail	some garlic
le thé	tea	une ratatouille	a ratatouille
le chocolat chaud	hot chocolate	du sel	some salt
la tisane	herbal tea	du poivre	some pepper
le jus de pommes	apple juice		

◊ **Les Couverts / Silverware**

une tasse [a cup] / un bol [a bowl] / une assiette [a plate] / une cuillère [a spoon] / une petite cuillère [a teaspoon] / une fourchette [a fork] / un couteau [a knife] / un verre [a glass] / une serviette [a napkin] / une nappe [a tablecloth]

◊ **Les Verbes / Verbs**

PRENDRE · TO TAKE

je prends [I take]	nous prenons [we take]
tu prends [you take]	vous prenez [you take]
il prend [he takes]	ils / elles prennent [they take]

— Qu'est-ce que tu prends pour le petit-déjeuner ? [What do you have for breakfast?]
— Je prends du café. [I have coffee.]

— Est-ce que vous prenez du jus d'orange ? [Do you have some orange juice?]
— Non, nous ne prenons pas de jus de fruits. [No, we don't have any fruit juice.

— Les vérifications prennent combien de temps ? [How long do verifications take?]
— Elles prennent deux heures. [They take two hours.]

COMPRENDRE • TO UNDERSTAND

— Tu comprends cette leçon ? [Do understand this lecture?]
— Non, je ne comprends pas. [No, I don't understand.]
— Est-ce que Nathalie comprend ? [Does Nathalie understand?]
— Non, elle ne comprend pas tout. [No, she doesn't understand everything.]

APPRENDRE • TO LEARN

— Nous apprenons à parler français. [We're learning to speak French.]
— Vous apprenez seuls ? [Are you learning on your own?]
— Non, nous apprenons avec Ann Williams. [No, we're learning with Ann Williams.]

METTRE • TO PUT

je mets [I put]	nous mettons [we put]
tu mets [you put]	vous mettez [you put]
il / elle / on met [he / she / one puts]	ils / elles mettent [they put]

— Tu mets du sucre dans ton café ? [Do you put sugar in your coffee?]
— Oui, je mets du sucre. [Yes, I put in some sugar.]
— Et tu mets de la crème ? [And do you put in some cream?]
— Non, je ne mets pas de crème. [No, I don't put in any cream.]

BOIRE • TO DRINK

je bois [I drink]	nous buvons [we drink]
tu bois [you drink]	vous buvez [you drink]
il boit [he drinks]	elles boivent [they drink]

— Tu bois de la tisane ? [Do you drink herbal tea?]

— Oui, je bois de la tisane. [Yes, I drink herbal tea.]

— Et vous, qu'est-ce que vous buvez ? [And you, what do you drink?]

— Nous buvons du thé. [We drink tea.]

◊ **Les sons du français / The Sounds of French**

La Lettre h

Prononcez, s'il vous plaît :

des hommes / des haricots verts

The letter h is never pronounced in French. There are, however, two types of h in French.

Up until this lecture, all the h words you learned were like **homme**.

un n̂ homme / l'homme / des ẑ hommes

Lecture 7 intoduced the term "mute h." The mute h is not pronounced, but you link it to the article as though it were a vowel. With **l'hôtel**, you are making an elision. You turn **le + hôtel** into **l'hôtel**. With **les hôtels**, you use a liaison. You're tying the noun and the preceding word together with sound.

Répétez, s'il vous plaît :

une élision : l'hôtel / une liaison : les hôtels / l'homme / les hommes

The other kind of h called an aspirate h, or **un h aspiré**. Again, you don't pronounce the h sound like in English: him, her, and happy, for example.

Here are two words that have to do with food that have the aspirate h:

les haricots verts / les hors-d'œuvre

Liaison and elision are not used with this h.

Prononcez, s'il vous plaît.

les haricots verts / les hors-d'œuvres

A covered market in French-speaking countries is often called **Les Halles**.

Prononcez :

Les Halles

There are very few words like this in French, and a dictionary will indicate when the h is aspirate. It's a mistake that's better to avoid.

Les Halles, s'il vous plaît ? / Le Bistrot des Halles, s'il vous plaît ?

Répétez, s'il vous plaît :

Le Bistrot des Halles, s'il vous plaît ?

Groupe II : Compréhension

A Lisez et écoutez. / Read and listen.

La famille Dubois aime la pizza. Ils mangent souvent de la pizza le soir. Ce soir, Marc va servir une pizza classique. Ils vont mettre aussi de la salade dans leurs assiettes. Sabine boit de l'eau et Marc boit du vin. Les enfants ne boivent pas de vin ! Et comme dessert ? Il n'y a pas de dessert. Ils vont manger des fruits. Les fruits sont bons pour la santé.

B Écoutez et répétez, s'il vous plaît.

La famille Dubois aime la pizza. [The Dubois family likes pizza.] / Ils mangent souvent de la pizza le soir. [They often eat pizza in the evening.] / Ce soir, Marc va servir une pizza classique. [This evening, Marc is going to serve a classic pizza.] / Ils vont mettre aussi de la salade dans leurs assiettes. [They are also going to put salad on their plates.] / Sabine boit de l'eau et Marc boit du vin. [Sabine drinks water, and Marc drinks wine.] / Les enfants ne boivent pas de vin ! [The children don't drink wine!] / Et comme dessert ? Il n'y a pas de dessert. [And for dessert? There is no dessert.] / Ils vont manger des fruits. [They are going to eat some fruit.] / Les fruits sont bons pour la santé. [Fruit is healthy.]

C Écoutez pour comprendre et répondez aux questions. / Listen for comprehension and then answer the questions.

La famille Dubois aime la pizza. Ils mangent souvent de la pizza le soir. Ce soir, Marc va servir une pizza classique. Ils vont mettre aussi de la salade dans leurs assiettes. Sabine boit de l'eau et Marc boit du vin. Les enfants ne boivent pas de vin ! Et comme dessert ? Il n' y a pas de dessert. Ils vont manger des fruits. Les fruits sont bons pour la santé.

D Vrai ou faux ?

1 Sabine va faire la pizza.

2 Les enfants boivent du vin.

3 La famille Dubois ne mange pas de fruits.

Réponses

1 faux 2 faux 3 faux

LECTURE 9 • LANGUAGE LAB

Groupe I : Vocabulaire, grammaire, et dialogues

◊ **Les magasins / Stores**

Écoutez et répétez, s'il vous plaît.

la crèmerie [dairy shop] / le supermarché [supermarket] / l'épicerie [grocery store] / la boulangerie [bakery] / le marché [outdoor market] / la fromagerie [cheese shop] / la boucherie [butcher shop] / la poissonnerie [fish market] / la patisserie [pastry shop] / la charcuterie [cold-cuts shop] / la boutique de vêtements [clothes boutique]

◊ **Les produits comestibles / Food Products**

Écoutez et répétez, s'il vous plaît.

des fraises (f.)	some strawberries	des fruits (m.)	some fruit
de la crème chantilly	some whipped cream	des pommes (f.)	some apples
des champignons (m.)	some mushrooms	du raisin	some grapes
du sucre	some sugar	de la viande	some meat
du pain	some bread	une pêche	a peach
des boissons gazeuses (f.)	some sparkling beverages	une orange	an orange
du vin	some wine	des tomates	some tomatoes
du beurre	some butter	un ananas	a pineapple
du sel	some salt	un citron	a lemon

de la moutarde	some mustard	une huître	an oyster
des olives (f.)	some olives	un artichaut	an artichoke
des biscuits sucrés	some sweet cookies	de la farine	some flour
une baguette	a baguette	du lait	some milk
un saucisson	a dried sausage	du miel	some honey
du jambon	some ham		

◈ L'argent et les nombres / Money and Numbers

◇ Les Pièces / Coins

une pièce d'un centime [a one-cent coin] / une pièce de deux centimes [a two-cent coin] / une pièce de cinq centimes [a five-cent coin] / une pièce de vingt centimes [a twenty-cent coin] / une pièce de cinquante centimes [a fifty-cent coin] / une pièce d'un euro [a one-euro coin] / une pièce de deux euros [a two-euro coin]

◇ Les billets / Banknotes

un billet de cinq euros [a five-euro bill] / un billet de dix euros [a ten-euro bill] / un billet de vingt euros [a twenty-euro bill] / un billet de cinquante euros [a fifty-euro bill] / un billet de cent euros [a one-hundred-euro bill] / un billet de deux cents euros [a two-hundred-euro bill] / un billet de cinq cents euros [a five-hundred-euro bill]

◈ Expressions de quantité / Expressions of Quantity

un peu de poivre [a little pepper] / assez de sucre [enough sugar] / pas assez de moutarde [not enough mustard] / beaucoup de sel [a lot of salt] / trop de beurre [too much butter] / un kilo de fraises [a kilo of strawberries] / un paquet de farine [a bag of flour] / une boîte de confit de canard [a can of duck confit] / une tablette de chocolat [a bar of chocolate] / une brique de jus d'orange [a carton of orange juice] / un pot de miel [a jar of honey] / une bouteille de vin [a bottle of wine] / un flacon de parfum [a bottle of perfume] / une tasse de café [a cup of coffee] / une carafe d'eau [a carafe of water]

◈ **Expressions Negatives / Negative Expressions**

Il **n'y** a **pas de** fruits. [There is no fruit.] / Il **n'y** a **plus** de viande. [There is no more meat.] / Il **n'y** a **jamais** de sodas. [There are never any sodas.]

◈ **Les verbes en -re / Verbs Ending in -re**

ATTENDRE · TO WAIT

j'attend**s** [I wait]   nous attend**ons** [we wait]

tu attend**s** [you wait]   vous attend**ez** [you wait]

elle attend [she waits]   ils attend**ent** [they wait]

— Vous attendez le bus ? [Are you waiting for the bus?]
— Non, nous attendons le taxi. [No, we are waiting for the taxi.]

VENDRE · TO SELL

je vend**s** [I sell]   nous vend**ons** [we sell]

tu vend**s** [you sell]   vous vend**ez** [you sell]

il vend [he sells]   ils / elles vend**ent**
                                           [they sell]

— Qu'est-ce que les boulangers vendent ? [What do bakers sell?]
— Ils vendent du pain. [They sell bread.]

— Qu'est-ce que vous vendez ? [What do you sell?]
— Nous vendons des bouteilles de vin. [We sell bottles of wine.]

RENDRE • TO RETURN, TO GIVE BACK

je rend**s** [I return]

tu rend**s** [you return]

il rend [he returns]

nous rend**ons** [we return]

vous rend**ez** [you return]

ils / elles rend**ent** [they return]

— Quand est-ce que tu rends le livre à la bibliothèque ? [When do you retun the book at the library?]

— Je rends le livre demain. [I return the book tomorrow.]

PAYER • TO PAY

je paie [I pay]

tu paies [you pay]

elle paie [she pays]

nous payons [we pay]

vous payez [you pay]

ils paient [they pay]

— Tu paies par carte de credit ? [Are you paying with a credit card?]

— Non, je paie en espèces. [No, I'm paying with cash.]

— Vous payez à la caisse ? [Do you pay at the cashier?]

— Oui, nous payons à la caisse. [Yes, we pay at the cashier.]

ACHETER • TO BUY

j'achète [I buy]

tu achètes [you buy]

elle achète [she buys]

nous achetons [we buy]

vous achetez [you buy]

ils achètent [they buy]

— Qu'est-ce que vous achetez à la fromagerie ? [What are you buying at the cheese shop?]

— Nous achetons un camembert. [We're buying a camembert.]

— Qu'est-ce que vos enfants achètent à la patisserie ? [What are your children buying at the pastry shop?]

— Ils achètent des croissants. [They're buying croissants.]

j'espère [I hope]

tu espères [you hope]

elle espère [she hopes]

nous espérons [we hope]

vous espérez [you hope]

ils espèrent [they hope]

— Vous espérez arriver aujourd'hui ? [You hope to arrive today?]

— Oui, nous espérons arriver aujourd'hui. [Yes, we hope to arrive today.]

— Tu espères vendre tes photos ? [You hope to sell your pictures?]

— Oui, j'espère vendre mes photos. [Yes, I hope to sell my photos.]

◇ Les sons du français / The Sounds of French

◇ Des paires de mots / Word pairs

Prononcez, s'il vous plaît :

douze euros / deux euros / deux euros / douze euros

On occasion, a pronunciation mistake can get in the way of communication. Practicing word pairs helps to make you aware of some difficulties.

◇ Des voyelles en opposition / Contrasting Vowels

Prononcez, s'il vous plaît :

le, la, les / de, du, des / vous, vue / du vin, du vent / monsieur, messieurs / madame, mesdames / le livre, les livres / il arrive, elle arrive / je veux, je vais / un peu, un pot / j'adore, je dors / elle est, elle a / je peux, je pu(e)

The last one, **je pu(e)**, means "I'm stinky."

◇ Des consonnes en opposition / Contrasting Consonants

Prononcez, s'il vous plaît :

le poisson, le poison / le dessert, le désert / froid, fois / champ, gens / il boit, il voit / il attend, ils attendent / ils ont, ils sont / des amis, tes amis / c'est moi, chez moi

◊ **Des phrases en opposition / Contrasting Phrases**

In Lecture 7, we explored how the same words and expressions can mean different things.

Répétez, s'il vous plaît :

Ça va ? [How are you doing?] / Ça va ! [I'm doing great.] / Ça va. [I'm OK.] / Ça va.
[That's enough of that.]

Merci ↑ means "thanks" or "yes, thanks" to an offer.

Répétez : Merci. ↑

Merci ↓ can mean "no, thanks" to an offer.

Répétez : Merci. ↓

Groupe II : Compréhension

A Lisez et écoutez. / Read and listen.

Les français achètent souvent les aliments dans les supermarchés. Mais ils aiment
beaucoup les marchés et les petits magasins artisanaux : la charcuterie, la boucherie, la
boulangerie, la fromagerie, etc. Pourquoi ? Parce que les produits sont très bons et très
frais. Et puis, c'est plus convivial.

B Écoutez et répétez, s'il vous plaît.

Les français achètent souvent les aliments dans les supermarchés. [French people often
buy food in supermarkets.] / Mais ils aiment beaucoup les marchés et les petits magasins
artisanaux : [But they very much like outdoor markets and artisanal small shops:] / la
charcuterie, la boucherie, la boulangerie, la fromagerie, etc. [the deli, the butcher's, the
bakery, the cheese shop, etc.] / Pourquoi ? Parce que les produits sont bons et très frais.
[Why? Because the products are good and very fresh.] / Et puis, c'est plus convivial. [And
also because it's more convivial.]

C Écoutez pour comprendre et répondez aux questions. / Listen for comprehension and then answer the questions.

Les français achètent souvent les aliments dans les supermarchés. Mais ils aiment beaucoup les marchés et les petits magasins artisanaux : la charcuterie, la boucherie, la boulangerie, la fromagerie, etc. Pourquoi ? Parce que les produits sont très bons et très frais. Et puis, c'est plus convivial.

D Questions « oui » ou « non:

1 Les marchés et les magasins artisanaux vendent des produits de qualité.

2 Dans les marchés, il y a des produits frais.

3 La convivialité est importante pour les acheteurs français.

Réponses

1 oui   2 oui   3 oui

LECTURE 10 • LANGUAGE LAB

Groupe I : Vocabulaire, grammaire, et dialogues

◊ **Inversion du sujet et du verbe / Subject-Verb Inversion**

Dormez-vous beaucoup ? [Do you sleep a lot?] / Parles-tu français en famille ? [Do you speak French in your family?] / Parle-t-elle français avec les étudiants ? [Does she speak French with the students?] / Visitons-nous la tour Eiffel aujourd'hui ? [Are we visiting the Eiffel Tower today?]

CHOISIR • TO CHOOSE, TO SELECT

je choisis [I choose]	nous choisissons [we choose]
tu choisis [you choose]	vous choisissez [you choose]
il /elle choisit [he / she chooses]	ils / elles choisissent [they choose]

— Mes amis marocains choisissent sept dates. [My moroccan friends choose seven dates.]
— Pourquoi ? [Why?]
— Parce que c'est la tradition. [Because it is a tradition.

— Un touriste choisit une pomme. [A tourist chooses an apple]
— Un autre choisit un croissant. [Another one chooses a croissant]

◊ **Déjeuner à Paris / Lunch in Paris**

du poisson	some fish	saignant	rare
du bœuf	some beef	bleu	very rare
du confit de canard	some duck confit	bien cuit	well-done
du poulet rôti	some roasted chicken	à point	medium rare

un pavé de thon	a tuna steak	le plat du jour	daily special
des frites	some french fries	le menu	set menu
de la salade	some salad	la carte	menu
sauce hollandaise	Hollandaise sauce		

◈ Au Bistrot des Martyrs / At the Bistrot des Martyrs

— Bonjour, Monsieur. [Good morning, sir.]

— Bonjour, Madame. [Good morning, ma'am.

— Vous avez du poisson aujourd'hui ? [Do you have any fish today?]

— Eh, non. Aujourd'hui, c'est du bœuf et du confit de canard, ou du poulet rôti pour le plat chaud à midi. [Uh, no. Today, we have beef and duck confit, or roasted chicken for the hot dish at lunch.]

◈ À La Cave Gourmande / At La Cave Gourmande

À La Cave Gourmande, il y a un plat du jour : le pavé de thon en croûte, servi avec des frites et de la salade. [At La Cave Gourmande, there is a special: the encrusted tuna steak, served with some fries and salad.]

— Pour votre thon, quelle cuisson désirez-vous ? Bleu ? Saignant ? Bien cuit ? [How do you want your tuna cooked? Very rare? Rare? Well done ?]

— Saignant, s'il vous plaît. [Rare, please.]

Dans certains restaurants, il y a une carte et un plat du jour. [In some restaurants, there is a menu and a daily special.] / Il y a aussi un menu. [There is also a set meal.] / Le menu a un prix fixe. [The set meal has a fixed price.]

◈ Ensuite, goûter à Casablanca / Then a Snack in Casablanca

Le serveur : Que voudriez-vous, Messieurs-dames ? [**The waiter**: What would you like, ladies and gentlemen ?]

Moi : Je voudrais un jus de mangue, s'il vous plaît. [**Me**: I would like an orange juice, please.]

Mon ami : J'aimerais une crêpe au citron et un thé, s'il vous plaît. [**My friend**: I would like a lemon crêpe and a tea, please.]

Le serveur (à mon ami) : Préféreriez-vous un thé noir ou un thé à la menthe ?
The waiter (to my friend): Would you prefer a black tea or a mint tea?
Mon ami : Je voudrais un thé à la menthe. Merci.
My friend: I would like a mint tea. Thank you.

◈ **À la carte : Dîner au Québec / On the Menu: Dinner in Quebec**

Poutines à la carte [Poutines à la carte] / La Spéciale (bœuf braisé, sauce au vin rouge) [The Special (braised beef, red wine sauce)] / L'Italienne (saucisses italiennes, sauce tomate) [The Italian (Italian sausages, tomato sauce)] / La Marocaine (merguez, sauce brune) [The Morrocan (merguez, brown sauce)]

◈ **Le Conditionnel / The Conditional**

◇ **aimer au conditionnel**

j'aimer**ais** [I would like]

tu aimer**ais** [you would like]

il / elle / on aimer**ait** [he / she / one would like]

nous aimer**ions** [we would like]

vous aimer**iez** [you would like]

ils / elles aimer**aient** [they would like]

◇ **Visite du Maroc / Tour of Morocco**

— Oui, j'aimerais bien aller au Maroc. [I would like to go to Morocco.]
— Tes amis aimeraient aller avec toi ? [Would your friends like to go with you ?]
— Oui, ils aimeraient beaucoup. [Yes, they would like it a lot.]
— Quelles villes aimeriez-vous visiter ? [Which cities would you like to visit ?]
— Nous aimerions voir Tanger, Rabat et Casablanca. [We would like to see Tangier, Rabat, and Casablanca.]

◇ **préférer au conditionnel**

je préférerais [I would prefer]

tu préférerais [you would prefer]

il / elle / on préférerait [he / she would prefer]

nous préférerions [we would prefer]

vous préféreriez [you would prefer]

ils / elles préféreraient [they would prefer]

◊ **Les Préférences**

— Moi, je préférerais faire du vélo. [I would prefer to bike.]

— Nous, nous préférerions dormir. [We would prefer to sleep.]

— Mes parents préféreraient marcher. [My parents would prefer to walk.]

◊ **vouloir au conditionnel**

je voudrais [I would like]	nous voudrions [we would like]
tu voudrais [you would like]	vous voudriez [you would like]
il / elle / on voudrait [he / she would like]	ils / elles voudraient [they would like]

◊ **Le Petit-déjeuner / breakfast**

— Qu'est-ce que tu voudrais manger au petit-déjeuner ? [What would you like to eat for breakfast?]

— Je voudrais manger des croissants. Et vous, que voudriez-vous manger ? [I would like to eat some croissants. And you, what would you like to eat?]

— Nous voudrions manger des fruits. [We would like to eat some fruit.]

— Et les enfants, qu'est-ce qu'ils voudraient ? [And the kids, what would they like?]

— Ils voudraient manger des céréales. [They would like to eat cereal.]

◊ **pouvoir au conditionnel**

je pourrais [I could]	nous pourrions [we could]
tu pourrais [you could]	vous pourriez [you could]
il / elle / on pourrait [he / she could]	ils / elles pourraient [they could]

◊ **Visite de Québec / Tour of Quebec City**

— Nous pourrions visiter la ville de Québec. [We could go on a tour of Quebec City.]

— Jacques pourrait aller au musée. [Jacques could go to the museum.]

— Et toi, qu'est-ce que tu pourrais faire ? [And you, what could you do?]

— Je pourrais visiter les monuments. [I could visit the monuments.]

◈ Les sons du français / The Sounds of French

◇ Les Voyelles nasales / Nasal vowels

Prononcez, s'il vous plaît :

[ɛ̃] vin / [œ̃] un / [ɑ̃] vent / [ɔ̃] vont

You've been pronouncing the nasal vowels from the beginning of this course. Please focus on what you actually do when you make a nasal sound. You're letting air go through your nose and your mouth at the same time. And you're not closing down the n.

[ɛ̃] Smile as you start the [ɛ̃] sound. That will put your lips in the right position. Let air come out of your mouth and nose.

Prononcez, s'il vous plaît :

vingt / faim / bien / américain / canadien / tunisien / marocain

[œ̃] To make the [œ̃] sound, make the vowel sound in the English word "good." Your lips are stretched just little. Then drop your jaw a bit. And let air out of your nose and mouth. Not many French words require this sound.

Prononcez, s'il vous plaît :

un / parfum

[ɑ̃] Relax your lips for the [ɑ̃] sound. Let air come out of your mouth and nose.

Prononcez, s'il vous plaît :

vent / dans / quand / manger / restaurant / France / comment / prendre

[ɔ̃] To make the [ɔ̃] sound, close your mouth and round your lips.

Prononcez, s'il vous plaît :

on / bonjour / non / vont / bon / mon / boisson / nous prenons / nous avons

Répétez, s'il vous plaît :

Les sons du francais sont importants. / Les Marocains ont faim à vingt heures. / Le vin et le pain sont importants en France. / Nous aimons un bon vin blanc.

Groupe II : Compréhension

A Lisez et écoutez.

Imaginons le programme pour touristes impatients. Si on voyage très vite, nous pouvons d'abord prendre le petit-déjeuner au Maroc. Puis on prend le déjeuner à Paris. Enfin, on dîne au Québec. On goûte les spécialités nationales en un seul jour !

B Écoutez et répétez, s'il vous plaît.

Imaginons le programme pour touristes impatients. [Let's imagine a schedule for impatient tourists.] / Si on voyage très vite, nous pouvons d'abord prendre le petit-déjeuner au Maroc. [If we travel very fast, we can first have breakfast in Morocco.] / Puis on prend le déjeuner à Paris. [Then we're having lunch in Paris.] / Enfin, on dîne au Québec. [Finally, we're having dinner in Quebec.] / On goûte les spécialités nationales en un seul jour ! [We're sampling national specialties in a single day!]

C Écoutez pour comprendre.

Imaginons le programme pour touristes impatients. Si on voyage très vite, nous pouvons d'abord prendre le petit-déjeuner au Maroc. Puis on prend le déjeuner à Paris. Enfin, on dîne au Québec. On goûte les spécialités nationales en un seul jour

Groupe I : Vocabulaire, grammaire, et dialogues

◊ **falloir / il faut [it is necessary / one needs]**

En voyage, qu'est-ce qu'il faut faire ? / During a trip, what needs to be done? / Il faut trouver un hôtel. [It's necessary to find a hotel.] / Il ne faut pas oublier son passeport. [One mustn't forget his / her passport.]

◊ **Un voyage à Paris / A Trip to Paris**

Il faut un parapluie. [One needs an umbrella.] / Il faut parler français. [It is necessary to speak French.] Il faut des euros. [One needs euros.] / Et il faut des chaussures confortables. [And one needs comfortable shoes.]

◊ **À l'hôtel / At the Hotel**

le prix, le tarif	the price
une clé	a key
une carte magnétique	a magnetic keycard
un lit	a bed
un petit lit	a single bed
un grand lit	a double bed
une chambre	a bedroom
une chambre simple	a single bedroom
une chambre double	a double bedroom
une chambre pour une, deux, trois personnes	a bedroom for one, two, three persons
une salle de bains avec baignoire	a bathroom with a bathtub

le Wi-Fi	Wi-Fi
le code Wi-Fi	Wi-Fi password
le téléphone	phone
la télévision	TV
Dans l'ascenseur, « SS », c'est le sous-sol.	In the elevator, "SS" is the basement.
Dans l'ascenseur, « R », c'est le rez-de-chaussée.	In the elevator, "R" is the first (or ground) floor.
Dans l'ascenseur, « 1 », c'est le premier étage.	In the elevator, "1" is the second floor.
Dans l'ascenseur, « 2 », c'est le deuxième étage.	In the elevator, "2" is the third floor.

— Quand vous allez à Paris, vous restez combien de jours ? [When you go to Paris, how long do you stay?]

— Nous restons une semaine. [We stay for one week.]

— Donnez-vous votre carte de credit ? [Do you give your credit card?]

— Oui. [Yes.]

— Téléphonez-vous pour réserver une chambre ? [Do you call to reserve a room?]

— Oui, nous appelons un mois avant le voyage. [Yes, we call one month before the trip.]

— Comment accédez-vous aux étages ? [How do you access the upper floors?]

— Nous montons les valises par l'ascenseur, mais ensuite nous montons et descendons par l'escalier. [We take up the suitcases on the elevator, but then we go up and down the stairs.]

◈ **Les Verbes pronominaux / Pronominal Verbs**

se réveiller	to wake up	s'amuser	to have fun
se lever	to get up, to get out of bed	se reposer	to rest
se laver	to wash up	se coucher	to go to bed
se brosser les dents	to brush one's teeth	s'endormir	to fall asleep
se raser	to shave	s'excuser	to apologize
s'habiller	to dress	se promener	to take a stroll
se dépêcher	to hurry		

◈ **Qu'est-ce qu'on fait ? / What Do We Do?**

Il est six heures du matin. [It is 6:00 a.m.]

— Vous vous couchez ? [Are you going to bed?]
— Non, nous nous levons. [No, we're getting up.]
— Vous vous endormez ? [You're falling asleep?]
— Non, nous nous réveillons. [No, we're waking up.]

Jane est au parc. Qu'est-ce qu'elle fait ? / Jane Is in the Park. What Is She Doing?

— Elle se brosse les dents ? [Is she brushing her teeth?]
— Non, elle se promène. [No, she's taking a walk.

— Elle s'endort ? [Is she falling asleep?]
— Non, elle s'amuse. [No, she's having fun.]

◈ **Il est dix heures et demie du soir. Que font les enfants ?**
/ It's 10:30 p.m. What Are the Kids Doing?

— Ils se rasent ? [Are they shaving?]
— Non, ils se lavent. [No, they're washing up.]

— Ils se dépêchent ? [Are they hurrying?]
— Non, ils s'amusent. [No, they're having fun.]

— Ils s'habillent ? [Are they getting dressed?]
— Non, ils se couchent. [No, they're going to bed.]

◈ **Verbes pronominaux réciproques / Reciprocal Pronominal Verbs**

s'aimer [to like each other] / se détester [to hate each other] / se disputer [to argue] /
s'embrasser [to kiss each other] / se parler [to talk to each other] / se quitter [to break
up] / se regarder [to look at each other] / se retrouver [to meet up] / se téléphoner [to call
each other] / se réconcilier [to reconcile]

◇ **Les Amoureux / The Lovers**

Give the answer, using a verb from this list, then listen to the answer.

se retrouver / se parler / s'embrasser / s'aimer

1 Ils se détestent? Non, ils _____.

2 Ils se disputent? Non, ils _____.

3 Ils se fâchent? Non, ils _____.

4 Ils se quittent? Non, ils _____.

Réponses

1 s'aiment **2** se parlent **3** s'embrassent **4** se retrouvent

Répondez affirmativement / Answer in the affirmative

1 Vous vous parlez ? Oui, nous _____.

2 Vous, vous téléphonez ? Oui, nous _____.

3 Vous vous disputez ? Oui, nous _____.

4 Vous vous réconciliez ? Oui, nous _____.

Réponses

1 nous parlons **2** nous téléphonons **3** nous disputons **4** nous réconcilions

◇ **Les sons du français**

◊ **Le e instable [ə] / The Schwa**

Other names for this sound are the **e muet** or the **e caduc**. We'll use the term **e instable** in French, because this e is sometimes pronounced and sometimes dropped.

Prononcez, s'il vous plaît :

Je me couche à huit heures. / Je ne me couche pas à dix heures.

Here are some examples where it is pronounced.

Prononcez, s'il vous plaît :

[ə] / je / le / me / te / revenir

Say English word "fur." Say the English word "her." When you pronounce the [ə] sound in French, the schwa, that's what it sounds like. Feel how your mouth is mostly closed and your lips are rounded without protruding.

Here are two other words that use this sound: **faisons** and **monsieur**.

Répétez :

Nous faisons le petit repas avec ce monsieur.

Several fixed expressions you have seen in Lecture 11 require you to drop one **e instable**.

Écoutez et répétez :

Jɇ mɇ couche. / Jɇ nɇ me couche pas. / Tu tɇ laves. / Tu nɇ te laves pas. / Ils sɇ lavent. / Ils nɇ se lavent pas / Il n'y a pas dɇ chambres. / Il n'y a pas dɇ lits. / Il n'y a pas dɇ fenêtres.

That last one was a sentence where you have one dropped schwa and one that is pronounced.

Répétez :

Il n'y a pas dɇ fenêtres. / Il n'y a pas dɇ fenêtres près dɇ la porte. / Here are two forms of the verb **appeler**. Note how the **e instable** is not pronounced. Appeler.

Prononcez :

Est-ce que vous appelez l'hôtel ? / Est-ce que nous appelons la pharmacie ?

— Je ne me couche pas dans ce petit lit.
— Pourquoi ?
— Parce que ce petit lit est trop petit !

Groupe II : Compréhension

A Lisez et écoutez.

Nous sommes à l'hôtel à Paris. Nous nous couchons très tard et le matin nous restons au lit jusqu'à dix heures. C'est un hôtel quatre étoiles, donc nous avons une grande chambre confortable. Je ne prends pas l'ascenseur car je veux faire de l'exercice. Nous sommes ici pour une semaine.

B Écoutez et répétez, s'il vous plaît.

Nous sommes à l'hôtel à Paris. [We are at the hôtel in Paris.] / Nous nous couchons très tard. [We go to bed very late …] / Le matin nous restons au lit jusqu'à dix heures. [In the morning, we stay in bed until 10:00 a.m.] / C'est un hôtel quatre étoiles, donc nous avons une grande chambre confortable. [It is a four star hôtel, so we have a large comfortable bedroom.] / Je ne prends pas l'ascenseur … [I don't use the elevator …] / … car je veux faire le plus possible d'exercice. [… because I want to exercise as much as possible.] / Nous sommes ici pour une semaine. [We are here for a week.]

C Écoutez pour comprendre et répondez aux questions.

Nous sommes à l'hôtel à Paris. Nous nous couchons très tard et le matin nous restons au lit jusqu'à dix heures. C'est un hôtel quatre étoiles, donc nous avons une grande chambre confortable. Je ne prends pas l'ascenseur car je veux faire de l'exercice. Nous sommes ici pour une semaine.

D Questions « oui » ou « non » :

1 C'est un hôtel trois étoiles.

2 Ils sont à Paris pour une semaine.

3 Ils se couchent tard.

Réponses

1 non   2 oui   3 oui

LECTURE 12 • LANGUAGE LAB

Groupe I : Vocabulaire, grammaire, et dialogues

◇ **Les transports en commun / Mass Transit**

en bus	by bus	un vol	a flight
en métro	by subway	une correspondance	a connection
en avion	by plane	une escale	a layover
en bateau	by boat	la douane	customs
en train	by train	un ressortissant / un citoyen	a citizen
un aéroport	an airport		

— Dans quel aéroport est-ce que tu vas ? [Which airport are you going to?]
— Charles de Gaulle. [Charles de Gaulle.]
— Ton avion part à quelle heure ? [At what time is your plane?]
— À quinze heures trente. [At 3:30 p.m.]
— C'est un vol direct ? [Is it a direct flight?]
— Non, il y a une correspondance à Londres … [No, there is a connection in London …]
   … et une escale à San Francisco. […and a layover in San Francisco.]
— Tu vas passer la douane à Londres ? [You are going through customs in London?]
— Non, c'est pendant l'escale à San Francisco. [No, it is during the San Francisco layover.]
— Tu es citoyenne américaine ? [Are you an American citizen?]
— Non, je suis residente permanente. [No, I am a permanent resident.]

◇ **Dans l'avion / On the Plane**

en classe économique [in economy] / la soute à bagages [short flight] / un siège couloir [an aisle seat] / un siège fenêtre [a window seat] / le signal lumineux [the indicator light] / un ceinture de sécurité [a seat belt] / un vol de courte durée [a short flight] / débarquer [to get off the plane]

— Tu voyages en classe économique ? [Do you travel economy?]
— Oui. [Yes.]

— Quel siège est-ce que tu préfères ? [What seat do you prefer?]
— Le siège couloir. [The aisle seat.]

— C'est un vol de courte durée ? [Is it a short flight?]
— Non, c'est un vol très long. [No, it is a very long flight.]

— Quand peut-on détacher la ceinture de sécurité ? [When can we detach the seat belt?]
— Au signal lumineux. [When the light indicator turns off.]

— Tu débarques à quelle heure ? [At what time do you get off the plane?]
— À dix-huit heures vingt-cinq. [At 6:25 p.m.]

Écoutez et répétez :

avoir son avion [to catch one's plane] / rater son avion [to miss one's plane] / la porte
d'embarquement [the boarding gate] / la carte d'embarquement [the boarding pass] /
le compartiment [the overhead compartment] / la tablette [the tray table] / éteindre
[to turn off]

— Est-ce que vous allez rater votre avion ? [Are you going to miss your plane?]
— Non, nous avons toujours notre avion. [No, we always catch our plane.]

— Où allez-vous retrouver vos amis ? [Where are you going to meet your friends?]
— À la porte d'embarquement. [At the gate.]

— Vous imprimez vos cartes d'embarquement ? [Do you print your boarding passes?]
— Oui. [Yes.]

— Allez-vous éteindre votre téléphone pendant le vol ? [Are you going to turn off your
phone during the flight?]
— Oui, et nous allons remonter notre tablette pour dormir. [Yes, and we're going to put
our tray table up to sleep.]

◊ **Dans le train / On the Train**

le contrôleur [the ticket inspector] / le kiosque à billets [the ticket vending machine] / la
gare [the train station] / un aller simple [a one-way ticket] / un aller-retour [a round-trip
ticket] / composter le billet [to punch/validate the ticket] / e-billet [electronic ticket]

— Où est-ce qu'on achète les billets ? [Where do we buy the tickets?]
— On utilise le kiosque à billets. [We use the ticket vending machine.]

— Où est-il ? [Where is it?]
— Dans la gare. [Inside the train station.]

— On achète un aller simple ? [Do we buy a one-way ticket?]
— Non, un aller-retour. [No, a round-trip ticket.]

— Qui vérifie les billets ? [Who verifies the tickets?]
— Le contrôleur. [The ticket inspector.]

— Est-ce que nous devons composter le billet ? [Do we need to punch the ticket?]
— Oui, ce n'est pas un billet e-billet. [Yes, it's not an electronic ticket.]

CONNAÎTRE • TO BE ACQUAINTED WITH SOMEBODY OR SOMETHING

Je connais John.
[I know John.]

Tu connais la réponse.
[You know the answer.]

Il connaît la solution.
[He, she knows the solution.]

Nous connaissons beaucoup de gens.
[We know a lot of people.]

Vous connaissez la musique.
[You know the music.]

Ils connaissent les villes de France.
[They know France's cities.]

SAVOIR • TO KNOW SOMETHING FOR A FACT

je sais [I know]

tu sais [you know]

elle sait [she knows]

nous savons [we know]

vous savez [you know]

ils savent [they know]

Savoir pourquoi, qui, comment, quand, où. [To know why, who, how, when, where.]

— Tu sais où est la gare ? [Do you know where the train station is?]
— Non, je ne sais pas. [No, I don't know.]

— Tu sais comment acheter un billet de train ? [Do you know how to buy a train ticket?]
— Oui, avec le distributeur à la gare. [Yes, with the vending machine at the train station.]

— Tu sais qui va prendre le bus ? [Do you know who is going to take the coach?]
— C'est Alex. [It's Alex.]

— Tu sais quand le train va partir ? [Do you know when the train is leaving?]
— À quinze heures vingt. [At 3:20 p.m.]

VENIR • TO COME

je viens [I come, I am coming]

tu viens [you come, you are coming]

elle vient [she, he comes, he is coming]

nous venons [we come, we are coming]

vous venez [you come, you are coming]

ils viennent [they come, they are coming]

◇ **Voyageons ensemble !**

— Tu viens avec nous ? [Are you coming with us?]
— Oui, je viens avec vous ! [Yes, I am coming with you.]

— Vous venez d'où ? [Where do you come from?]
— Nous venons de France. [We come from France.]

— Tes amis viennent souvent ? [Your friends come often?]
— Non, ils ne viennent pas souvent. [No they don't come often.]

CONDUIRE • TO DRIVE

je conduis [I drive]

tu conduis [you drive]

il conduit [he drives]

nous conduisons [we drive]

vous conduisez [you drive]

elles conduisent [they drive]

◇ **Est-ce tu conduis ?**

— Est-ce que tu conduis les bus ? [Do you drive buses?]
— Non je conduis les autocars. [No, I drive coaches.]

— Est-ce que vous conduisez des voitures de sports ? [Do you drive sports cars?]
— Oui, nous conduisons des voitures de sports. [Yes, we drive sports cars.]

— Est-ce que les français conduisent à gauche ? [Do the French drive on the left side?]
— Non, ils conduisent à droite. [No, they drive on the right side.]

◈ **Les sons du français / French sounds**

◇ **L'opposition [ɛ̃] et [ɛn]**

Prononcez, s'il vous plaît :

[ɛ̃] vient / [ɛn] viennent

Notice the nasal vowel [ɛ̃] used for the three singular forms of the verb **venir**.

Prononcez, s'il vous plait :

je viens / tu viens / il vient

Remember to let air escape through your nose and your mouth. Your mouth is slightly open and your lips are stretched in a smile. The n is not pronounced.

This is the same sound you say in the following words:

Prononcez :

bien /certain / demain /matin /Internet /faim

Répétez :

Je viens demain matin, c'est certain.

The third-person plural of venir is viennent. Note the double n. This double n denazalizes the vowel. It is the vowel [ɛ] that you practiced in Lecture 5. [ɛ]

Répétez :

mère / belle / scène / viennent

And, again, the nasal version of this vowel is [ɛ̃].

Prononcez, s'il vous plait :

[ɛ̃] / Je viens.

Make sure your lips are smiling. Your jaw should not be dropped.

Tu viens ?

And now [ɛn]. Marc et Marie viennent.

Répétez les phrases.

Le train vient de Reims. / Les trains viennent de Rennes.

Groupe II : Compréhension

A Lisez et écoutez.

— Savez-vous à quelle heure vous allez prendre le TGV ?
— À treize heures trente.

— Combien coûte votre billet ?
— Trente-neuf euros.

— N'oubliez pas de composter votre billet !

— Quel est le numéro de votre voiture ?
— C'est le numéro deux.

— Avez-vous une place près de la fenêtre ?
— Oui.

— Votre voyage va prendre combien de temps ?
— Une heure.

B Écoutez et répétez, s'il vous plait.

— Savez-vous à quelle heure vous allez prendre le TGV ? [Do you know what time you'll take the train?]
— À treize heures trente. [At 1:30 p.m.]

— Combien coûte votre billet? [How much is your ticket?]
— Trente-neuf euros. [Thirty-nine euros.]

— N'oubliez pas de composter votre billet ! [Don't forget to validate your ticket!]

— Quel est le numéro de votre voiture? [What is your car's number?]
— C'est le numéro deux. [It's number two.]

— Avez-vous une place près de la fenêtre ? [Do you have a seat by the window?]
— Oui. [Yes.]

— Votre voyage va prendre combien de temps ? [How long will your trip take?]
— Une heure. [An hour.]

C Écoutez pour comprendre et répondez aux questions.

— Savez-vous à quelle heure vous allez prendre le TGV ?
— À treize heures trente.

— Combien coûte votre billet ?
— Trente-neuf euros.

— N'oubliez pas de composter votre billet !

— Quel est le numéro de votre voiture ?
— C'est le numéro deux.

— Avez-vous une place près de la fenêtre ?
— Oui.

— Votre voyage va prendre combien de temps ?
— Une heure.

D Questions « oui » ou « non » :

1 Elle prend le TGV à quatorze heures ?

2 Elle est dans la voiture numéro trois ?

3 Elle a une place près de la fenêtre ?

Groupe I : Vocabulaire, grammaire, et dialogues

◈ **La Technologie : avant / après / Technology: Before / After**

un train	un TGV	a train	a TGV (high-speed train)
une machine à écrire	un portable	a typewriter	a laptop
une carte routière	un GPS	a road map	GPS
une lettre	un mél, un email, un courriel	a letter	an e-mail
une adresse	une adresse mél	an address	an e-mail address
un télégramme	un SMS	a telegram	a text message
un billet	un e-billet, un QR-billet sur smartphone	a ticket	an e-ticket, a smartphone QR-code ticket
une carte postale	une photo numérique	a postcard	a digital photo
un téléphone fixe	un mobile, un cell, un portable	a landline	a cell phone

◈ **Vocabulaire**

le clavier	keyboard
un appareil électronique	an electronic device
un carnet	a notepad
une montre	a watch

les réseaux sociaux	social networks
technophile / technophobe	technophile / technophobe
un appareil photo numérique	a digital camera
une caméra	a video or movie camera
une photographie	photograph
une photo numérique	a digital photo
un selfie	a selfie

◇ Prendre des photos / Take Pictures

— Tu prends des photos avec ton smart phone ? [Do you take pictures with your smartphone?]
— Non. [No.]

— Tu prends des photos avec ton appareil numérique ? [Do you take pictures with your digital camera?]
— Oui, souvent. [Yes, often.]

— Tu postes tes photos numériques sur Facebook ? [Do you post your digital pictures on Facebook?]
— Oui, je poste quelquefois mes photos. [Yes, I sometimes post my pictures.]

— Tu regardes souvent tes photographies ? [Do you often look at your photos?]
— Oui, nous les regardons, mes amis et moi. [Yes, my friends and I look at them.]

— Comment est-ce que vous choisissez ? [How do you choose?]
— Nous les regardons toutes ! [We looked at all of them!]

ENVOYER • TO SEND

j'envoie [I send]	nous envoyons [we send]
tu envoies [you send]	vous envoyez [you send]
il / elle envoie [he / she sends]	ils / elles envoient [they send]

◈ **Les SMS / Text Messages**

— Est-ce que tu envoies un télégramme ou un texto ? [Are you sending a telegram or a text?]
— J'envoie un texto, bien sûr ! [I'm sending a text, of course!]

— Vous envoyez combien de SMS par jour ? [How many text messages do you send each day ?]
— Nous envoyons environ trente SMS. [We send about 30 texts.]

— Tes parents composent des SMS ? [Do your parents write texts?]
— Oui. [Yes.]

◈ **L'ordinateur / The Computer**

un ordinateur, un ordi [a computer] / un ordinateur portable, un portable [a laptop] / télécharger [to download] / allumer [to turn on] / éteindre [to turn off]

ÉTEINDRE · TO TURN OFF

j'éteins [I turn off]	nous éteignons [we turn off]
tu éteins [you turn off]	vous éteignez [you turn off]
il / elle éteint [he / she turns off]	ils / elles éteignent [they turn off]

— Est-ce que tu éteins l'ordi la nuit ? [Do you turn off the computer at night?]
— Non, je n'éteins pas l'ordi la nuit. [No, I don't turn off the computer at night.]

— Est-ce que vous éteignez votre portable ? [Do you turn off your cell phone?]
— Oui, nous éteignons notre portable. [Yes, we turn off our cell phones.]

— Et vos enfants, ils éteignent leur ordi parfois ? [And your kids, do they turn off their computers sometimes ?]
— On espère ! [We hope so!]

◈ **Le Web, Internet, la toile / The Web, Internet, the Net**

cliquer sur un lien [to click on a link] / surfer sur le Web, surfer sur Internet [to surf the Web, to surf the Internet] / une tablette [a tablet] / une imprimante [a printer] / un écran [a screen] / un moniteur [a monitor] / une souris [a mouse] / un chargeur [a charger] / une adapteur [an adapter] / une prise [an outlet]

◈ **Pronoms relatifs / Relative Pronouns**

◇ **qui : relative pronoun, subject**

— Tu choisis quelles photos ? [Which pictures are you you selecting?]
— Je choisis les photos qui sont dans mon smartphone. [I'm selecting pictures that are in my smartphone.]

— Tu regardes quelles personnes ? [What people are you watching?]
— Je regarde les personnes qui posent pour l'appareil photo. [I am watching the people who are posing for the camera.]

— Tu lis tes méls ? [Do you read your e-mails?]
— Je lis les méls qui m'intéressent. [I read the e-mails that interest me.]

◇ **que : relative pronoun, object**

— Tu envoies quelles photos ? [Which pictures are you sending ?]
— J'envoie les photos que je choisis pour toi. [I'm sending the pictures that I choose for you.]

— Vous postez quelles photos sur Facebook ? [What pictures are you posting on Facebook ?]
— Nous postons les photos que nous aimons. [We're posting the pictures that we like.]

— Tu effaces quelles photos ? [Which pictures are you erasing?]
— J'efface les photos que je trouve indiscrètes [I'm erasing the pictures that I find indiscreet.]

◇ **où : relative pronoun, where**

— Dans quelle région allez-vous ? [Which region are you going to?]
— Nous allons dans la région où ma famille habite. [We are going to the region where my family lives.]

— Quelles villes est-ce que vous préférez ? [Which cities do you prefer?]
— Nous préférons les villes où la circulation est fluide. [We prefer cities where traffic is fluid.]

◊ **où : relative pronoun, when**

Un jour férié est un jour **où** on ne travaille pas. [A **jour férié** is a day when people don't work.]

Un jour ouvrable est un jour **où** on travaille. [A **jour ouvrable** is a day when people do work.]

Une année bissextile est une année **où** février a seulement 28 jours. [An **année bissextile** is a year when February has only 28 days.]

◈ **Les sons du français**

◊ **Deux voyelles [o] et [ɔ]**

Prononcez, s'il vous plaît :

> [o] hôtel, mot, bureau / [ɔ] école, portable

To make the French closed [o] sound, start with the English word "goat." Notice that there's a very light "w" sound in "goat." Shorten the word to "go" checking that your lips protrude. [o] is a very clean sound in French. Make sure that you don't let that w sneak in. [o]

Répétez, en français :

> beau / faux / texto / numéro / stylo / vélo / bientôt

The more open French [ɔ] sounds somewhat like the English word "cut." Keep your mouth open and your tongue in the center. You drop your jaw, but you don't round your lips too much. [ɔ]

Répétez :

> bonne / porte / portable / police

> Voici une bonne photo d'une rose. / La rose jaune est dans mon bureau.

Groupe II : Compréhension

A Lisez et écoutez.

J'adore mon smartphone. Sans mon smartphone je suis orphelin. Il me sert de journal, téléphone, appareil photo, réveil matin, etc. Mais depuis que j'ai mon smartphone je suis très anxieux. Quand j'oublie mon smartphone à la maison, je ne peux pas fonctionner.

B Écoutez et répétez, s'il vous plaît.

J'adore mon smartphone. [I adore my smartphone.] / Sans mon smartphone je suis orphelin. [Without my smartphone I'm an orphan.] / Il me sert de journal, téléphone, appareil photo, réveil matin, etc. [I use it as a newspaper, phone, camera, alarm-clock, etc.] / Mais depuis que j'ai mon smartphone je suis très anxieux. [But since I got my smartphone, I am very anxious.] / Quand j'oublie mon smartphone à la maison, je ne peux pas fonctionner. [When I forget my smartphone at home, I can't function.]

C Écoutez pour comprendre et répondez aux questions.

J'adore mon smartphone. Sans mon smartphone je suis orphelin. Il me sert de journal, téléphone, appareil photo, réveil matin, etc. Mais depuis que j'ai mon smartphone je suis très anxieux. Quand j'oublie mon smartphone à la maison, je ne peux pas fonctionner.

D Questions « vrai » ou « faux » :

1 Je n'aime pas mon smartphone.

2 Je prends des photos avec mon smartphone.

3 Je peux très bien fonctionner sans mon smartphone.

Groupe I : Vocabulaire, grammaire, et dialogues

les souvenirs [memories] / un souvenir [a memory, a souvenir] / une enfance [a childhood] / une tradition [a tradition] / le passé [the past] / un film [a film]

SE SOUVENIR DE • TO REMEMBER

Je me souviens de mon enfance.
[I remember my childhood.]

Tu te souviens de l'adresse ?
[You remember the address?]

Elle se souvient de tout.
[She remembers everything.]

Nous nous souvenons de la réponse.
[We remember the answer.]

Vous vous souvenez de la question ?
[You remember the question?]

Ils se souviennent de beaucoup de choses.
[They remember a lot of things.]

SE RAPPELER • TO REMEMBER

Je me rappelle mon enfance.
[I remember my childhood.]

Tu te rappelles l'adresse ?
[You remember the address?]

Il se rappelle tout.
[He remembers everything.]

Nous nous rappelons la réponse.
[We remember the answer.]

Vous rappelez-vous la question ?
[You remember the question?]

Ils se rappellent beaucoup de choses.
[They remember a lot of things.]

◇ **Les Souvenirs**

— Vous rappelez-vous le festival de Cannes ? [Do you remember the Cannes festival?]
— Oui, je me souviens du festival de Cannes. [Yes, I remember the Cannes Festival.]

— Ils se rappellent la cérémonie ? [Do they remember the ceremony?]
— Oui, ils se souviennent de la cérémonie. [Yes, they remember the ceremony.]

— Vous rappelez-vous l'an dernier ? [Do you remember last year?]
— Oui, nous nous souvenons de l'an passé. [Yes, we remember last year.]

— Vous rappelez-vous les chansons françaises ? [Do you remember French songs?]
— Oui, nous nous souvenons des chansons françaises. [Yes, we remember French songs.]

DONT • OF WHICH, WHOSE

— Tu te souviens du film italien ? [Do you remember the Italian movie?]
— Oui, c'est un film dont je me souviens. [Yes it is a movie I remember.]

— Vous parlez des problèmes avec vos amis ? [Do you speak about problems with you friends?]
— Oui il y a des problèmes dont on parle beaucoup. [Yes, there are problems we speak about a lot.]

— Vous parlez de sport ? [Do you talk about sport?]
— C'est un sujet dont on parle souvent. [Yes, it is a topic about which we talk a lot.]

— Vous vous servez de votre smartphone ? [Do you use your smartphone?]
— Oui, c'est un objet dont on se sert souvent. [Yes, it is an object we use a lot.]

◇ **Révision de vouloir à l'indicatif**

— Je veux avoir une réponse. [I want to have an answer.]
— Tu veux une réponse complète ? [You want a complete answer?]
— Tout le monde veut comprendre. [Everybody wants to understand.]
— Non, nous voulons une courte réponse. [No, we want a short answer.]
— Vous voulez savoir quels details ? [You want to know which details?]
— Elles veulent seulement les détails amusants. [They want the funny details only.]

◇ **Révision de vouloir au conditionnel**

— Je voudrais comprendre la situation. [I would like to understand the situation.]
— Tu voudrais des explications ? [You would like some explanations?]
— Oui, il voudrait les faits. [Yes, he would like the facts.]
— Nous voudrions aussi prendre une decision. [We would also like to make a decision.]
— Vous voudriez une decision rapide ? [You would like a quick decision?]
— Non, ils voudraient réfléchir. [No, they would like to think about it.]

◈ Les Verbes réguliers en -er au subjonctif / Regular -er Verbs in the Subjunctive

Il voudrait que je visit**e** la France. [He would like me to visit France.]
Nous voulons que tu visit**es** le Louvre. [We want you to visit le Louvre.]
Que voulez-vous qu'il visit**e** ? [What do you want him to visit?]
Je voudrais que nous visit**ions** la Provence. [I would like us to visit Provence.]
Nous voulons que vous visit**iez** l'Europe. [We want you to visit Europe.]
Veux-tu qu'ils visit**ent** les monuments de Paris ? [Do you want them to visit Paris's monuments?]

◈ Les Verbes réguliers en -ir au subjonctif / Regular -ir Verbs in the Subjunctive

Ils veulent que je chois**isse**. [They want me to choose.]
Je voudrais que tu chois**isses**. [I would like you to choose.]
Voulez-vous qu'il chois**isse** ? [Do you want him to choose?]
Elle voudrait que nous chois**issions**. [She'd like for us to choose.]
Je voudrais que vous chois**issiez**. [I'd like for you to choose.]
Nous voulons qu'ils chois**issent**. [We want them to choose.]

◈ Les Verbes réguliers en -re au subjonctif / Regular -re Verbs in the Subjunctive

— Ils veulent que je vend**e** mes possesssions. [They want me to sell my belongings.]
— Ils veulent que tu vend**es** tout ? [They want you to sell everything?]
— Vous voudriez qu'il vend**e** tout ? [You would like him to sell everything?]
— Voudriez-vous que nous vend**ions** notre voiture ? [Would you like us to sell our car?]
— Oui, nous voudrions que vous vend**iez** votre voiture. [Yes, we would like you to sell your car.]
— Je voudrais qu'ils vend**ent** ses propriétés. [I would like them to sell his properties.]

◈ Les Verbes comme « sortir » au subjonctif / Verbs Like Sortir in the Subjunctive

— Mes parents ne veulent pas que je sort**e**. [My parents don't want me to go out.]
— Pourquoi est-ce qu'ils ne veulent pas que tu sort**es** ? [Why don't they want you to go out?]

— Veux-tu qu'il sorte ? [Do you want him to get out?]

— Oui, je veux qu'il sorte. [Yes, I want him to get out.]

— Voulez-vous que nous sortions aussi ? [Do you want us to get out also?]

— Non, je ne veux pas que vous sortiez. [No, I don't want you to get out.]

— D'accord, ils sortent mais, on ne sort pas. [OK, they get out, but we don't.]

◈ **Les Pronoms accentués / Stressed Pronouns**

SUBJECT	STRESSED
je	moi
tu	toi
il	lui
elle	elle
on	soi
nous	nous
vous	vous
ils	eux
elles	elles

◈ **Les Prépositions suivies des pronoms accentués**

Tu viens avec moi ? [Are you coming with me?] / Nous partons sans toi. [We are leaving without you.] / Ils sont devant lui. [They are in front of him.] / Je suis derrière elle. [I am behind her.] / Tu travailles pour eux ? [I work for them.] / Nous parlons d'elles. [We are talking about them.] / C'est pour vous. [This is for you.] / Ce n'est pas pour nous. [This is not for us.]

◈ **Les sons du français**

◇ **Deux consonnes [p] et [l]**

Prononcez, s'il vous plait :

[p] papa / [l] ville

These consonants are not pronounced exactly the same way in French as they are in English. The differences are subtle.

[p] papa

In English, you let a little air escape when you say "papa." If you hold a thin strip of paper if front of your lips when you say "papa" in English, the paper will move with your breath. In French, the [p] sound is not accompanied by the puff of air. When you say **papa** in French, the paper shouldn't move.

Prononcez, s'il vous plait :

porter / privé / petit / près / Paris

[l] Lille

This [l] in French is the pronounced consonant. It's not the [j] sound in **fille**, which you'll work on in the next Language Lab. To say the l in "lab," the tip of your tongue is behind your front teeth and stays there as you move toward the vowel.

In French, make the [l] sound tighter by touching the back of your front teeth and letting go quickly.

Prononcez, s'il vous plait :

Lille / ville / lui / leur / traditionnelle

Répétez :

Le parc est près de la Porte de Pantin. / La Porte de Pantin est dans Paris.

Groupe II : Compréhension

A   Lisez et écoutez.

C'est les vacances ! Il faut que nous choisissions une destination de voyage. Mes amis voudraient que nous partions au Maroc. Nous allons voyager avec eux. J'ai envie de manger les spécialités dont Ahmed m'a parlé. Vous vous souvenez d'Ahmed ?

B   Écoutez et répétez, s'il vous plait.

C'est les vacances ! [It's vacation time!] / Il faut que nous choisissions une destination de voyage. [We need to choose a destination for our trip.] / Mes amis voudraient que nous partions au Maroc. [My friends would like us to go to Morocco.] / Nous allons voyager avec eux. [We are going to travel with them.] / J'ai envie de manger les spécialités dont Ahmed m'a parlé. [I want to try the specialties Ahmed told me about.] / Vous vous souvenez d'Ahmed ? [Do you remember Ahmed?]

C   Écoutez pour comprendre et répondez aux questions.

C'est les vacances ! Il faut que nous choisissions une destination de voyage. Mes amis voudraient que nous partions au Maroc. Nous allons voyager avec eux. J'ai envie de manger les spécialités dont Ahmed m'a parlé. Vous vous souvenez d'Ahmed ?

D   Questions « vrai » ou « faux » :

1   Mes amis vont partir au Maroc avec moi.

2   Les vacances sont finies.

3   J'aime la cuisine marocaine.

Réponses

1 vrai 2 faux 3 vrai

Groupe I : Vocabulaire, grammaire, et dialogues

◇ **Il faut que / It's Necessary**

Pour aller à la Mosquée, il faut mettre un foulard. [To go to the mosque, it's necessary to wear a scarf.] / Il ne faut pas porter une jupe courte. [One must not wear a short skirt.]

◇ **Le verb « acheter » au présent de l'indicatif / The Verb acheter in the Present Indicative**

J'ach**è**te [I buy]   nous ache**tons** [we buy]

tu ach**ètes** [you buy]   vous ache**tez** [you buy]

il ach**ète** [he buys]   elles ach**ètent** [they buy]

— Quels vêtements achetez-vous pour aller au Maroc ? / Which clothes do you buy to go to Morocco?
— J'ach**è**te un foulard, une robe longue et des sandales. / I buy a scarf, a long dress, and sandals.

◇ **Acheter au subjontif / Acheter in the Subjunctive**

que j'ach**ète** [that I buy]   que nous ache**tions** [that we buy]

que tu ach**ètes** [that you buy]   que vous ache**tiez** [that you buy]

qu'il ach**ète** [that he buys]   qu'ils ach**ètent** [that they buy]

◊ **« Il faut que » et « il ne faut pas que » suivi du subjonctif / Il faut que and il ne faut pas que Followed by the Subjunctive**

— Que faut-il que nous achetions pour nos hôtes ? [What do we need to buy for our hosts ?]
— Il faut que vous achetiez des cadeaux. [You need to buy some presents.]

— Que faut-il que nous mettions pour aller à la mosquée ? [What do we need to put on to go to the mosque ?]
— Il faut que vous mettiez un foulard. [You need to put on a scarf.]

◊ **Opinions au sujet des vêtements / Opinions about Clothing**

Ce n'est pas approprié. [It is not appropriate.] / Ce n'est pas authentique. [It is not authentic.] / C'est normal. [It is normal.] / C'est respectueux. [It is respectful.]

◊ **S'habiller au présent de l'indicatif / S'habiller in the Present Indicative**

S'HABILLER • TO DRESS (UP)

je m'habille [I dress]	nous nous habillons [we dress]
tu t'habilles [you dress]	vous vous habillez [you dress]
elle s'habille [she dresses]	ils s'habillent [they dress]

◊ **Comment s'habiller**

— Comment t'habilles-tu pour aller au travail ? [How do you dress to go to work ?]
— Je mets un chemisier blanc et une jupe bleue. [I put on a white blouse and a blue skirt.]

— Et pour le théâtre ? Comment vous habillez-vous ? [And for the theater, how do you dress up ?]
— Nous nous habillons dans un style plus chic. [We dress up in a more sophisticated style.]

des bottes	boots	un costume	a suit
des sandales	sandals	une chemise	a shirt
un short	shorts	une cravate	a tie
un jean	jeans	des chaussettes	socks
une veste	a jacket	un imperméable	a raincoat
une jupe	a skirt	un sac	a bag
un foulard	a scarf	des chaussures de sport	sneakers
un chemisier	a blouse	un tee-shirt	a T-shirt
un blouson	a jacket	un polo	a polo shirt
un pull-over	a sweater / a pullover	des chaussures de marche	hiking shoes
une ceinture	a belt	un maillot de bain	a bathing suit
un chapeau	a hat	un pantalon	pants

◊ **Présent de l'indicatif / Present Indicative**

VOIR • TO SEE

je vois [I see]	nous voyons [we see]
tu vois [you see]	vous voyez [you see]
il voit [he sees]	elles voient [they see]

CROIRE • TO BELIEVE

je crois [I believe]	nous croyons [we believe]
tu crois [you believe]	vous croyez [you believe]
elle croit [she believes]	ils croient [they believe]

◇ **Conditionnel / Conditional**

AIMER • TO LIKE

j'aimerais [I would like]

tu aimerais [you would like]

il aimerait [he would like]

nous aimerions [we would like]

vous aimeriez [you would like]

elles aimeraient [they would like]

PRÉFÉRER • TO PREFER

je préférerais [I would prefer]

tu préférerais [you would prefer]

elle préférerait [she would prefer]

nous préférerions [we would prefer]

vous préféreriez [you would prefer]

ils préféreraient [they would prefer]

◇ **Subjonctif / Subjunctive**

METTRE • TO PUT ON

que je mette [that I put on]

que tu mettes [that you put on]

qu'il mette [that he put on]

que nous mettions [that we put on]

que vous mettiez [that you put on]

qu'elles mettent [that they put on]

ÊTRE • TO BE

que je sois [that I be]

que tu sois [that you be]

qu'elle soit [that she be]

que nous soyons [that we be]

que vous soyez [that you be]

qu'ils soient [that they be]

FAIRE • TO DO, TO MAKE

que je fasse [that I do / make]

que tu fasses [that you do / make]

qu'elle fasse [that she do / make]

que nous fassions [that we do / make]

que vous fassiez [that you do / make]

qu'ils fassent [that they do / make]

AVOIR • TO HAVE

que j'aies [that I have]

que tu aies [that you have]

qu'il ait [that he have]

que nous ayons [that we have]

que vous ayez [that you have]

qu'elles aient [that they have]

ALLER • TO GO

que j'aille [that I go]

que tu ailles [that you go]

qu'on aille [that one go]

que nous allions [that we go]

que vous alliez [that you go]

qu'elles aillent [that they go]

POUVOIR • TO BE ABLE TO

que je puisse [that I can / be able to]

que tu puisses
[that you can / be able to]

qu'elle puisse [that she can / be able to]

que nous puissions [that we can / be able to]

que vous puissiez [that you can / be able to]

qu'ils puissent [that they can / be able to]

SAVOIR • TO KNOW

que je sache [that I know]

que tu saches [that you know]

qu'il sache [that he know]

que nous sachions [that we know]

que vous sachiez [that you know]

qu'elles sachent [that they know]

◇ Des vacances

— J'aimerais que vous alliez en vacances au Maroc. [I wish we'd gone on vacation in Morocco.]

— Aimeriez-vous que vos vêtements soient appropriés ? [Would you like your clothes to be appropriate?]
— Oui je préférerais qu'ils soient respectueux. [Yes, I would prefer that they be respectful.]

— Nous aimerions qu'il fasse beau. [We would like that the weather be nice.]

— Aimeriez-vous que nous ayons plus d'argent ? [Would you like that we had more money ?]
— Non, je préférerais que nous ayons plus de temps. [No, I would prefer that we had more time.]

— Ils aimeraient que vous puissiez rester. [They would like that you could stay.]

◇ Les Sons du français

◇ Trois semi-voyelles [j] [ɥ] [w] / Three Semivowels

Prononcez, s'il vous plait :

[j] fille, vieille, travail / [ɥ] lui, depuis, nuit / [w] moi, boîte, soir

The sounds of semivowels often occur when a vowel and another vowel are together in a word. The sounds are pronounced rapidly.

Lyon is a good example.

Prononcez:

Lyon / [j]

You pronounce this semivowel with the sides of your tongue pushing against your upper back palate. Imagine the placement just at the root of your teeth. The sound you need is much like the first letter in the English word "you."

Prononcez, s'il vous plaît :

[j] / cahier / billet / famille / bouteille / pied / aille

To pronounce the semivowel [ɥ], start with the [y] sound you learned for **tu**. Then quickly pronounce the following vowel.

Répétez :

[ɥ] / lui / depuis / nuit / duel / huit / cuisine / fruits

When the vowel sound [u], as in **vous** occurs before another vowel the sound [w] is produced. The letter combination oi as in **bonsoir** is pronounced "wa."

Prononcez, s'il vous plait :

[wa] / sois / vois / voiture / boisson / froid / bois / moi / besoin

Répétez :

Je suis avec ma famille dans la cuisine. / Il boit de l'eau froide avec moi. / Je travaille avec lui. / J'ai besoin d'une boisson avec mon poisson. / Il faut que j'aille au travail avec lui.

Groupe II : Compréhension

A Lisez et écoutez / Read and listen

Avant de voyager il faut que vous fassiez votre valise. Pour que vous puissiez choisir les vêtements, il faut que vous sachiez quel temps il va faire. Pour les soirées il faut que vous mettiez un pantalon élégant, une veste et une cravate. J'aimerais que vous alliez au Maroc, c'est très beau.

B Écoutez et répétez, s'il vous plait.

Avant de voyager il faut que vous fassiez votre valise. [Before traveling, you need to prepare your luggage.] / Pour que vous puissiez choisir les vêtements … [For you to be able to choose clothing …] / … il faut que vous sachiez quel temps il va faire. [… it is necessary that you know what the weather will be like.] / Pour les soirées il faut que vous mettiez un pantalon élégant, une veste et une cravate. [For soirées, you have to put on an elegant pair of pants, a jacket, and a tie.] / J'aimerais que vous alliez au Maroc, c'est très beau. [I would like for you to go to Morocco; it's very beautiful.]

C   Écoutez pour comprendre et répondez aux questions.

Avant de voyager il faut que vous fassiez votre valise. Pour que vous puissiez choisir les vêtements il faut que vous sachiez quel temps il va faire. Pour les soirées il faut que vous mettiez un pantalon élégant, une veste et une cravate. J'aimerais que vous alliez au Maroc, c'est très beau.

D   Questions « vrai » / « faux » :

1   Avant de partir il ne faut pas que vous fassiez les valises.

2   Il faut que vous sachiez la météo.

3   Le Maroc est très beau.

Réponses

1 faux   2 vrai   3 vrai

Groupe I : Vocabulaire, grammaire, et dialogues

◇ **Endroits où habiter / Places to Live**

la banlieue [suburb] / la banlieue chic [posh suburb] / le lotissement [subdivision] / le bâtiment [building] / une HLM (une habitation à loyer modéré) [low-rent housing] / la villa [villa] / la maison [house] / l'appartement en copropriété [condominium] / l'appartement en location [rental] / le château [castle]

◇ **Révision des pronoms accentués avec préposition**

avec moi [with me] / pour toi [for you] / après lui [after him] / sans elle [without her] / après nous [after us] / derrière vous [behind you] / devant eux [in front of them] / à côté d'elles [next to them]

◇ **La Préposition « chez » / The Preposition chez**

Je suis chez moi. [I am home.]

Tu es chez toi. [You are home.]

Il est chez lui. [He is home.]

Nous sommes chez nous. [We are home.]

Vous êtes chez vous. [You are home.]

Ils sont chez eux./Elles sont chez elles. [They are home.]

Je suis chez eux. [I am at their place.] / Il est chez le dentiste. [He is at the dentist.] / Vous êtes chez le coiffeur. [You are at the hairdresser.] / Elle est chez lui. [She is at his place.]

◈ **Le Verbe « vivre » au présent de l'indicatif**

VIVRE • TO LIVE

je vis [I live]

tu vis [you live]

il vit [he lives]

nous vivons [we live]

vous vivez [you live]

ils vivent [they live]

◈ **Le Verbe « ouvrir » au présent de l'indicatif**

OUVRIR • TO OPEN

j'ouvre [I open]

tu ouvres [you open]

elle ouvre [she opens]

nous ouvrons [we open]

vous ouvrez [you open]

ils ouvrent [they open]

◈ **Le verbe « découvrir » au présent de l'indicatif**

DÉCOUVRIR • TO DISCOVER

je découvre [I discover]

tu découvres [you discover]

il découvre [he discovers]

nous découvrons [we discover]

vous découvrez [you discover]

elles découvrent [they discover]

◈ **Le Verbe « couvrir » au présent de l'indicatif**

COUVRIR • TO COVER

je couvre [I cover]

tu couvres [you cover]

elle couvre [she covers]

nous couvrons [we cover]

vous couvrez [you cover]

ils couvrent [they cover]

◈ **Le Verbe « offrir » au présent de l'indicatif**

OFFRIR · TO OFFER

j'offre [I offer]	nous offrons [we offer]
tu offres [you offer]	vous offrez [you offer]
elle offre [she offers]	ils offrent [they offer]

◈ **Les pièces de la maison / Rooms of the House**

la cuisine	kitchen	le jardin	garden
les chambres	bedrooms	la terrasse	terrace / patio
le salon	salon	un dressing	dressing room
la salle à manger	dining room	un espace de rangement	walk-in closet
la salle de séjour	living room	une suite parentale	parental suite
les WC / les toilettes	restrooms	une salle d'eau	a shower room
la salle de bain	bathroom	un vestibule	a hallway
le garage	garage	les fenêtres	windows
la buanderie	laundry room	la porte d'entrée	entrance door
le bureau	office	un couloir	a corridor
la cave	cellar	les pièces	rooms
le sous-sol	basement		

◈ **La Salle … / Types of Rooms**

la salle des fêtes [village hall / community center] / la salle de concert [concert hall] / la salle de classe [classroom] / la salle d'attente [waiting room] / la salle de garde (à hôpital) [staffroom] / la salle d'audience [courtroom] / la salle de conférences [lecture hall] / la salle de bal [ballroom] / la salle des coffres [strongroom / safe deposit room]

◇ **Dans le salon / In the Living Room**

les coussins [pillows] / la table basse [low table, coffee table] / le canapé [couch] / le tapis [rug] / le fauteuil [armchair] / l'étagère [shelf] / les livres [books] / le piano [piano] / le tabouret [stool] / les rideaux [drapes]

◇ **Dans la salle à manger / In the Dining Room**

les chaises [chairs] / la table [table] / le vaisselier [china cabinet] / le lustre [ceiling light / chandelier]

◇ **Dans les WC / In the Restrooms**

le lavabo [sink] / la toilette [toilet]

◇ **Dans la cuisine / In the Kitchen**

la cuisinière [stove] / le four [oven] / le réfrigérateur [refrigerator] / l'évier [sink] / le four à micro-ondes [microwave oven] / les placards [cabinets] / le lave-vaisselle [dishwasher]

◇ **Dans la salle d'eau / In the Shower Room**

le lavabo [sink] / la douche [shower] / la toilette [toilet] / le savon [soap] / le shampoing [shampoo]

◇ **Dans la salle de bains / In the Bathroom**

le lavabo [sink] / la baignoire [bathtub] / la douche [shower] / le miroir [mirror] / la serviette de bain [bath towel]

◇ **Dans la chambre / In the Bedroom**

la commode [dresser] / la table de chevet [nightstand] / la lampe [lamp] / l'armoire [wardrobe] / le bureau [desk] / la chaise [chair] / le lit [bed] / la fenêtre [window]

◊ **Dans la buanderie / In the Laundry Room**

le lave-linge [washing machine] / le sèche-linge [dryer] / la table à repasser [ironing table]

◊ **Dans le garage / In the Garage**

la voiture [car] / la moto [motorcycle] / le vélo [bike] / les étagères [shelves] / les outils [tools] / la tondeuse à gazon [lawn mower]

◈ **Depuis combien de temps ? / How Long?**

— Tu habites en France depuis combien de temps ? [How long have you been living in France?]
— J'habite en France depuis six ans. [I've been living in France for six years.]

— Vous écoutez les informations depuis combien de temps ? [How long have you been listening to the news ?]
— Nous les écoutons depuis dix minutes. [We've been listening to the news for 10 minutes.]

— Ils travaillent depuis combien de temps ? [How long have they been working ?]
— Ils travaillent depuis huit ans. [They've been working for eight years.]

◈ **Depuis quand ? / Since When?**

— Tu vis ici depuis quand ? [Since when have you been living here?]
— Je vis ici depuis le premier juin. [I have been living here since June 1.]

— Vous habitez Chicago depuis quand ? [Since when have you been living in Chicago?]
— Nous habitons à Chicago depuis deux-mille-quatre. [We have been living in Chicago since 2004.]

— Vos employeurs offrent des congés payés depuis quand ? [Since when do your employers provide paid vacation?]
— Ils offrent des congés payés depuis mille-neuf-cent-quatre-vingt-deux. [They've been providing paid vacations since 1982.]

◇ Les Sons du français

◇ Les Consonnes finales / Final Consonants

Final consonants are not usually pronounced in French. For example, the final s of articles is not pronounced unless there is liaison with another word beginning with a vowel or mute h.

Prononcez, s'il vois plaît :

> des souvenirs

> But: des objets / des hôtels

And the final s of a plural noun is not pronounced.

> des billets / des souvenirs / des magasins

However, four consonants are often pronounced at the ends of words: -c, -r, -f, -l.

Prononcez, s'il vous plait :

> parc / bonjour / neuf / mal

You can use the mnemonic device "CaReFuL."

Prononcez les exemples avec la lettre c :

> avec / sac / lac / donc

Note: -c is not pronounced in the color **blanc**.

Prononcez les exemples avec la lettre r :

> une fleur / un souvenir / un miroir / sortir / choisir

Note: -r is not pronounced in the infinitive of -er verbs.

> regarder / acheter / visiter

Note: -r is not pronounced in words ending in -ier, like **cahier**.

Prononcez les exemples avec la lettre f :

soif / œuf / neuf

Prononcez les exemples avec la lettre l :

avril / festival / journal / seul

Répétez, s'il vous plaît :

J'ai un seul souvenir du festival. / Je visite le parc avec le lac en avril.

Groupe II : Compréhension

A Lisez et écoutez.

Quand les français invitent des gens chez eux, on ne peut pas ouvrir toutes les portes et visiter toute la maison. Certaines pièces sont privées. Les pièces que vous allez voir sont probablement la salle de séjour, le salon et les WC. Vous allez peut-être voir la cuisine, mais ce n'est pas sûr. Vous n'allez certainement pas voir les chambres. Si vous êtes des amis depuis longtemps, c'est différent.

B Écoutez et répétez, s'il vous plait.

Quand les français invitent des gens chez eux, [When the French invite people to their home,] / on ne peut pas ouvrir toutes les portes et visiter toute la maison. [you can't open all the doors and visit the whole house.] / Certaines pièces sont privées. [Certain rooms are private.] / Les pièces que vous allez voir sont probablement la salle de séjour, le salon et les WC. [The rooms you'll see are probably the sitting room, the lounge and the restrooms.] / Vous allez peut-être voir la cuisine, mais ce n'est pas sûr. [Perhaps you'll see the kitchen, but it's not certain.] / Vous n'allez certainement pas voir les chambres. [You certainly won't see the bedrooms.] / Si vous êtes des amis depuis longtemps, c'est différent. [If you've been friends for a long time, it's different.]

C Écoutez pour comprendre et répondez aux questions.

Quand les français invitent des gens chez eux, on ne peut pas ouvrir toutes les portes et visiter toute la maison. Certaines pièces sont privées. Les pièces que vous allez voir sont probablement la salle de séjour, le salon et les WC. Vous allez peut-être voir la cuisine mais ce n'est pas sûr. Vous n'allez certainement pas voir les chambres. Si vous êtes amis depuis longtemps, c'est différent.

D Questions « vrai » ou « faux » :

1 En France les invités peuvent visiter toute la maison.

2 Les invités ne vont pas dans les chambres.

3 Les invités restent dans la salle de séjour et dans le salon.

Réponses

1 faux 2 vrai 3 vrai

Groupe I : Vocabulaire, grammaire, et dialogues

◈ **Visister la ville**

à droite	to the right	à côté	beside
à gauche	to the left	tournez	turn
par là	this way	allez	go
tout droit	straight ahead	continuez	go on
loin	far	ici	here
tout près	nearby	le carrefour	intersection
en face	facing	le rond-point	roundabout / traffic circle
au coin	at the corner	le feu	stoplight

◈ **Une Visite de Lyon / A Tour of Lyon**

la presqu'île	peninsula	les traboules	passageways
le pont	bridge	le bouchon	Lyon's traditional restaurant
la cathédrale	cathedral	la quenelle	quenelle
la rivière	river	les magasins	stores
les quais	river banks	la boulangerie	bakery

la bibliothèque	library	la boutique de vêtements	clothing boutique
la tour	tower	la librairie	bookstore
l'entrée (f.)	entrance	la bibliothèque	library
un banc	a bench	l'épicerie	grocery store
l'Office de tourisme	tourism office	la buvette	refreshment stall
le bâtiment	building	les horaires d'ouverture	hours of operation
le Palais de Justice	courthouse		

◊ Les Familles de mots / Word Families

la buvette	café	les festivités	festivities
le buveur	drinker	une montre	a watch
boire	to drink	montrer	to show
la boisson	beverage	démontrer	to demonstrate
le pays	country	une démonstration	demonstration
le paysage	countryside	démonstratif	demonstrative
le paysan	peasant	passer	to pass by
le dépaysement	change of scenery	un passage	passage
une fête	celebration	un passant	passerby
fêter	to celebrate	un passager	passenger
festif	festive		

une heure	one o'clock	la deuxième fois	the second time
deux heures	two o'clock	quelquefois	sometimes
à l'heure	on time	avoir le temps	to have time
une fois par semaine	once a week	de temps en temps	from time to time
deux fois par semaine	twice a week	tout le temps	all the time
la première fois	the first time		

◇ **Les pronoms relatifs : qui, que, dont, où / Relative Pronouns : qui, que, dont, où**

◇ **qui [that / which]**

C'est une cathédrale qui date du Moyen Âge. / It's a cathedral that dates fom the Middle Ages.

◇ **qui [who]**

C'est le cuisinier qui prépare les quenelles. [This is the chef who prepares the quenelles.]

◇ **que [that / which (or nothing)]**

C'est le bouchon que je préfère. [This the restaurant I prefer.]

◇ **que [whom]**

C'est le cuisinier que les Lyonnais préfèrent. [He is the chef whom Lyon's inhabitants prefer.]

◇ **dont [of which]**

C'est le livre dont j'ai besoin. [It's the book I need.]

◇ **où** [where]

C'est la librairie où nous allons trouver de bons livres. [This is the bookstore where we are going to find good books.]

◇ **où** [when]

C'est le jour où l'on fête la Révolution française. [It is the day when we celebrate the French Revolution.]

Groupe II : Compréhension

A Lisez et écoutez.

— Excusez-moi, Monsieur. Je cherche le Vieux Lyon, s'il vous plaît.
— C'est par là, Madame. Ce n'est pas loin. Nous allons à la Bibliothèque Saint-Jean. C'est dans le Vieux Lyon. Je peux vous montrer.
— Il ne fait pas beau, hein ?
— Mais il ne fait pas froid. Et Lyon est une belle ville.
— J'aime beaucoup Lyon.
— Napoléon Bonaparte aussi ! Cette plaque indique sa contribution à la ville.

B Écoutez et répétez, s'il vous plaît.

— Excusez-moi, Monsieur. [Excuse me, sir.] / Je cherche le Vieux Lyon, s'il vous plaît. [I'm looking for Old Lyon, please.]

— C'est par là, Madame. [This way, Ma'am.] / Ce n'est pas loin. [It is not far.] / Nous allons à la Bibliothèque Saint-Jean. [We are going to the Saint James Library.] / C'est dans le Vieux Lyon. [It's in Old Lyon.] / Je peux vous montrer. [I can show you.]

— Il ne fait pas beau, hein ? [The weather is bad, isn't it?]

— Mais il ne fait pas froid. [But it is not cold.] / Et Lyon est une belle ville. [And Lyon is a lovely city.]

— J'aime beaucoup Lyon. [I like Lyon a lot.]

— Napoléon Bonaparte aussi ! [Napoleon Bonaparte did, too!] / Cette plaque indique sa contribution à la ville. [This plaque indicates his contribution to the city.]

C   Écoutez pour comprendre et répondez aux questions.

— Excusez-moi, Monsieur. Je cherche le Vieux Lyon, s'il vous plaît.
— C'est par là, Madame. Ce n'est pas loin. Nous allons à la Bibliothèque Saint-Jean. C'est dans le Vieux Lyon. Je peux vous montrer.
—Il ne fait pas beau, hein ?
— Mais il ne fait pas froid. Et Lyon est une belle ville.
— J'aime beaucoup Lyon.
— Napoléon Bonaparte aussi ! Cette plaque indique sa contribution à la ville.

D   « Vrai » ou « faux » ?

1   La Bibliothèque Saint-Jean est dans le Vieux Lyon.

2   Il fait très beau.

3   On célèbre Napoléon à Lyon.

Réponses

1 vrai   2 faux   3 vrai

Groupe I : Vocabulaire, grammaire, et dialogues

◊ **Les Arts / Arts**

un auteur	author	le dessin	drawing
le théâtre	theater	l'opéra	opera
un comédien	an actor	le ballet	ballet
une troupe de théâtre	a theater troupe	un chef d'orchestre	a conductor
un instrument	an instrument	une tragédie	a tragedy
une scène	a scene	une trapéziste	a trapezist
la littérature	literature	un chorégraphe	a choreographer
la poésie	poetry	un comédien	an actor
un cinéaste	a filmmaker	une comédienne	an actress
la musique	music	une pièce (de théâtre)	a stage play
le cinéma	cinema	un metteur en scène	a director
la photographie	phototography	un musicien	a musician
un danseur / une danseuse	a dancer	une musicienne	a musician
la peinture	painting	un acrobate	an acrobat
un peintre	painter	une comédie	a comedy
la sculpture	sculpture	un jazzman	a jazzman
le sculpteur	sculptor	assister (à)	to attend
une gravure	engraving		

◈ **La Culture**

le sujet	topic	le cirque	the circus
une affiche	a poster	un spectacle	a show
un musée	a museum	un public	an audience
un tableau	a painting	un spectateur	a male spectator
la littérature	literature	une spectatrice	a female spectator
une création	a creation		

◈ **Les lieux / Places**

un lieu	a location	un cinéma	a movie theater
un endroit	a location	un musée	a museum
une place	a seat	une scène	a stage
une colline	a hill	un atelier	a studio
une basilique	a basilica	une salle de concert	concert hall
un théâtre	a theater		

◈ **Le verbe « avoir » au présent de l'indicatif**

AVOIR • TO HAVE

j'ai [I have]	nous avons [we have]
tu as [you have]	vous avez [you have]
on a [one has]	elles ont [they have]

◈ **Le Passé Composé des verbes réguliers en -er / Passé Composé of Regular -er Verbs**

◇ **respecter / respecté [to respect]**

Ce poète n'a pas respecté les règles. [This poet didn't respect the rules.]

◇ **contribuer / contribué [to contribute]**

Les Français ont beaucoup contribué à l'art du ballet. [The French have contributed a lot to the art of ballet dancing.]

◇ **libérer / libéré [to free]**

Victor Hugo a libéré le théâtre français. [Victor Hugo liberated French theater.]

◇ **continuer / continué [to go on]**

Les représentations ont continué pendant deux mois. [The shows went on for two months.]

◇ **donner / donné [to give]**

Les musiciens ont donné un concert. [The musicians gave a concert.]

◇ **jouer / joué [to play]**

Ils ont joué du piano. [They played piano.]

◇ **écouter / écouté [to listen]**

Nous avons écouté attentivement. [We listened carefully.]

◇ **danser / dansé [to dance]**

Les danseurs ont dansé pendant le festival. [The dancers danced during the festival.]

◇ **mélanger / mélangé [to mix]**

Ils ont mélangé le flamenco et le ballet. [They mixed flamenco and ballet.]

◇ **chanter / chanté** [to sing]

Avez-vous chanté avec les acteurs ? [Did you sing with the actors?]

◇ **parler / parlé** [to speak]

J'ai parlé de ce spectacle avec mes amis. [I talked about this show with my friends.]

◈ **Le Passé Composé des verbes réguliers en -ir / Passé Composé of Regular -ir Verbs**

◇ **applaudir / applaudi** [to applaud]

Nous avons beaucoup applaudi. [We applauded a lot.]

◇ **finir / fini** [to finish]

Le guitariste a fini de jouer. [The guitarist is done playing.]

◇ **choisir / choisi** [to choose]

Mon ami musicien a choisi un oud dans le magasin. [My musician friend chose an oud in the store.]

◇ **réussir à / réussi** [to succeed in]

Les acteurs ont réussi à faire rire le public. [Actors succeeded in making the audience laugh.]

◇ **remplir / rempli** [to fill]

Les spectacles ont rempli le théâtre tous les soirs. [Shows filled the theater every night.]

◈ **Le Passé Composé des verbes réguliers en -re / Passé Composé of Regular -re Verbs**

◇ **vendre / vendu** [to sell]

Le Monsieur a vendu l'oud pour un prix très raisonnable. [The gentleman sold the oud for a very reasonable price.]

◇ **attendre / attendu [to wait]**

Nous avons attendu patiemment le début du spectacle. [We waited patiently for the beginning of the show.]

◇ **rendre / rendu [to return]**

Ils ont rendu les livres. [They returned the books.]

◇ **descendre / descendu [to come down]**

Le comédien est descendu. [The actor came down.]

◈ **Les Participes passés irréguliers / Irregular Past Participles**

◇ **avoir / eu [to have]**

Nous n'avons pas eu le temps. [We didn't have time.]

◇ **devoir / dû [to have to]**

Ils ont dû partir. [They had to leave.]

◇ **pouvoir / pu [to be able to]**

Ils n'ont pas pu chanter. [They were unable to sing.]

◇ **voir / vu [to see]**

Tu as vu ce film ? [Have you seen this movie?]

◇ **vouloir / voulu [to want]**

Ils ont voulu aller plus loin. [They wanted to go farther.]

◇ **dire / dit [to tell]**

Je lui ai dit de m'expliquer le problème. [I told him to expain the problem to me.]

◊ **faire / fait [to make]**

Nous avons fait une erreur. [We made a mistake.]

◊ **mettre / mis [to put (on)]**

Elle a mis un manteau bleu. [She put on a blue coat.]

◊ **boire / bu [to drink]**

Vous avez bu assez d'eau ? [Did you drink enough water?]

◊ **être / été [to be]**

Ça n'a pas été facile. [It was not easy.]

◊ **construire / construit [to build]**

Qui a construit le Parthénon ? [Who built the Parthenon?]

◊ **instruire / instruit [to instruct]**

L'université a instruit des générations d'étudiants. [The university has instructed generations of students.]

◊ **mettre / mis [to put (on)]**

Nous avons mis une cravate. [We put on a tie.]

◊ **prendre / pris [to take]**

Tu as pris l'avion ? [Did you take a plane ?]

◊ **comprendre / compris [to understand]**

Ils ont compris la question. [They understood the question.]

◊ **apprendre / appris [to learn]**

Nous avons appris le français. [We learned French.]

◊ **plaire / plu [to please]**

Le film m'a plu. [I enjoyed the movie.]

Groupe II : Compréhension

A Lisez et écoutez.

J'ai voulu acheter un vrai instrument de musique au Maroc. J'ai eu l'idée d'acheter un oud. J'ai cherché un oud. Je n'ai pas trouvé un bon oud dans les magasins pour touristes. J'ai choisi un oud dans un magasin traditionnel. J'ai dû acheter une pochette pour la protection de l'oud. J'ai payé un prix raisonnable.

B Écoutez et répétez, s'il vous plaît.

J'ai voulu acheter un vrai instrument de musique au Maroc. [I wanted to buy a real musical instrument in Morocco.] / J'ai eu l'idée d'acheter un oud. [I had the idea to buy an oud.] / J'ai cherché un oud. [I looked for an oud.] / Je n'ai pas trouvé un bon oud dans les magasins pour touristes. [I didn't find a good oud in the tourist shops.] / J'ai choisi un oud dans un magasin traditionnel. [I selected an oud in a traditional shop.] / J'ai dû acheter une pochette pour la protection de l'oud. [I had to buy a soft pack for the oud's protection.] / J'ai payé un prix raisonnable. [I payed a reasonable price.]

C Écoutez pour comprendre et répondez aux questions.

J'ai voulu acheter un vrai instrument de musique au Maroc. J'ai eu l'idée d'acheter un oud. J'ai cherché un oud. Je n'ai pas trouvé un bon oud dans les magasins pour touristes. J'ai choisi un oud dans un magasin traditionnel. J'ai dû acheter une pochette pour la protection de l'oud. J'ai payé un prix raisonnable.

D Questions « vrai » / « faux » :

1 J'ai acheté l'oud dans un magasin pour touristes.

2 Je n'ai pas pris une pochette.

3 J'ai trouvé un oud pour un prix raisonnable.

Réponses

1 faux 2 faux 3 vrai

Groupe I : Vocabulaire, grammaire, et dialogues

◈ **Littérature**

l'histoire	history
une histoire	a story
un roman	a novel
un conte	a tale
une fable	a fable
une pièce	a play
une biographie	a biography
une autobiographie	an autobiography
un scénario	a script / a screenplay
un poème	a poem
un thriller	a thriller
une librairie	a bookstore
un livre numérique	an e-book
la science-fiction	science fiction
un écrivain / une écrivaine	a writer
un auteur / une auteure	an author
un journaliste / une journaliste	a journalist
un essayiste / une essayiste	an essayist
un romancier / une romancière	a novelist
un historien / une historienne	a historian

◇ Le Cinéma

une comédie	a comedy
une comédie musicale	a musical
une comédie dramatique	a dramatic comedy
un drame	a drama
un documentaire	a documentary
un film policier	a cop movie
un film d'aventure	an adventure movie
un thriller	a thriller
un film classique	classic move
en noir et blanc	in black and white
en couleur	in colour
en 3-D	in 3-D
des effets spéciaux	special effects
la bande-annonce	trailer
les sous-titres	subtitles
en version originale	in the original language
un film doublé	a dubbed film
une séance	a showing
la bande-son	soundtrack
une intrigue	a plot
un personnage	a character
un critique	a reviewer
une critique	a review

◈ « être » au présent de l'indicatif

je suis [I am]

tu es [you are]

il est [he is]

nous sommes [we are]

vous êtes [you are]

elles sont [they are]

◈ « aller » au passé composé

je suis allé [I went]

tu es allé [you went]

il est allé [he went]

nous sommes allés [we went]

vous êtes allées [you went]

elles sont allées [they went]

◈ **Le Passé composé avec « être » / Passé Composé with être**

Je suis allé en France. [I went to France.]

Tu es allée au Maroc ? [Did you go to Morocco?]

Elle est allée au Sénégal. [She went to Sénégal.]

Nous sommes allés au Québec. [We went to Quebec.]

Vous êtes allés à la Martinique. [You went to Martinique.]

Ils sont allés en Guyane française. [They went to French Guyana.]

◈ **Le Passé composé des verbes irréguliers avec « être » / Passé Composé of Irregular Verbs with être**

◇ **naître / né(e)(s) [to be born]**

Jean-Paul Sartre est né en 1903. [Jean-Paul Sartre was born in 1903.]

◇ **mourir / mort(e)(s) [to die]**

Simone de Beauvoir est morte en 1986. [Simone de Beauvoir died in 1986.]

◈ **Le Passé composé des verbes réguliers avec être/ Passé Composé of Regular Verbs with *être***

◇ **entrer / entré(e)(s) [to enter]**

Ils sont entrés par la fenêtre. [They got in through the window.]

◇ **passer / passé(e)(s) [to pass through]**

Je suis passé par la France. [I passed through France.]

◇ **monter / monté(e)(s) [to go up]**

Elle est montée sur scène. [She got on stage.]

◇ **tomber / tombé(e)(s) [to fall]**

Nous sommes tombés au ski. [We fell down while skiing.]

◇ **arriver / arrivé(e)(s) [to arrive / to happen]**

Qu'est-il arrrivé ? [What happened?]

◇ **venir / venu(e)(s) [to come]**

Ils sont venus avec leur chien. [They came with their dog.]

◇ **sortir / sorti(e)(s) [to go out]**

Paul est sorti avec des amis. [Paul went out with friends.]

◇ **retourner / retourné(e)(s) [to go back]**

Vous êtes retournés en France? [Did you go back to France?]

◇ **descendre / descendu(e)(s) [to go down]**

La température est descendue brusquement. [The temperature went down suddenly.]

◇ **rester / resté(e)(s) [to stay]**

Elles sont restées trois semaines. [They stayed for three weeks.]

◇ **partir / parti(e)(s) [to leave]**

Tu es parti à quelle heure ? [What time did you leave?]

◈ **Un interrogatoire de police / A Police Interrogation**

— Comment es-tu entrée ? [How did you enter?]
— Je suis entrée par la fenêtre. [I entered through the window.]

— Tu es passée par le jardin ? [Did you go through the yard?]
— Oui je suis passée par le jardin. [Yes, I went through the yard.]

— Tu as combien de complices ? [How many accomplices do you have?]
— J'ai deux complices, Jacques et François. [I have two accomplices, Jacques et François.]

— Vous êtes venus ensemble ? [Did you come together?]
— Oui, nous sommes venus ensemble. [Yes, we came together.]

— À quelle heure êtes-vous arrivés ? [At what time did you arrive?]
— Nous sommes arrivés à 3 heures du matin. [We arrived at 3:00 a.m.]

— Vous êtes tous entrés par la fenêtre ? [Did you enter through by the window?]
— Non, mes complices sont entrés par la porte. [No, my accomplices entered through the door.]

— Qui est monté dans la chambre ? [Who went up to the bedroom?]
— Jacques et moi sommes montés dans la chambre. [Jacques and I went up to the bedroom.]

— Et François, il est allé où ? [And Français, where did he go?]
— Il est descendu à la cave. [He went down to the cellar.]

— Pourquoi est-ce que tes amis sont partis si vite ? [Why did your friend leave so fast?]
— Parce que je suis tombée dans l'escalier et l'alarme a sonné. [Becauise I fell down the stairs and the alarm sounded.]

— Tu es restée dans la maison toute seule ? [Did you stay in the house alone?]
— Oui, je suis retournée dans la chambre. [Yes, I went back to the bedroom.]

— Et ensuite ? [And then?]
— Je suis sortie et vous m'avez arrêtée ! [I went out and you arrested me!]

Groupe II : Compréhension

A Lisez et écoutez.

Marguerite Duras est née près de Saïgon, en Indochine en 1914. À l'âge de 15 ans, elle a rencontré un Chinois très riche. Elle est partie en France en 1931. Elle a fait des études de droit, de mathématiques et de sciences politiques.

Marguerite Duras s'est mariée en 1939. Elle a eu un enfant en 1942, mais l'enfant est mort à la naissance. En 1943, le couple s'est engagé dans la résistance. Les nazis ont déporté son mari en 1944. Il est revenu en France après la guerre.

Marguerite Duras a commencé à écrire en 1943. Elle a connu le succès en 1950 avec un roman. Elle s'est mise à écrire aussi des pièces de théâtre. Elle a écrit le scénario du célèbre film Hiroshima mon amour en 1959. En 1984, elle a reçu le prix Goncourt pour son roman L'Amant. L'Amant est devenu un film en 1992.

Marguerite Duras est morte le 3 mars 1996.

B Écoutez et répétez, s'il vous plaît.

Marguerite Duras est née près de Saïgon, en Indochine en 1914. [Maguerite Duras was born near Saigon in Indochina in 1914.] / À l'âge de 15 ans, elle a rencontré un Chinois très riche. [When she was 15 years old, she met a very rich Chinese man.] / Elle est partie en France en 1931. [She left for France in 1931.] / Elle a fait des études de droit, de mathématiques et de sciences politiques. [She studied law, math, and political science.]

Marguerite Duras s'est mariée en 1939. [Marguerite Duras got married in 1939.] / Elle a eu un enfant en 1942, mais l'enfant est mort à la naissance. [She had a child in 1942, but the child died at birth.] / En 1943, le couple s'est engagé dans la résistance. [In 1943, the couple got involved in the Resistance.] / Les nazis ont déporté son mari en 1944. [The Nazis deported her husband in 1944.] / Il est revenu en France après la guerre. [He came back to France after the war.]

Marguerite Duras a commencé à écrire en 1943. [Marguerite Duras started to write in 1943.] / Elle a connu le succès en 1950 avec un roman. [She had her first success in 1950 with a novel.] / Elle s'est mise à écrire aussi des pièces de théâtre. [She started to write plays as well.] / Elle a écrit le scénario du célèbre film *Hiroshima* mon amour en 1959. [She wrote the screenplay for the famous movie *Hiroshima* mon amour in 1959.] / En 1984, elle a reçu le prix Goncourt pour son roman *L'Amant*. [In 1984, she received the Prix Goncourt for her novel *The Lover*.] / L'Amant est devenu un film en 1992. [*The Lover* became a movie in 1992.]

Marguerite Duras est morte le 3 mars 1996. [Marguerite died on March 3, 1996.]

C   Écoutez pour comprendre et répondez aux questions.

Marguerite Duras est née près de Saïgon, en Indochine en 1914. À l'âge de 15 ans, elle a rencontré un Chinois très riche. Elle est partie en France en 1931. Elle a fait des études de droit, de mathématiques et de sciences politiques.

Marguerite Duras s'est mariée en 1939. Elle a eu un enfant en 1942, mais l'enfant est mort à la naissance. En 1943, le couple s'est engagé dans la résistance. Les nazis ont déporté son mari en 1944. Il est revenu en France après la guerre.

Marguerite Duras a commencé à écrire en 1943. Elle a connu le succès en 1950 avec un roman. Elle s'est mise à écrire aussi des pièces de théâtre. Elle a écrit le scénario du célèbre film Hiroshima mon amour en 1959. En 1984, elle a reçu le prix Goncourt pour son roman L'Amant. L'Amant est devenu un film en 1992.

Marguerite Duras est morte le 3 mars 1996.

D   Questions « vrai » ou « faux » :

1   Marguerite Duras a fait des études en France.

2   Son mari a été déporté par les nazis.

3   Elle n'a pas obtenu le prix Goncourt.

Réponses

1 vrai   2 vrai   3 faux

Groupe I : Vocabulaire, grammaire, et dialogues

◇ **Les Artistes / Artists**

un peintre [a painter] / un scupteur [a sculptor] / un photographe [a photographer] / un poète [a poet] / un écrivain [a writer]

◇ **Les Arts visuels / Visual Arts**

le cinéma [cinema] / l'architecture [architecture] / l'art vidéo [video] / l'art numérique [digital art] / l'art graphique [graphic art] / les arts appliqués [applied arts] / les arts décoratifs [decorative arts]

◇ **Les Verbes**

peindre [to paint] / sculpter [to sculpt] / mouiller [to wet] / tailler [to sharpen] / dessiner [to draw] / étudier [to study] / photographier, prendre des photos [to take pictures] / faire [to make] / commencer [to start] / voir [to see] / vivre [to live] / jouer [to play] / naître [to be born] / mourir [to die] / flirter [to flirt] / dire [to say, to tell]

◇ **Les Adverbes / Adverbs**

souvent [often] / toujours [always] / d'habitude [usually] / en général [generally] / tous les jours [every day] / tous les soirs [every evening] / tous les week-ends [every weekend] / toutes les semaines [every week] / parfois [sometimes] / quelquefois [sometimes] / rarement [rarely] / de temps en temps [from time to time]

◊ **Les Expressions négatives / Negative Expressions**

Je ne parle pas. [I don't speak.] / Tu ne parles jamais. [You never speak.] / Elle ne voit personne. [She doesn't see anybody.] / Nous ne parlons pas encore français. [We don't speak French yet.] / Ils ne mangent plus de viande. [They don't eat meat anymore.]

◊ **Les Expressions restrictives / Restrictive Expressions**

Nous ne mangeons que des légumes. [We eat only vegetables.] / Elle parle seulement français. [She speaks only French.]

◊ **Le Verbe « peindre » au présent de l'indicatif / The Verb peindre in the Present Indicative**

je peins [I paint]	nous peignons[we paint]
tu peins [you paint]	vous peignez [you paint]
elle peint [she paints]	ils peignent [they paint]

◊ **Le Verbe « peindre » au passé composé**

J'ai peint [I painted]	nous avons peint [we painted]
tu as peint [you painted]	vous avez peint [you painted]
il a peint [he painted]	ils ont peint [they painted]

◊ **L'Imparfait des verbes réguliers en -er, -ir, -re / Pattern for Regular -er, -ir, -re Verbs**

◊ **Les Verbes en -er**

TAILLER • TO SHARPEN

je taillais [I was sharpening]	nous taillions [we were shapening]
tu taillais [you were sharpening]	vous tailliez [you were sharpening]
il, elle taillait [he, she was sharpening]	ils, elles taillaient [they were sharpening]

◇ **Les Verbes en en -ir**

CHOISIR • TO CHOOSE

je choisissais [I was choosing]

tu choisissais [you were choosing]

elle choisissait [she was choosing]

nous choisissions [we were choosing]

vous choisissiez [you were choosing]

ils choisissaient [they were choosing]

PARTIR • TO LEAVE

je partais [I was leaving]

tu partais [you were leaving]

il partait [he was leaving]

nous partions [we were leaving]

vous partiez [you were leaving]

ils partaient [they were leaving]

◇ **Les Verbes en en -re**

ATTENDRE • TO WAIT

j'attendais [I was waiting]

tu attendais [you were waiting]

elle attendait [she was waiting]

nous attendions [we were waiting]

vous attendiez [you were waiting]

ils attendaient [they were waiting]

◈ **L'Imparfait des verbes irréguliers / Irregular Patterns**

ÊTRE • TO BE

j'étais [I was]

tu étais [you were]

elle était [she was]

nous étions [we were]

vous étiez [you were]

elles étaient [they were]

AVOIR • TO HAVE

J'avais [I had]

tu avais [you had]

il avait [he, she had]

nous avions [we had]

vous aviez [you had]

ils avaient [they had]

◇ **Les Verbes en en -cer**

COMMENCER • TO START

je commençais [I was starting]

tu commençais [you were starting]

il commençait [he was starting]

nous commencions [we were starting]

vous commenciez [you were starting]

elles commençaient [they were starting]

◇ **Les Verbes en en -ger**

MANGER • TO EAT

je mangeais [I was eating]

tu mangeais [you were eating]

il mangeait [he was eating]

nous mangions [we were eating]

vous mangiez [you were eating]

elles mangeaient [they were eating]

◈ **L'imparfait du verbe « étudier »**

ÉTUDIER • TO STUDY

j'étudiais [I was studying]

tu étudiais [you were studying]

il étudiait [he was studying]

nous étudiions [we were studying]

vous étudiiez [you were studying]

elles étudiaient [they were studying]

◈ L'Imparfait de quelques verbes irrégulier

peindre : je **peign**ais [I was painting] / faire : je **fais**ais [I was making] / lire : je **lis**ais [I was reading] / dire : je **dis**ais [I was telling] / prendre : je **pren**ais [I was taking]

◈ Description et dialogue

Écoutez et répéter, s'il vous plaît :

Un peintre fait de la peinture : il peint. [A painter practices painting: He paints.] / Il fait un tableau dans son atelier. [He does a painting in his studio.] / Un sculpteur fait de la sculpture : il sculpte. [A sculptor practices sculpture: He sculpts.] / Un photographe fait de la photographie : il photographie. [A photographer practices photography: He takes pictures.] / Un dessinateur dessine : il dessine. Il fait des dessins. [A draughstman practices drawing : He draws. He makes drawings.]

— Tu peins un portrait en ce moment ? [Are you painting a portrait at the moment ?]
— Non, je peins une nature morte. [No, I am painting a still life.]

— Ta femme et toi peignez pendant les vacances ? [Your wife and you are painting during vacations?]
— Oui nous peignons toujours en vacances. [Yes, we always paint when on vacation.]

— Qu'est-ce que ta femme peint quand elle est en France ? [What does your wife paint when she is in France ?]
— En général, elle peint des paysages. [Generally, she paints landscapes.]

— Les peintres paysagistes préfèrent l'aquarelle ? [Landscape painters prefer watercolors ?]
— Oui, ils peignent souvent des aquarelles. [Yes, they often paint watercolors.]

◈ « Peindre » au passé composé

— Leonardo da Vinci a peint La Joconde. [Leonardo da Vinci painted the Mona Lisa.]

— Et toi, qu'est-ce que tu as peint ? [And you, what did you paint?]
— Moi ? j'ai peint le mur chez moi ! [Me? I painted the wall at my house!]

— Qu'est-ce que les impressionistes ont souvent peint ? [What did the Impressionists often paint?]
— Ils ont beaucoup peint les différentes nuances de la lumière. [They often painted the different nuances of light.]

— Et vous, vous avez souvent peint ? [And you, have you painted often?]
— Oui, depuis que nous sommes à la retraite nous avons peint tous les jours. [Yes, since we retired we've painted every day.]

◈ **Peindre à l'imparfait**

— Qu'est-ce que tu peignais en France ? [What did you paint in France ?]
— D'habitude, je peignais des scènes de la vie parisiennes. [Usually, I would paint scenes from life in Paris.]

— Picasso peignait toujours à l'extérieur ? [Would Picasso always paint outside ?]
— Non, il peignait souvent dans son atelier. [No, he often painted in his studio.]

Groupe II : Compréhension

A Lisez et écoutez.

Doisneau était un photographe français extraordinaire. Il a commencé sa carrière pendant les anneés 1930. Il a fait des photos exceptionnelles de Picasso.

Pablo Picasso était un peintre espagnol. Il a vécu entre 1881 et 1973. Il est né à Malaga, en Espagne. Il est mort en France quand il avait 91 ans.

Henri Chapillon (1914–1995), le père d'un ami, était un artiste peintre qui travaillait beaucoup en plein air. Il « allait au sujet », comme disaient les impressionnistes.

B Écoutez et répétez, s'il vous plaît.

Doisneau était un photographe français extraordinaire. [Doisneau was an extraordinary photographer.] / Il a commencé sa carrière pendant les anneés 1930. [He started his career during the 1930s.] / Il a fait des photos exceptionnelles de Picasso. [He took exceptional pictures of Picasso.]

Pablo Picasso était un peintre espagnol. [Pablo Picasso was a Spanish painter.] / Il a vécu entre 1881 et 1973. [He lived from 1881 to 1973.] / Il est né à Malaga, en Espagne. [He was born in Màlaga, in Spain.] / Il est mort en France quand il avait 91 ans. [He died in France when he was 91.]

Henri Chapillon (1914–1995), le père d'un ami, était un artiste peintre … [Henri Chapillon (1914–1995), a friend's father, was a painter …] / … qui travaillait beaucoup en plein air. [… who worked a lot outside.] / Il « allait au sujet, » comme disaient les impressionnistes. [He "went to the subject," as the Impressionists used to say.]

C Écoutez pour comprendre et répondez aux questions.

Doisneau était un photographe français extraordinaire. Il a commencé sa carrière pendant les anneés 1930. Il a fait des photos exceptionnelles de Picasso.

Pablo Picasso était un peintre espagnol. Il a vécu entre 1881 et 1973. Il est né à Malaga, en Espagne. Il est mort en France quand il avait 91 ans.

Henri Chapillon (1914–1995), le père d'un ami, était un artiste peintre qui travaillait beaucoup en plein air. Il « allait au sujet », comme disaient les impressionnistes.

D Questions « vrai » ou « faux » :

1 Pablo Picasso est mort à 81 ans.

2 Doisneau a photographié Henri Chapillon.

3 Henri Chapillon peignait dans son studio.

Réponses

1 faux   2 faux   3 faux

LECTURE 21 • LANGUAGE LAB

Groupe I : Vocabulaire, grammaire, et dialogues

◇ La Tradition

les pratiques culturelles [cultural practices] / un ancêtre, une ancêtre [an ancestor] / une époque [a period of time] / une pièce d'or [a gold coin] / un groupe [a group] / une ethnie [an ethnic group] / des coutumes [customs]

◇ Le Patrimoine / Heritage

un musée	museum	un camembert	a camembert
une valeur	value	un meuble	furniture
une chanson	song	une légende	legend
l'architecture (f.)	architecture	un métier	trade
un bâtiment	building	un outil	tool
une danse	dance	une machine	machine
un château	castle	un jeu	game
une cathédrale	cathedral	une partie de pétanque	a game of pétanque
un site archéologique	archaeological site	un tombeau	grave
des objets d'art	art objects	une archive	archive
une tradition gastronomique	gastronomical tradition		

◇ Des verbes / verbs

dater (de) [date from] / faire partie de [to belong to] / préserver [to preserve] / conserver [to conserve] / restaurer [to restore] / montrer (au public) [to show] / transmettre [to pass on] / partager [to share]

◈ **Les Musées / Museums**

le musée d'art moderne [museum of modern art] / le musée des Sciences [science museum] / le musée de l'environnement [environmental museum] / le musée d'histoire [history museum] / le musée militaire [military museum] / le musée du football [soccer museum] / le musée archéologique [archaeological museum]

◈ **Les Adverbes**

◇ **depuis [since]**

La tour Eiffel est à Paris depuis 1889. [The Eiffel Tower has been in Paris since 1889.]

◇ **jusqu'à [until]**

Le château de Rambouillet est en restauration de 2016 jusqu'à 2017. [The castle of Rambouillet is being restored from 2016 until 2017.]

◇ **toujours [always]**

Il y a toujours beaucoup de touristes à Paris. [There are always many tourists in Paris.]

◇ **toujours [still]**

Il y a toujours des bâtiments du Moyen Âge à Paris. [There are still buildings from the Middle Ages in Paris.]

◇ **pendant [during]**

Notre-Dame était en construction pendant presque 200 ans. [Notre-Dame was being built for almost 200 years.]

◇ **jamais [never]**

Je ne visite jamais la tour Eiffel. [I never visit the Eiffel Tower.]

◇ **jadis [in the past]**

Jadis la France était divisée en plusieurs régions autonomes. [In the past, France was divided into several autonomous regions.]

◈ **Le Verbe « transmettre »**

◇ **au présent**

je transmets [I pass on]

tu transmets [you pass on]

on transmet [one passes on]

nous transmettons [we pass on]

vous transmettez [you pass on]

elles transmettent [they pass on]

◇ **au passé composé**

j'ai transmis [I passed on]

tu as transmis [you passed on]

il a transmis [he passed on]

nous avons transmis [we passed on]

vous avez transmis [you passed on]

ils ont transmis [they passed on]

◇ **à l'imparfait**

je transmettais [I was passing on]

tu transmettais [you were passing on]

il transmettait [he passed on]

nous transmettions [we passed on]

vous transmettiez [you passed on]

elles transmettaient [they passed on]

◈ **« falloir que »**

Il faut que tu visites le Louvre. [You need to visit the Louvre.]

Il fallait que les peintres trouvent un mécène. [The painters had to find a sponsor.]

Il a fallu que les nobles déménagent à Versailles. [The nobles had to move to Versailles.]

Il va falloir que vous alliez au musée d'Orsay. [You will have to go to the Orsay Museum.]

◇ **Obligations**

— Qu'est-ce qu'il a fallu qu'ils fassent avant le voyage ? [What did they have to do before the trip?]

— Il a fallu qu'ils apprennent le français. [They had to learn French.]

— Qu'est-ce qu'il fallait que tu manges dans ton enfance ? [What did you have to do as a child?]

— Il fallait toujours que je mange des légumes. [I always had to eat vegetables.] / Et il fallait que je fasse mon lit. [And I had to make my bed.]

— Qu'est-ce qu'il a fallu que vous appreniez à l'armée ? [What did you have to learn in the army ?]

— Il a fallu que nous apprenions à obéir. [We had to learn to obey.]

◇ **Entendre la différence entre le passé composé et l'imparfait / Hearing the Difference between the Passé Composé and the Imparfait**

AIMER • TO LIKE, TO LOVE

j'ai aimé / j'aimais

tu as aimé / tu aimais

il a aimé / elle aimait

nous avons aimé / nous aimions

vous avez aimé / vous aimiez

elles ont aimé / elles aimaient

REGARDER • TO WATCH

j'ai regardé / je regardais

tu as regardé / tu regardais

il a regardé / elle regardait

nous avons regardé / nous regardions

vous avez regardé / vous regardiez

ils ont regardé / ils regardaient

DORMIR • TO SLEEP

j'ai dormi / je dormais

tu as dormi / tu dormais

il a dormi / il dormait

nous avons dormi / nous dormions

vous avez dormi / vous dormiez

ils ont dormi / ils dormaient

CHOISIR • TO CHOOSE

j'ai choisi / je choisissais

tu as choisi / tu choisissais

il a choisi / il choisissait

nous avons choisi / nous choisissions

vous avez choisi / vous choisissiez

ils ont choisi / ils choisissaient

ATTENDRE • TO WAIT

j'ai attendu / j'attendais

tu as attendu / tu attendais

elle a attendu / elle attendait

nous avons attendu / nous attendions

vous avez attendu / vous attendiez

ils ont attendu / ils attendaient

◊ **Quelques verbes irreguliers au passé composé et à l'imparfait**

ÊTRE • TO BE

j'ai été / j'étais

tu as été / tu étais

il a été / il était

nous avons été / nous étions

vous avez été / vous étiez

ils ont été / ils étaient

AVOIR • TO HAVE

j'ai eu / j'avais

tu as eu / tu avais

il a eu / il avait

nous avons eu / nous avions

vous avez eu / vous aviez

elles ont eu / elles avaient

PRENDRE • TO TAKE

j'ai pris / je prenais

tu as pris / tu prenais

il a pris / il prenait

nous avons pris / nous prenions

vous avez pris / vous preniez

ils ont pris / ils prenaient

FAIRE • TO DO, TO MAKE

j'ai fait / je faisais

tu as fait / tu faisais

il a fait / il faisait

nous avons fait / nous faisions

vous avez fait / vous faisiez

ils ont fait / ils faisaient

VOULOIR • TO WANT

j'ai voulu / je voulais

tu as voulu / tu voulais

il a voulu / il voulait

nous avons voulu / nous voulions

vous avez voulu / vous vouliez

ils ont voulu / ils voulaient

POUVOIR • TO BE ABLE TO

j'ai pu / je pouvais

tu as pu / tu pouvais

il a pu / elle pouvait

nous avons pu / nous pouvions

vous avez pu / vous pouviez

ils ont pu / ils pouvaient

SAVOIR • TO KNOW

j'ai su / je savais

tu as su / tu savais

il a su / il savait

nous avons su / nous savions

vous avez su / vous saviez

ils ont su / ils savaient

VENIR • TO COME

je suis venu / je venais

tu es venu / tu venais

il est venu / il venait

nous sommes venu(e)s / nous venions

vous êtes venu(e)(s) / vous veniez

ils sont venus / ils venaient

◈ **Quelques verbes pronominaux au passé composé et à l'imparfait**

S'AMUSER • TO HAVE FUN

je me suis amusé(e) / je m'amusais

tu t'es amusé(e) / tu t'amusais

il s'est amusé / il s'amusait

SE SOUVENIR • TO REMEMBER

je me suis souvenu(e) /
je me souvenais

tu t'es souvenu(e) /
tu te souvenais

elle s'est souvenu(e) /
elle se souvenait

nous nous sommes souvenu(e)s /
nous nous souvenions

vous vous êtes souvenu(e)(s) /
vous vous souveniez

ils se sont souvenus /
ils se souvenaient

Groupe II : Compréhension

A   Lisez et écoutez.

Des gens visitaient une exposition dans un musée. Le gardien dormait. Les gens regardaient les tableaux. Soudain, un homme mystérieux est arrivé. Il a dit : « Haut les mains. »

Le gardien s'est réveillé. Tout le monde a mis les mains en l'air, sauf un jeune homme qui écoutait de la musique. Il n'a pas entendu l'ordre de l'homme masqué.

Quand l'homme masqué a fait « toc toc » sur son épaule. Le jeune homme s'est retourné. Son sac à dos a frappé l'homme masqué et une banane est tombée de sa main. L'homme masqué a regardé sa main vide avec horreur et il est parti !

B   Écoutez et répétez, s'il vous plaît.

Des gens visitaient une exposition dans un musée. [People were visiting an exhibit in a museum.] / Le gardien dormait. [The guard was sleeping.] / Les gens regardaient les tableaux. [People were looking at the paintings.] / Soudain, un homme mysterieux est arrivé. [All of a sudden, a mysterious man arrived.] / Il a dit : « Haut les mains. » [He said, "Put your hands up."]

Le gardien s'est réveillé. [The guard woke up.] / Tout le monde a mis les mains en l'air … [Everybody put their hands in the air …] / … sauf un jeune homme qui écoutait de la musique. [… except for a young man who was listening to music.] / Il n'a pas entendu l'ordre de l'homme masqué. [He didn't hear the masked man's command.]

Quand l'homme masqué a fait « toc toc » sur son épaule … [When the masqued man tapped on his shoulder …] / … le jeune homme s'est retourné. [… the young man turned around.] / Son sac à dos a frappé l'homme masqué … [His backpack hit the masked man…] / … et une banane est tombée de sa main. […and a banana fell from his hand.] / L'homme masqué a regardé sa main vide avec horreur … [The masked man looked in horror at his empty hand…] / … et il est parti ! […and he left!]

C Écoutez pour comprendre et répondez aux questions.

Des gens visitaient une exposition dans un musée. Le gardien dormait. Les gens regardaient les tableaux. Soudain, un homme mystérieux est arrivé. Il a dit : « Haut les mains. »

Le gardien s'est réveillé. Tout le monde a mis les mains en l'air, sauf un jeune homme qui écoutait de la musique. Il n'a pas entendu l'ordre de l'homme masqué.

Quand l'homme masqué a fait « toc toc » sur son épaule. Le jeune homme s'est retourné. Son sac à dos a frappé l'homme masqué et une banane est tombée de sa main. L'homme masqué a regardé sa main vide avec horreur et il est parti !

D Questions « vrai » ou « faux » :

1 Le gardien écoutait de la musique.

2 L'homme masqué portait un sac à dos.

3 Le jeune homme a frappé l'homme masqué avec une banane.

Réponses

1 faux 2 faux 3 faux

Groupe I : Vocabulaire, grammaire, et dialogues

◇ **Les Pratiques culturelles / Cultural Practices**

une chanson	a song
une coutume	a custom
une danse	a dance
un jeu	a game
un mythe	a myth
un métier	a trade
une technique / le savoir-faire	know-how
une tradition gastronomique	a gastronomical tradition
un événement	an event
une tradition	a tradition
une légende	a legend
le tatouage au henné	henna tattoo
le poker	poker
un chant	a chant
le fromage français	French cheese
le haka	haka (a Maori dance)
une fête de village	a village fair
un porteur d'eau	water bearer

◇ **Les Adjectifs**

MASC.	FEM.	TRANSLATION
lent	lente	slow
normal	normale	normal
doux	douce	soft
actif	active	active
discret	discrète	discreet
gracieux	gracieuse	gracious
immédiat	immédiate	immediate
agréable	agréable	pleasant
sérieux	sérieuse	serious
complet	complète	complete
poli	polie	polite
ferme	ferme	firm
facile	facile	easy
difficile	difficile	difficult
particulier	particulière	particular / peculiar
heureux	heureuse	happy
malheureux	malheureuse	unhappy
évident	évidente	obvious
absolu	absolue	absolute
vrai	vraie	true
patient	patiente	patient
énergique	énergique	energetic

◊ Les Adverbes

rare	rarement	rarely
lent	lentement	slowly
normal	normalement	normally
doux	doucement	softly
actif	activement	actively
discret	discrètement	discreetly
gracieux	gracieusement	graciously
immédiat	immédiatement	immediately
agréable	agréablement	pleasantly
sérieux	sérieusement	seriously
complet	complètement	completely
poli	poliment	politely
ferme	fermement	firmly
facile	facilement	easily
difficile	difficilement	with difficulty
particulier	particulièrement	particularly
heureux	heureusement	happily
malheureux	malheureusement	unhappily
évident	évidemment	obviously
absolu	absolument	absolutely
vrai	vraiment	truly
patient	patiemment	patiently
énergique	énergiquement	energetically
poli	poliment	politely
seul	seulement	only

◈ Les Adverbes d'intensité / Adverbs of Intensity

◊ un peu [a little]

Il est un peu endormi. [He is a little asleep.]

◊ très [very]

Le musicien est très doué. [The musician is very gifted.]

◊ plutôt [rather]

Le charmeur de serpents est plutôt courageux. [The snake charmer is rather courageous.]

◊ assez [quite]

L'oud est assez difficile à jouer. [The oud is rather difficult to play.]

◊ trop [too]

Ce thé à la menthe est trop chaud ! [This mint tea is too hot!]

◊ plus ou moins [more or less]

Ce hénné est plus ou moins naturel. [This henna is more or less natural.]

◊ absolument [absolutely]

Les tissus africains sont absolument magnifiques. [Africans fabrics are absolutely magnificent.]

◊ bien [well]

On peut manger bien dans toute la France. [One can eat well all around France.]

◊ beaucoup [a lot]

Les musiciens ont beaucoup travaillé. [The musiciens worked a lot.]

◈ **Les Adverbes de fréquence et de chronologie / Adverbs of Frequency and Chronology**

d'abord [first] / ensuite [then] / après [after] / avant [before] / pendant [during] / puis [then] / enfin [finally] / parfois [sometimes] / souvent [often] / de temps en temps [from times to times] / toujours [always]

◈ **Le Placement des adverbes / Adverb Placement**

La nekacha travaille bien. [The nekacha works well.] / La nekacha a bien travaillé. [The nekacha worked well.] / Elle mélange bien le henné en poudre avec de l'eau. [She thoroughly mixes the henna powder with water.] / Elle a bien mélangé le henné en poudre avec de l'eau. [She thoroughly mixed the henna power with water.] / Elle travaille lentement. [She works slowly.] / Elle a travaillé lentement. [She worked slowly.] / Elle vérifie souvent la consistence de la pâte. [She verifies the paste's consistency often.] / Elle a souvent vérifié la consistence de la pâte. [She often verified the paste's consistency.] / Elle attend patiemment. [She waits patiently.] / Elle a attendu patiemment. [She waited patiently.]

◈ **Les Pratiques culturelles françaises / French Cultural Practices**

les fêtes du feu du solstice d'été dans les Pyrénées	summer solstice festival in the Pyrenees
gwoka : musique, chants, et danses guadeloupéennes	gwoka: music, chants, and dances from Guadeloupe
la fauconnerie : un patrimoine humain vivant	falconry: a living human heritage
le fest-noz : rassemblement festif de Bretagne	Fest-noz: traditional festive gathering in Brittany
l'équitation de tradition française	French traditional horse riding
le Compagnonage : réseau de transmission de savoir-faire par des hommes de métier	Compagnonage: a network for the transmission of trade-based know-how
le repas gastronomique des Français	French gastronomic meal

le savoir-faire de la dentelle au point d'Alençon	Know-how of Alençon stitch lace
la tapisserie d'Aubusson	Aubusson tapestries
le Cantu in paghjella profane et liturgique de Corse	Cantu in paghjella: a liturgical and secular chant from Corsica
le maloya : tradition musicale de La Réunion	Mayola: musical tradition from the island of La Réunion
la tradition du tracé dans la charpente française	the layout tradition in French carpentry
les géants et dragons processionnels de Belgique et de France	processions of giants and dragons in France and Belgium

Groupe II : Compréhension

A Lisez et écoutez.

On invite des convives. On choisit des recettes traditionnelles. On achète des produits locaux frais et d'excellente qualité. On choisit les vins pour s'accorder avec les plats. On vérifie les verres et les couverts. On prépare un menu écrit pour la table. On met la table avec une grande attention. On sert un apéritif. On sert une entrée. On sert du poisson ou de la viande (ou les deux) avec des légumes. On sert du fromage. On sert un dessert. On sert un digestif.

B Écoutez et répétez, s'il vous plaît.

On invite des convives. [We invite guests.] / On choisit des recettes traditionnelles. [We choose traditional recipes.] / On achète des produits locaux frais et d'excellente qualité. [We buy fresh local products of excellent quality.] / On choisit les vins pour s'accorder avec les plats. [We choose wines that pair with the dishes.] / On vérifie les verres et les couverts. [We check the glasses and silverware.] / On prépare un menu écrit pour la table. [We prepare a written list of dishes for the table.] / On met la table avec une grande attention. [We set the table with great care.] / On sert un apéritif. [We serve an aperitif.] / On sert une entrée. [We serve appetizers.] / On sert du poisson ou de la viande (ou les deux) avec des légumes. [We serve fish or meat (or both) with vegetables.] / On sert du fromage. [We serve some cheese.] / On sert un dessert. [We serve a dessert.] / On sert un digestif. [We serve a digestif.]

C Écoutez pour comprendre et répondez aux questions.

On invite des convives. On choisit des recettes traditionnelles. On achète des produits locaux frais et d'excellente qualité. On choisit les vins pour s'accorder avec les plats. On vérifie les verres et les couverts. On prépare un menu écrit pour la table. On met la table avec une grande attention. On sert un apéritif. On sert une entrée. On sert du poisson ou de la viande (ou les deux) avec des légumes. On sert du fromage. On sert un dessert. On sert un digestif.

D Questions « vrai » ou « faux » :

1 On paie un chef pour faire la cuisine.

2 On boit les vins que les convives ont offert.

3 On écrit le menu.

Groupe I : Vocabulaire, grammaire, et dialogues

◇ **Le Patrimoine culturel matériel / Material Cultural Heritage**

une architecture	architecture
un bâtiment	a building
un château	a castle
un musée	a museum
une église	a church
une cathédrale	a cathedral
une construction technologique (un pont, un canal, etc.)	a technological construction (bridge, canal, etc.)
un site archéologique	an archeological site
des objets d'art	art objects
un objet artisanal	an artisanal object
un meuble	a piece of furniture
un outil	a tool
une machine	a machine
un tombeau	tomb
une archive	an archive
une statue	a statue
une mosaïque	a mosaic

◈ **Quelques exemples du patrimoine culturel mondial /
Some Examples of World Cultural Heritage**

le site archéologique de Volubilis au Maroc [archeological site of Volubilis in Morocco] /
le Mont Saint-Michel et sa baie [Mont Saint-Michel and its bay] / le Vieux-Québec [Old
Quebec City]

◈ **Quelques sites préhistoriques / Some Prehistoric Sites**

la grotte de Lascaux [Lascaux caverns] / les sites préhistoriques et grottes ornées de la
vallée de la Vézère [archaeological sites and decorated caverns in the Vézère Valley]

◈ **D'autres sites antiques / Other Ancient Sites**

le théâtre antique et ses abords et l'Arc de Triomphe d'Orange [Antique theater and its
surroundings and the Triumphal Arch in Orange] / Arles, les monuments romains et
romans [Arles, the Roman and Romanesque monuments]

◈ **D'autres cathédrales / Other Cathedrals**

la cathédrale de Chartres [Chartres Cathedral] / la cathédrale d'Amiens [Amiens
Cathedral] / Notre-Dame de Paris [Notre-Dame of Paris]

◈ **Quelques constructions techniques / Technical Constructions**

le Canal du Midi, au sud de la France [Midi Canal, south of France] / le Canal Rideau au
Canada [Rideau Canal in Canada]

◈ **Quelques châteaux sur la liste du patrimoine mondial
/ Some Castles on the World Heritage List**

le château d'Ételan, en Normandie, construit au quinzième siècle [Etelan castle in
Normandy, built in the 15th century] / le château de Romenay en Bourgogne, construit
au seizième siècle [Romenay castle in Burgundy, built in the 16th century] / le château
de Versailles, construit au dix-septième siècle [Versailles, built in the 17th century] / le
château de Fontainebleau, construit au seizième siècle [Fontainebleau castle, built in the
16th century]

◈ **Quelques villes / Some Cities**

la ville fortifiée de Carcassonne, construite au treizième siècle [the fortified city of Carcassonne, built in the 13ᵗʰ century] / Paris et les rives de la Seine [Paris and the banks of the Seine]

◈ **Les Périodes historiques / Historical Periods**

la préhistoire [prehistory] / l'antiquité [antiquity] / le Moyen Âge [the Middle Ages] / la Renaissance [the Renaissance] / le dix-septième siècle [seventeenth century] / le dix-huitième siècle [eighteenth century] / le dix-neuvième siècle [nineteenth century] / le vingtième siècle [twentieth century] / le vingt-et-unième siècle [twenty-first century]

◈ **Les Arrondissements de Paris / The Arrondissements (Districts) of Paris**

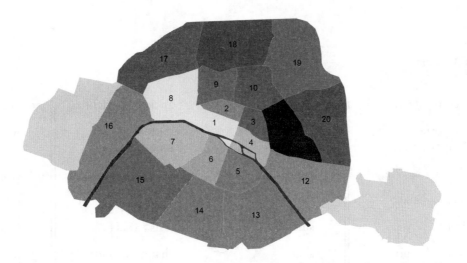

le premier arrondissement	first arrondissement
le deuxième arrondissement	second arrondissement
le troisième arrondissement	third arrondissement
le quatrième arrondissement	fourth arrondissement
le cinquième arrondissement	fifth arrondissement
le sixième arrondissement	sixth arrondissement
le septième arrondissement	seventh arrrondissement
le huitième arrondissement	eighth arrondissement

le neuvième arrondissement	ninth arrondissement
le dixième arrondissement	tenth arrondissement
le onzième arrondissement	eleventh arrondissement
le douzième arrondissement	twelfth arrondissement
le treizième arrondissement	thirteenth arrondissement
le quatorzième arrondissement	fourteenth arrondissement
le quinzième arrondissement	fifteenth arrondissement
le seizième arrondissement	sixteenth arrondissement
le dix-septième arrondissement	seventeenth arrondissement
le dix-huitième arrondissement	eighteenth arrondissement
le dix-neuvième arrondissement	nineteenth arrondissement
le vingtième arrondissement	twentieth arrondissement

◈ Les Adjectifs

récent / récente	recent	ancien / ancienne	ancient / former
important / importante	important	touristique / touristique	touristic
fermé / fermée	closed	facile / facile	easy
beau / belle	beautiful	difficile / difficile	difficult
petit / petite	small	frais / fraiche	fresh
court / courte	short	chaud / chaude	hot
fantastique	fantastic	froid / froide	cold
stricte / stricte	strict		

◈ Comparaisons des adjectifs et des adverbes / Comparisons with Adjectives and Adverbs

facile	easy	ancien	ancient
plus facile	easier	plus ancien	more ancient
moins facile	less easy	moins ancien	less ancient

aussi facile	as easy	aussi ancien	as ancient
difficile	difficult	bien	well
plus difficile	more difficult	moins bien	less well (not as well)
moins difficile	less difficult	aussi bien	as well
aussi difficile	as difficult	mieux	better
froid	cold	mal	bad
plus froid	colder	moins mal	less bad (not as bad)
moins froid	less cold	pire	worth
aussi froid	as cold	aussi mal	as bad

◊ **Comparaisons avec les pronoms accentués / Comparisons Using the Stressed Pronouns**

Il parle français mieux que **moi**. / Vous parlez français mieux que **nous**. / Elle parle français mieux que **toi**. / Nous parlons français mieux que **vous**. / Je parle français mieux que **lui**. / Ils parlent français mieux qu'**elle**. / Tu parles français mieux qu'**eux**. / Vous parlez français mieux qu'**elles**.

◊ **Les Pronoms accentués après une préposition / Stressed Pronouns after a Preposition**

chez moi	at my place	près de vous	near you
avec toi	with you	pour eux	for them
sans lui	without him	malgré elles	in spite of them
devant elle	in front of her	grâce à toi	thanks to you
derrière lui	behind him	à cause de lui	because of him
à côté de nous	next to us		

◇ **Les Adverbes de fréquence / Adverbs of Frequency**

récemment	recently	tous les weekends	every weekend
souvent	often	toutes les semaines	every week
toujours	always	parfois	sometimes
d'habitude	usually	quelquefois	sometimes
en général	generally	rarement	rarely
tous les jours	every day	de temps en temps	from times to times
tous les soirs	every evening		

Groupe II : Compréhension

A Lisez et écoutez.

En 2013, les Français achetaient plus de vin rouge que de vin blanc ou que du rosé. En 2011, les Français achetaient plus de vin rosé que de vin blanc. En 1999, les Français achetaient moins de vin blanc que de vin rouge. En 1991, les Français achetaient autant de vin blanc que de vin rosé.

Le vin de Bordeaux vieillit mieux que le Beaujolais Nouveau. Le Beaujolais Nouveau vieillit moins bien que le Bordeaux. Mais je pense que le Beaujolais est aussi populaire en France que le Bordeaux.

B Écoutez et répétez, s'il vous plaît.

En 2013, les Français achetaient plus de vin rouge que de vin blanc ou que du rosé. [In 2013, the French would buy more red wine than white wine or rosé wine.] / En 2011, les Français achetaient plus de vin rosé que de vin blanc. [In 2011, the French were buying more rosé wine than white wine.] / En 1999, les Français achetaient moins de vin blanc que de vin rouge. [In 1999, the French were buying less white wine than red wine.] / En 1991, les Français achetaient autant de vin blanc que de vin rosé. [In 1991, the French were buying as much white wine as rosé wine.]

Le vin de Bordeaux vieillit mieux que le Beaujolais Nouveau. [Bordeaux wine ages better than the Beaujolais Nouveau.] / Le Beaujolais Nouveau vieillit moins bien que le Bordeaux. [The Beaujolais Nouveau wine ages less well than the Bordeaux wine.] / Mais je pense que le Beaujolais est aussi populaire en France que le Bordeaux. [But I think that the Beaujolais is as popular in France as Bordeaux is.]

C Écoutez pour comprendre et répondez aux questions.

En 2013, les Français achetaient plus de vin rouge que de vin blanc ou que du rosé. En 2011, les Français achetaient plus de vin rosé que de vin blanc. En 1999, les Français achetaient moins de vin blanc que de vin rouge. En 1991, les Français achetaient autant de vin blanc que de vin rosé. Le vin de Bordeaux vieillit mieux que le Beaujolais Nouveau.

Le Beaujolais Nouveau vieillit moins bien que le bordeaux. Mais je pense que le Beaujolais est aussi populaire en France que le Bordeaux.

D Questions « vrai » ou « faux » :

1 En 2013, les Français achetaient plus de vin blanc que de vin rouge.

2 En 2011, les Français achetaient plus de rosé que de vin blanc.

3 Le Bordeaux vieillit moins bien que le Beaujolais.

Réponses

1 faux   2 vrai   3 faux

Groupe I : Vocabulaire, grammaire, et dialogues

◇ **Quelques éléments de la culture francophone / Some Elements of French-Speaking Culture**

la diversité	diversity	une maison provençale	a Provençal house
les différences	differences	le Pays Basque	Basque country
la géographie	geography	une maison basque	a Basque house
l'histoire	history	la Bretagne	Brittany
les régions	regions	une maison bretonne	a Breton house
les valeurs	values	l'Auvergne	Auvergne
les traditions	traditions	une maison auvergnate	a house in Auvergne
la cuisine	cooking	l'Alsace	Alsace
la gastronomie	gastronomy	une maison alsacienne	an Alsatian house
les spécialités culinaires	culinary specialties	la Normandie	Normandy
l'architecture	architecture	une maison normande	a Norman house
le logement	housing	la Camargue	Camargue
les Alpes	Alps	une maison carmargaise	a house in Camargue
une maison alpine	an alpine house	les stéréotypes	stéréotypes
la Provence	Provence	les préconceptions	preconceptions

◈ Le Superlatif / The Superlative

le plus / le moins

◈ Le Comparatif et superlative des adverbs / Comparatives and Superlatives of Adverbs

ADV.	bien	well
COMP.	mieux que	better than
COMP.	moins bien que	not as well as
SUPERL.	le mieux	the best
ADV.	mal	badly
COMP.	plus mal que	worse than
SUPERL.	le plus mal	the worst
SUPERL.	le moins bien	the least good

◈ Le Comparatif et le superlatif des adjectifs / Comparatives and Superlatives of Adjectives

ADJ.	bon	good
COMP.	meilleur que	better than
COMP.	moins bon que	not as good as
SUPERL.	le meilleur, la meilleur, les meilleures	the best
SUPERL.	le moins mauvais	the least bad
ADJ.	mauvais	bad
COMP.	plus mauvais	worse
SUPERL.	le plus mauvais	the worst
ADJ.	mauvais	bad

COMP.	pire	worse
SUPERL.	le pire, la pire, les pires	the worst
ADJ.	visité	visited
COMP.	plus visité que	more visited than
SUPERL.	le plus visité, la plus visitée, les plus visité(e)s	the most visited
ADJ.	intéressant	interesting
COMP.	plus intéressant	more interesting
SUPERL.	le plus intéressant	the most interesting
ADJ.	délicieux	delicious
COMP.	plus délicieux que	more delicious than
SUPERL.	le plus délicieux	the most delicious
ADJ.	facile	easy
COMP.	plus facile que	easier
SUPERL.	le plus facile	the easiest
ADJ.	rapide	fast
COMP.	plus rapide	faster than
SUPERL.	le plus rapide	the fastest

◈ **Le pronom y / The Pronoun y**

La France ? J'y vais. / La maison ? Nous y entrons. / L'Auvergne ? Vous y arrivez. / La tour Eiffel? Tu y montes. / Chez eux ? Ils y retournent. / Le sous-sol ? Elles y descendent. / La France ? J'y suis allé. / La maison ? Nous y sommes entrés. / L'Auvergne ? Vous y êtes arrivés. / La tour Eiffel ? Tu y es monté. / Chez eux ? Ils y sont retournés. / Le sous-sol ? Elles y sont descendus. / La France ? Je vais y aller. / La maison ? Nous allons y aller. / L'Auvergne ? Vous allez y arriver. / La tour Eiffel ? Tu vas y monter. / Chez eux ? Ils vont y retourner. / Le sous-sol ? Elles vont y descendre.

◈ **Les Pronoms objets directs / Direct Object Pronouns**

me [me] / te [you] / nous [us, ourselves] / vous [you, yourselves]

◊ **me**

Tu me regardes. [You are watching me.] / Tu m'as regardé. [You watched me.] / Tu vas me regarder. [You are going to watch me.] / Il me regarde. [He watches me.] / Il m'a regardé. [He watched me.] / Il va me regarder. [He is going to watch me.] / Vous me regardez. [You are watching me.] / Vous m'avez regardé. [You watched me.] / Vous allez me regarder. [You are going to watch me.]

◊ **te**

Je t'écoute. [I am listening to you.] / Je t'ai écouté. [I listened to you.] / Je vais t'écouter. [I am going to listen to you.] / Nous t'écoutons. [We are listening to you.] / Nous t'avons écouté. [We listened to you.] / Nous allons t'écouter. [We are going to listen to you.] / Il t'écoute. [He is listening to you.] / Il t'a écouté. [He listented to you.] / Il va t'écouter. [He is going to listen to you.]

◊ **nous**

Tu nous aimes. [You like us.] / Tu nous as aimés. [You liked us.] / Tu vas nous aimer. [You are going to like us.] / Il nous aime. [He likes us.] / Il nous a aimés. [He liked us.] / Il va nous aimer. [He is going to like us.] / Vous nous aimez. [You like us.] / Vous nous avez aimés. [You liked us.] / Vous allez nous aimer. [You are going to like us.]

◊ **vous**

Je vous admire. [I admire you.] / Je vous ai admirés. [I admired you.] / Je vais vous admirer. [I am going to admire you.] / Il vous admire. [He admires you.] / Il vous a admirés. [He admired you.] / Il va vous admirer. [He is going to admire you.] / Nous vous admirons. [We are admiring you.] / Nous vous avons admires. [We admired you.] / Nous allons vous admirer. [We are going to admire you.]

Groupe II : Compréhension

A Lisez et écoutez.

La Nouvelle-Aquitaine est beaucoup plus grande que la Provence-Côte d'Azur. Et la Nouvelle-Aquitaine est plus grande que l'Auvergne-Rhône-Alpes. En superficie, la Nouvelle-Aquitaine est la plus grande région de France.

L'Aquitaine est une région populaire chez les touristes. Ils y découvrent les activités les plus amusantes de leurs vacances. Mais la Provence-Côte d'Azur est plus populaire chez les touristes que la Nouvelle-Aquitaine. Et parmi les trois, l'Auvergne-Rhône-Alpes est la région avec le plus de touristes.

B Écoutez et répétez, s'il vous plaît.

La Nouvelle-Aquitaine est beaucoup plus grande que la Provence-Côte d'Azur. [Nouvelle-Aquitaine is much larger than Provence-Côte d'Azure.] / Et la Nouvelle-Aquitaine est plus grande que l'Auvergne-Rhône-Alpes. [And Nouvelle-Aquitaine is larger than Auvergne-Rhône-Alpes.] / En superficie, la Nouvelle-Aquitaine est la plus grande région de France. [In surface area, Nouvelle-Aquitaine is France's largest region.]

L'Aquitaine est une région populaire chez les touristes. [Aquitaine is a very popular region among tourists.] / Ils y découvrent les activités les plus amusantes de leurs vacances. [There they discover the most fun activities of their vacation.] / Mais la Provence-Côte d'Azur est plus populaire chez les touristes que la Nouvelle-Aquitaine. [But Provence is more popular with tourists than Nouvelle-Aquitaine.] / Et parmi les trois, l'Auvergne-Rhône-Alpes est la région avec le plus de touristes. [And of the three, Auvergne-Rhône-Alpes is the region with the most tourists.]

C Écoutez pour comprendre et répondez aux questions.

La Nouvelle-Aquitaine est beaucoup plus grande que la Provence-Côte d'Azur. Et la Nouvelle-Aquitaine est plus grande que l'Auvergne-Rhône-Alpes. En superficie, la Nouvelle-Aquitaine est la plus grande région de France.

L'Aquitaine est une région populaire chez les touristes. Ils y découvrent les activités les plus amusantes de leurs vacances. Mais la Provence-Côte d'Azur est plus populaire chez les touristes que la Nouvelle-Aquitaine. Et parmi les trois, l'Auvergne-Rhône-Alpes est la région avec le plus de touristes.

D Questions « vrai » ou « faux » :

1 La plus grande région est la Nouvelle-Aquitaine.

2 La Provence est la région la plus populaire chez les touristes.

3 Les touristes découvrent le plus d'activités amusantes en Provence-Côte d'Azur.

Réponses

1 vrai 2 faux 3 faux

LECTURE 25 • LANGUAGE LAB

Groupe I : Vocabulaire, grammaire, et dialogues

◈ **Les Festivités / Festivities**

> un événement [an event] / une manifestation [a special event] / une manifestation culturelle [a cultural event] / une fête [a feast] / un festival [a festival] / une reconstitution historique [an historical reconstitution] / une commémoration [a commemoration]

◈ **Le Conditionnel des verbes réguliers en -er / Conditional of Regular -er Verbs**

AIMER • TO LIKE

j'aimerais [I would like]	nous aimerions [we would like]
tu aimerais [you would like]	vous aimeriez [you would like]
il aimerait [he would like]	elles aimeraient [they would like]

◇ **visiter [to visit]**

je visiterais [I would visit] / nous visiterions [we would visit]

◇ **ajouter [to add]**

tu ajouterais [you would add] / vous ajouteriez [you would add]

◇ **chauffer [to heat]**

il chaufferait [he would heat up] / ils chaufferaient [they would heat up]

◇ **donner [to give]**

   je donnerais [I would give] / nous donnerions [we would give]

◇ **manger [to eat]**

   tu mangerais [you would eat] / vous mangeriez [you would eat]

◇ **préparer [to prepare]**

   elle préparerait [she would prepare] / elles prépareraient [they would prepare]

◇ **commencer [to start]**

   je commencerais [I would start] / nous commencerions [we would start]

◇ **préférer [to prefer]**

   tu préférerais [you would prefer] / nous préférerions [we would prefer]

◇ **verser [to pour]**

   il verserait [he would pour] / ils verseraient [they would pour]

◈ **Le Conditionnel des verbes en -ir / Conditional of -ir Verbs**

◇ **finir [to finish]**

   tu finirais [you would finish] / vous finiriez [you would finish]

◇ **dormir [to sleep]**

   je dormirais [I would sleep] / nous dormirions [we would sleep]

◇ **partir [to leave]**

   il partirait [he would leave] / ils partiraient [they would leave]

◇ **sortir [to leave]**

   je sortirais [I would leave] / nous sortirions [we would leave]

◊ **servir** [**to serve**]

tu servirais [you would serve] / vous serviriez [you would serve]

◊ **sentir** [**to smell**]

elle sentirait bon [she would smell good] / elles sentiraient bon [they would smell good]

◊ **choisir** [**to choose**]

je choisirais [I would choose] / nous choisirions [we would choose]

◈ **Le Conditionnel des verbes réguliers en -re / Conditional of Regular -re Verbs**

RÉPONDRE · TO ANSWER

je répondrais [I would answer]	nous répondrions [we would answer]
tu répondrais [you would answer]	vous répondriez [you would answer]
il répondrait [they would answer]	elles répondraient [they would answer]

◊ **attendre** [**to wait**]

j'attendrais [I would wait] / nous attendrions [we would wait]

◊ **comprendre** [**to understand**]

tu comprendrais [you would understand] / vous comprendriez [you would understand]

◊ **prendre** [**to take**]

il prendrait [he would take] / ils prendraient [he would take]

◊ **mettre** [**to put**]

je mettrais [I would put] / nous mettrions [we would put]

VOULOIR • TO WANT

je voudrais [I would like]

tu voudrais [you would like]

il voudrait [he would like]

nous voudrions [we would like]

vous voudriez [you would like]

elles voudraient [they would like]

POUVOIR • TO BE ABLE

je pourrais [I could]

tu pourrais [you could]

il pourrait [he could]

nous pourrions [we could]

vous pourriez [you could]

elles pourraient [they could]

ÊTRE • TO BE

je serais [I would be]

tu serais [you would be]

il serait [he would be]

nous serions [we vould be]

vous seriez [you would be]

elles seraient [they would be]

AVOIR • TO HAVE

j'aurais [I would have]

tu aurais [you would have]

il aurait [he would have]

nous aurions [we would have]

vous auriez [you would have]

elles auraient [they would have]

ALLER • TO GO

j'irais [I would go]

tu irais [you would go]

il irait [he would go]

nous irions [we would go]

vous iriez [you would go]

elles iraient [they would]

VENIR • TO COME

je viendrais [I would come]

tu viendrais [you would come]

il viendrait [he would come]

nous viendrions [we would come]

vous viendriez [you would come]

elles viendraient [they would come]

VOIR • TO SEE

je verrais [I would see]

tu verrais [you would see]

il verrait [he would see]

nous verrions [we would see]

vous verriez [you would see]

elles verraient [they would see]

ENVOYER • TO SEND

j'enverrais [I would send]

tu enverrais [you would send]

il enverrait [he would send]

nous enverrions [we would send]

vous enverriez [you would send]

elles enverraient [they would send]

SAVOIR • TO KNOW

je saurais [I would know]

tu saurais [you would know]

il saurait [he would know]

nous saurions [we would know]

vous sauriez [you would know]

elles sauraient [they would know]

FAIRE • TO DO

je ferais [I would do]

nous ferions [we would do]

tu ferais [you would do]

vous feriez [you would do]

il ferait [he would do]

elles feraient [they would do]

DEVOIR • TO BE OBLIGATED TO

je devrais [I should]

nous devrions [we should]

tu devrais [you should]

vous devriez [you should]

il devrait [he should]

elles devraient [they should]

◇ **L'Imparfait / The Imperfect**

ÊTRE • TO BE

j'étais [I was]

nous étions [we were]

tu étais [you were]

vous étiez [you were]

il était [he was]

ils étaient [they were]

AVOIR • TO HAVE

j'avais [I had]

nous avions [we had]

tu avais [you had]

vous aviez [you had]

il avait [he had]

elles avaient [they had]

◈ **« Si » plus le verbe « être » à l'imparfait suivi du conditionnel / Si plus *être* in the Imperfect Followed by the Conditional**

Si j'étais prêt, je partirais immédiatement. [If I were ready, I would leave immediately.] / Si tu n'étais pas content, tu le dirais. [If you weren't happy, you'd say it.] / S'il n'était pas français, il ne comprendrait pas. [If he were not French, he wouldn't understand.] / Si nous étions artistes, nous aimerions les expositions. [If we were artists, we would like exhibits.] / Si vous étiez bien informés, vous sauriez la vérité. [If you were well informed, you would know the truth.] / S'ils étaient rapides, ils gagneraient. [If they were fast, they would win.]

◈ **« Si » plus le verbe « avoir » à l'imparfait suivi du conditionnel / Si plus avoir in the Imperfect Followed by the Conditional**

Si j'avais le temps, je sortirais avec des amis. [If I had time, I would go out with some friends.] / Si tu avais des racines bretonnes, tu irais au fest-noz. [If you had Breton roots, you would go to the Fest Noz.] / S'il avait un fils, il serait un bon père. [If he had a son, he would be a good father.] / Si nous avions des problèmes, nous en parlerions. [If we had problems, we would speak about them.] / Si vous aviez le choix vous prendriez le train. [If you had the choice, you would take the train.] / Si elles avaient faim, elles mangeraient. [If they were hungry, they would eat.]

◈ **Le pronom « tout » / The Pronoun tout**

En classe, je comprends tout. [In class, I understand everything.] / Les peintures du Louvre ? Je les aime toutes ! [The Louvre paintings? I like all of them!] / Les élèves ? Je les connais tous ! [The students? I know them all!] / La soupe ? Je la mange toute ! [The soup? I eat it all!]

◈ **L'Adjectif « tout » / The Adjective tout**

Il visite toutes les villes. [He visits all the cities.] / Nous achetons tous les livres. [We buy all the books.] / Vous attendez toute la classe. [You are waiting for the whole class.] / Ils mangent tout le fromage. [They eat all of the cheese.]

Groupe II : Compréhension

A Lisez et écoutez.

S'il faisait des crêpes :

Il commencerait par une visite au marché. Il achèterait des œufs, du beurre et du lait et de la farine. Il mettrait la farine et les œufs dans un bol. Ensuite, il ajouterait le lait. Il chaufferait la plaque électrique. Il verserait la pâte à crêpes sur la plaque. Il étalerait la pâte à crêpes. Il mettrait du fromage, de l'oignon et des champignons. Il plierait la crêpe. Et il la mangerait.

B Écoutez et répétez, s'il vous plaît

S'il faisait des crêpes : [If he were to make crepes:]

Il commencerait par une visite au marché. [He'd start with a visit to the market.] / Il achèterait des œufs, du beurre et du lait et de la farine. [He would buy eggs, butter, milk, and flour.] / Il mettrait la farine et les œufs dans un bol. [He'd put flour and eggs in a bowl.] / Ensuite, il ajouterait le lait. [Then he'd add the milk.] / Il chaufferait la plaque électrique. [He'd heat up the electric hotplate.] / Il verserait la pâte à crêpes sur la plaque. [He'd pour the batter on the hotplate.] / Il étalerait la pâte à crêpes. [He'd spread the crepe batter.] / Il mettrait du fromage, de l'oignon et des champignons. [He'd put in some cheese, onions, and mushrooms.] / Il plierait la crêpe. [He'd fold the crepe.] / Et il la mangerait. [And he would eat it.]

C Écoutez pour comprendre et répondez aux questions.

Il commencerait par une visite au marché. Il achèterait des œufs, du beurre et du lait et de la farine. Il mettrait la farine et les œufs dans un bol. Ensuite, il ajouterait le lait. Il chaufferait la plaque électrique. Il verserait la pâte à crêpes sur la plaque. Il étalerait la pâte à crêpes. Il mettrait du fromage, de l'oignon et des champignons. Il plierait la crêpe. Et il la mangerait.

D Questions « oui » ou « non » :

1 Il achèterait la pâte à crêpe.

2 Il ajouterait du sucre vanillé.

3 Il me donnerait la crêpe.

Réponses

1 non   2 non   3 non

Groupe I : Vocabulaire, grammaire, et dialogues

◊ **Les Devises francophones / Francophone Mottos**

France : Liberté, Egalité, Fraternité ["Liberty, Equality, Fraternity"] / Québec : Je me souviens ["I remember"] / Maroc : Dieu, la Nation, le Roi ["God, Nation, Faith"] / Sénégal : Un Peuple, Un But, Une Foi ["One People, One Goal, One Faith"]

◊ **Pour parler d'autres valeurs importantes / To Speak about Other Important Values**

la liberté d'expression	freedom of expression	le courage	courage
les droits	rights	courageux / courageuse	courageous
le citoyen	the citizen	la solidarité	solidarity
la citoyenneté	citizenship	solidaire	in solidarity with
une qualité morale	a moral quality	la liberté	liberty
une valeur	a value	libre	free
un idéal	an ideal	le roi	the king
un souvenir	a memory / a keepsake	royal / royale	royal
une mémoire	a memory	l'amitié	friendship
un but	a goal	amical / amicale	friendly
un objectif	an objective	la fraternité	fraternity
la charité	charity	fraternal / fraternelle	fraternal
charitable	charitable	le peuple	people
la générosité	generosity	populaire	popular

généreux / généreuse	generous	la nation	the nation
l'accueil	welcome / reception	national / nationale	national
accueillant / accueillante	welcoming	une vertu	a virtue
l'hospitalité	hospitality	vertueux / vertueuse	virtuous
hospitalier / hospitalière	hospitable	la tolérance	tolerance
la politesse	politeness	tolérant / tolérante	tolerant
poli / polie	polite		

◈ Les Pronoms objets directs / Direct Object Pronouns

le [him, it] / la [her, it] / les [them]

◇ le

Je le protège. [I protect him / it.] / Je l'ai protégé. [I protected him / it.] / Je vais le protéger. [I am going to protect him / it.] / Vous le protégez. [You protect him / it.] /Vous l'avez protégé. [You protected him/ it.] / Vous allez le protéger. [You are going to protect him / it.]

◇ la

Tu la critiques. [You are criticizing her / it.] / Tu l'as critiquée. [You criticized her / it.] / Tu vas la critiquer. [You are going to criticize her / it.] / Nous la critiquons. [We are criticizing he / it.] / Nous l'avons critiquée. [We criticized her/ it.] / Nous allons la critiquer. [We are going to criticize her / it.]

◇ les

Il les respecte. [He respects them.] / Il les a respectés. [He respected them.] / Il va les respecter. [He is going to respect them.] / Ils les respectent. [They respect them.] / Ils les ont respectés. [They respected them.] / Ils vont les respecter. [They are going to respect them.]

◈ **Les Pronoms réfléchis / Reflexive Pronouns**

◇ **se**

Il se défend. [He defends himself.] / Elle se défend. [She defends herself.] / Ils se défendent. [They defend themselves / each other.] / Elles se défendent. [They defend themselves / each other.] / Il s'est défendu. [He defended himself.] / Elle s'est défendue. [She defended herself.] / Ils se sont défendus. [They defended themselves / each other.] / Elles se sont défendues. [They defended themselves / each other.] / Il va se défendre. [He is going to defend himself.] / Elle va se défendre. [She is going to watch herself.] / Ils vont se défendre. [They are going to defend themselves / each other.] / Elles vont se défendre. [They are going to defend themselves / each other.]

◇ **me**

Je me regarde. [I am watching myself.] / Je me suis regardé. [I watched myself.] / Je vais me regarder. [I am going to watch myself.]

◇ **te**

Tu t'expliques. [You are explaining yourselves.] / Tu t'es expliqué. [You explained yourself.] / Tu vas t'expliquer. [You are going to explain yourself.]

◇ **nous**

Nous nous admirons. [We admire ourselves / each other.] / Nous nous sommes admirés. [We admired ourselves / each other.] / Nous allons nous admirer. [We are going to admire ourselves / each other.]

◇ **vous**

Vous vous aimez. [You like yourselves / each other.] / Vous vous êtes aimés. [You liked yourself / each other.] / Vous allez vous aimer. [You are going to like yourselves / each other.]

◈ **Les pronoms objets indirects / Indirect Object Pronouns**

lui [to him] / leur [to them]

◇ **lui**

Je lui parle. / Je lui ai parlé. / Je vais lui parler. / Il lui parle. / Il lui a parlé. / Il va lui parler. / Nous lui parlons. / Nous lui avons parlé. / Nous allons lui parler.

◇ **leur**

Tu leur demandes l'heure. / Tu leur a demandé l'heure. / Tu vas leur demander l'heure. / Elle leur demande l'heure. / Elle leur a demandé l'heure. / Elle va leur demander l'heure. / Vous leur demandez l'heure. / Vous leur avez demandé l'heure. / Vous allez leur demander l'heure.

◈ **Le verbes avec objets indirects / Verbs Using Indirect Object Pronouns**

donner à quelqu'un [to give to somebody] / demander à quelqu'un [to ask somebody] / dire à quelqu'un [to tell somebody] / s'adresser à quelqu'un [to address somebody] / raconter à quelqu'un [to tell somebody] / expliquer à quelqu'un [to explain to somebody] / écrire à quelqu'un [to write to somebody] / répondre à quelqu'un [to answer somebody] / montrer à quelqu'un [to show to somebody] / démontrer à quelqu'un [to demonstrate to somebody]

Groupe II : Compréhension

A Lisez et écoutez.

En France, on trouve la devise de la France sur les mairies et les écoles publiques. On la trouve aussi sur les timbres ou les hôpitaux. Au Maroc, on voit le portrait du roi sur les bâtiments publics. On le voit aussi dans les maisons. Les enfants sénégalais apprennent les valeurs de leur pays. Il les apprennent avec un livre. La Déclaration des droits de l'homme est à l'origine de la majorité des valeurs nationales. Quand le gouvernement ne les écoutent pas, les Français font grève. C'est leur droit et ils l'exercent régulièrement.

B Écoutez et répétez, s'il vous plaît.

En France, on trouve la devise de la France sur les mairies et les écoles publiques. [In France, France's motto is found on city halls and public schools.] / On la trouve aussi sur les timbres ou les hôpitaux. [One also finds it on stamps or hospitals.] / Au Maroc, on voit le portrait du roi sur les bâtiments publics. [In Morocco, one sees the king's portrait on public buildings.] / On le voit aussi dans les maisons. [One also sees it in houses.] / Les enfants sénégalais apprennent les valeurs de leur pays. [Senegalese children learn the values of their country.] / Il les apprennent dans un livre. [They learn them in a book.] / La Déclaration des droits de l'homme est à l'origine de la majorité des valeurs nationales. [The Declaration of the Rights of Man is behind the majority of national values.] / Quand le gouvernement ne les écoutent pas, les Français font grève. [When the government doesn't listen to them, the French go on strike.] / C'est leur droit et ils l'exercent régulièrement. [It's their right and they use it regularly.]

C Écoutez pour comprendre et répondez aux questions.

En France, on trouve la devise de la France sur les mairies et les écoles publiques. On la trouve aussi sur les timbres ou les hôpitaux. Au Maroc, on voit le portrait du roi sur les bâtiments publics. On le voit aussi dans les maisons. Les enfants sénégalais apprennent les valeurs de leur pays. Il les apprennent avec un livre. La Déclaration des droits de l'homme est à l'origine de la majorité des valeurs nationales. Quand le gouvernement ne les écoutent pas, les Français font grève. C'est leur droit et ils l'exercent régulièrement.

D Questions « vrai » ou « faux » :

1 En France, la devise nationale est écrite sur les mairies.

2 Au Sénégal, il y a un livre qui explique les valeurs nationales.

3 En France la grève est illégale.

Groupe I : Vocabulaire, grammaire, et dialogues

◊ **Le Jeu de la conversation / The Game of Conversation**

On se renvoie la balle.	One returns the ball.
Il y a des règles.	There are rules.
un match amical	a friendly match
les partenaires	partners
les adversaires	opponents
jouer pour le plaisir	to play for the fun of it
serrer la main à quelqu'un	to shake someone's hand
lui serrer la main / leur serrer la main	to shake his hand / to shake their hands
se serrer la main	to shake each other's hand
connaître quelqu'un	to know somebody
se connaître	to know each other
rencontrer quelqu'un	to meet somebody
se rencontrer	to meet each other
présenter quelqu'un à quelqu'un d'autre	to introduce somebody to somebody else
se présenter	to introduce oneself
avoir de la conversation	to be a good conversationalist
ne pas avoir de conversation	to be a bad conversationalist
parler	to talk
se parler	to talk to each other
discuter	to discuss
se disputer	to argue
tomber d'accord	to agree with each other
interrompre	to interrupt
interjecter	to interject

contredire	to contradict
se contredire	to contradict yourself
s'entendre bien	to get along
s'entendre mal	not to get along
négocier	to negociate
argumenter	to support an opinion
approuver	to approve
désapprouver	to disapprove
être d'accord	to agree
ne pas être d'accord	to disagree
défendre un point de vue	to defend a point of view
mentir	to lie
enjoliver	to embellish
exagérer	to exagerate
être de bonne foi	to be in good faith
être de mauvaise foi	to be in bad faith
nourrir la conversation	to nourish the conversation

◈ **Le Pronom objet indirect « lui » et le pronom objet indirect « leur » : The Indirect Object Pronouns lui and leur**

lui [to him / to her] / leur [to them]

◇ **parler à quelqu'un [to talk to somebody]**

Nous lui parlons. [We talk to him / her.] / Nous ne leur parlons pas. [We don't talk to them.] / Parlons-lui ! [Let's talk to him / her!] / Ne leur parlons pas ! [Let's not talk to them!]

◇ **demander à [to ask somebody]**

Vous lui demandez pourquoi. [You ask him / her why.] / Vous ne leur demandez pas pourquoi. [You don't ask them why.] / Demandez-lui pourquoi. [Ask him / her why.] / Ne leur demandez pas pourquoi. [Don't ask them why.]

◊ **donner des conseils à quelqu'un** [to give advice to somebody]

Il lui donne des conseils. [He gives him /her advice.] / Il ne leur donne pas de conseils. [He doesn't gives them advice.] / Donne-lui des conseils ! [Give him / her advice !] / Donne-leur des conseils ! [Give them advice !] / Ne leur donne pas de conseils ! [Don't give them advice !]

◊ **dire à quelqu'un** [to tell somebody]

Vous lui dites la vérité. [You are telling him / her the truth.] / Vous ne leur dites pas la vérité. [You are't telling them the truth.] / Dites-lui la vérité ! [Tell him / her the truth !] / Ne leur dites pas la vérité ! [Don't tell them the truth !]

◊ **répondre à quelqu'un** [to answer somebody]

Elles lui répondent. [They answer him / her.] / Elles ne leur répondent pas. [They don't answer them.] / Ne lui répondez pas ! [Don't answer him / her!] / Ne leur répondez pas ! [Don't anwer them !]

◈ **Le Pronom objet indirect « en » / The Indirect Object Pronoun en**

◊ **parler de politique** [to speak about politics]

Les Français en parlent facilement. [French easily talk about it.] / Les Américains n'en parlent pas aussi facilement. [Americans don't speak as easily about it.] / N'en parlez pas ! [Don't talk about it !] / Parlez-en ! [Talk about it !]

◊ **discuter de choses et d'autres** [to discuss this and that]

Nous en discutons. [We discuss them.] / Nous n'en discutons pas. [We don't discuss them.] / Discutons-en ! [Let's discuss them!]

◊ **manger du / des / de la** [to eat some]

Vous mangez des légumes. [You eat vegetables.] / Vous n'en mangez pas. [You don't eat them.] / N'en mangez pas ! [Don't eat them!]

◊ **boire du / des / de la / de l'** [to drink some]

Tu bois de l'eau. [You're drinking some water.] / Tu ne bois pas d'eau. [You're not drinking any water.] / N'en bois pas ! [Don't drink any!]

◇ **avoir envie de [to want]**

Vous avez envie de chocolat ? [Do you want some chocolate?] / Vous n'avez pas envie de chocolat ? [Don't you want any chocolate ?] / N'en avez-vous pas envie ? [Don't you want some?]

◇ **avoir besoin de [to need]**

J'ai besoin d'explications. [I need explanations.] / Je n'en ai pas besoin. [I don't need any.] / N'en a-t-elle pas besoin ? [Doesn't she need any?]

◇ **vouloir du / des / de la [to want some]**

Elle veut des chaussures. [She wants shoes.] / Elle n'en veut pas. [She doesn't want any.] / N'en veut-elle pas ? [Doesn't she want some ?]

◈ **Une Rencontre / A Meeting**

— Salut, Christian.
— Salut, Ann.
(Ils se font la bise.)
— Tu vas bien ?
— Ouf. Je suis un peu fatiguée, mais ça va. Et toi ?
— Moi, ça peut aller. Tu sais, ça me fait plaisir de te voir.
— On ne se voit pas assez souvent.
— Alors, prenons un café.
— Maintenant ?
— Pourquoi pas ?
— Allons-y.

Groupe II : Compréhension

A Lisez et écoutez.

Le Baiser de Doisneau

Cet homme et cette femme sont à Paris. Imaginons : Est-ce qu'ils y habitent ? Peut-être qu'ils visitent la ville et la découvrent pour la première fois. Est-ce que l'homme sur le banc les regarde ? Ensuite, est-ce qu'ils vont parler de la météo ou bien ne pas en parler ?

Ils ne vont probablement pas en parler. Elle va lui demander : « Tu m'aimes ? » Et il va lui répondre : « Je t'aime ». Les passants vont leur sourire et les regardez avec envie. Depuis quand est-ce qu'ils se connaissent ?

B   Écoutez et répétez, s'il vous plaît.

Cet homme et cette femme sont à Paris. [This man and this woman are in Paris.] / Imaginons : Est-ce qu'ils y habitent ? [Let's imagine: Do they live there?] / Peut-être qu'ils visitent la ville … [They are perhaps visiting the city …] / … et la découvrent pour la première fois. [… and are discovering it for the first time.] / Est-ce que l'homme sur le banc les regarde ? [Is the man on the bench watching them?] / Ensuite, est-ce qu'ils vont parler de la météo … [Afterward, are they going to talk about the weather…] / … ou bien ne pas en parler ? [… or not talk about it ?] / Ils ne vont probablement pas en parler. [They probably won't talk about it.] / Elle va lui demander : « Tu m'aimes ? » [She is going to ask him, "Do you love me?"] / Et il va lui répondre : « Je t'aime. » [And he will answer her: "I love you."] / Les passants vont leur sourire et les regardez avec envie. [The passersby will smile at them and watch them with envy.] / Depuis quand est-ce qu'ils se connaissent ? [How long have they known each other?]

C   Écoutez pour comprendre et répondez aux questions.

Cet homme et cette femme sont à Paris. Imaginons : Est-ce qu'ils y habitent ? Peut-être qu'ils visitent la ville et la découvrent pour la première fois. Est-ce que l'homme sur le banc les regarde ? Ensuite, est-ce qu'ils vont parler de la météo ou bien ne pas en parler ? Ils ne vont probablement pas en parler. Elle va lui demander : « Tu m'aimes ? » Et il va lui répondre : « Je t'aime ». Les passants vont leur sourire et les regardez avec envie. Depuis quand est-ce qu'ils se connaissent ?

D   Questions « vrai » ou « faux » :

1   Les amoureux sont à Paris.

2   L'homme sur le banc ne les regarde pas.

3   Plus tard, ils vont parler de la météo.

Réponses

1 vrai 2 faux 3 faux

LECTURE 28 • LANGUAGE LAB

Groupe I : Vocabulaire, grammaire, et dialogues

◈ **Pour comprendre une histoire**

l'occupant [the occupying force] / des œufs [eggs] / des produits de la ferme [farm products] / la contrebande [smuggling] / le marché noir [black market] / en quantité limitée [in limited quantity] / rationné [rationed] / les Allemands [the Germans]

◈ **Le passé simple des verbes réguliers en -er / Simple Past of Regular -er Verbs**

MONTER • TO GO UP

je montai [I went up]   nous montâmes [we went up]

tu montas [you went up]   vous montâtes [you went up]

elle monta [she went up]   elles montèrent [they went up]

◈ **Le passé simple des verbes réguliers en -ir / Simple Past of Regular -ir Verbs**

CHOISIR • TO CHOOSE

je choisis [I chose]   nous choisîmes [we chose]

tu choisis [you chose]   vous choisîtes [you chose]

elle choisit [she chose]   elles choisirent [they chose]

RENDRE · TO GIVE BACK

je rendis [I gave back]

tu rendis [you gave back]

il rendit [he gave back]

nous rendîmes [we gave back]

vous rendîtes [you gave back]

elles rendirent [they gave back]

◇ **Comparer le passé composé et le plus-que-parfait /
Comparing the Passé Composé and Pluperfect**

PASSÉ COMPOSÉ

J'ai raconté une histoire.
[I told a story.]

Tu as écrit une histoire.
[You wrote a story.]

Frieda a habité en Belgique.
[Frieda lived in Belgium.]

Nous avons parlé.
[We spoke.]

Vous avez compris.
[You understood.]

Les Allemands ont occupé Paris.
[The Germans occupied Paris.]

Je suis allée en Belgique.
[I went to Belgium.]

Tu es allé en France.
[You went to France.]

Frieda est arrivée à Denver.
[Frieda arrived in Denver.]

Nous sommes partis pour le weekend.
[We left for the weekend.]

PLUPERFECT

J'avais raconté une histoire.
[I had told a story.]

Tu avais écrit une histoire.
[You had written a story.]

Frieda avait habité en Belgique.
[Frieda had lived in Belgium.]

Nous avions parlé.
[We had spoken.]

Vous aviez compris.
[You had understood.]

Les Allemands avaient occupé Paris.
[The Germans had occupied Paris.]

J'étais allée en Belgique [I
had gone to Belgium.]

Tu étais allé en France. [You
had gone to France.]

Frieda était arrivée à Denver.
[Frieda had arrived in Denver.]

Nous étions partis pour le week-end.
[We had left for the weekend.]

◊ **Le Passé simple de quelques verbes irréguliers / Simple Past of Some Irregular Verbs**

ÊTRE · TO BE

je fus [I was]

tu fus [you were]

il fut [he was]

nous fûmes [we were]

vous fûtes [you were]

ils furent [they were]

FAIRE · TO MAKE

je fis [I made]

tu fis [you made]

il fit [he made]

nous fîmes [we made]

vous fîtes [you made]

ils firent [they made]

AVOIR · TO HAVE

j'eus [I had]

tu eus [you had]

il eut [he had]

nous eûmes [we had]

vous eûtes [you had]

elles eurent [they had]

ALLER · TO GO

j'allai [I went]

tu allas [you went]

il alla [he went]

nous allâmes [we went]

vous allâtes [you went]

elles allèrent [they went]

◈ Comparer les temps du passé / Comparing Past Tenses

1 passé composé / **2** imparfait / **3** plus-que-parfait / **4** passé simple

◇ habiter

1 Le père de Frieda a habité en Autriche. [Frieda's father lived in Austria.]
2 il habitait [he used to live]   **3** il avait habité [he had lived]   **4** il habita [he lived]

◇ arriver

1 Le père de Frieda est arrivé en Belgique. [Frieda's father arrived in Belgium.]
2 il arrivait [he used to arrive]   **3** il était arrivé [he had arrived]   **4** il arriva [he arrived]

◇ vivre

1 Frieda a vécu en Belgique. [Frieda lived in Belgium.]   **2** elle vivait [she used to live]
3 elle avait vécu [she had lived]   **4** elle vécut [she lived]

◇ venir

1 Frieda est venue aux États-Unis. [Frieda came to the United States.]   **2** elle venait [she used to come]   **3** elle était venue [she had come]   **4** elle vint [she came]

◇ raconter

1 Frieda a raconté ses « Little Frieda Stories » en anglais à sa petite-fille. [Frieda told "Little Frieda Stories" in English to her granddaughter.]   **2** elle racontait [she used to tell]
3 elle avait raconté [she had told]   **4** elle raconta [she told]

◇ écrire

1 Frieda a écrit ses « Souvenirs d'enfance » en français. [Frieda wrote her "Childhood Memories" in French.]   **2** elle écrivait [she used to write]   **3** elle avait écrit [she had written]   **4** elle écrivit [she wrote]

◇ adapter

1 Frieda a adapté ces histoires pour la version en flamand. [Frieda adapted these stories for the Flemish version.] **2** elle adaptait [she used to adapt] **3** elle avait adapté [she had adapted] **4** elle adapta [she adapted]

Groupe II : Compréhension

A Lisez et écoutez.

Elle s'est levée. Avant, elle s'était réveillée. Elle est partie au parc. Avant, elle s'était habillée. Elle a fait les courses au supermarché. Avant, elle avait choisi une recette. Elle a téléphoné au consulat. Avant, elle avait cherché le numéro. Elle a écrit une histoire de son enfance. Avant, elle avait regardé son album-photos.

B Écoutez et répétez, s'il vous plaît.

Elle s'est levée. Avant, elle s'était réveillée. [She got out of bed. Before that, she had woken up.] / Elle est partie au parc. Avant, elle s'était habillée. [She left for the park. Before that, she had gotten dressed.] / Elle a fait les courses au supermarché. Avant, elle avait choisi une recette. [She shopped at the supermarket. Before that, she had chosen a recipe.] / Elle a téléphoné au consulat. Avant, elle avait cherché le numéro. [She called the consulate. Before that, she had looked up the number.] / Elle a écrit une histoire de son enfance. Avant, elle avait regardé son album-photos. [She wrote a story about her childhood. Before that, she had looked at her photo album.]

C Écoutez pour comprendre et répondez aux questions.

Elle s'est levée. Avant, elle s'était réveillée. Elle est partie au parc. Avant, elle s'était habillée. Elle a fait les courses au supermarché. Avant, elle avait choisi une recette. Elle a téléphoné au consulat. Avant, elle avait cherché le numéro. Elle a écrit une histoire de son enfance. Avant, elle avait regardé son album-photos.

D Questions « vrai » ou « faux » :

1 Ella a choisi une recette. Avant, elle avait téléphoné au consulat.

2 Elle s'est levée. Avant, elle s'était habillée.

3 Elle a écrit. Avant, elle avait regardé des photos.

Réponses

1 faux 2 faux 3 vrai

Groupe I : Vocabulaire, grammaire, et dialogues

◇ **Observer la culture / Observing Culture**

une opinion [an opinion] / une réaction [a reaction] / un jugement [a judgment] / une analyse culturelle [a cultural analysis] / une commémoration [a commemoration] / une observation [an observation] / une plaisanterie [a joke] / un doute [a doubt] / une émotion [an emotion]

◇ **Le Subjontif du verbe « être »**

que je sois [that I be]

que tu sois [that you be]

qu'il soit [that he be]

que nous soyons [that we be]

que vous soyez [that you be]

qu'ils soient [that they be]

◇ **Le Subjontif du verbe « avoir »**

que j'aie [that I have]

que tu aies [that you have]

qu'il ait [that he have]

que nous ayons [that we have]

que vous ayez [that you have]

qu'ils aient [that they have]

◇ Le Subjontif du verbe « aller »

que j'aille [that I go]

que tu ailles [that you go]

qu'elle aille [that she go]

que nous allions [that we go]

que vous alliez [that you go]

qu'ils aillent [that they go]

◇ Le Subjontif du verbe « faire »

que je fasse [that I make / do]

que tu fasses [that you make / do]

qu'il fasse [that he make / do]

que nous fassions [that we make / do]

que vous fassiez [that you make / do]

qu'elles fassent [that they make / do]

◇ Le Subjontif du verbe « pouvoir »

que je puisse [that I be able]

que tu puisses [that you be able]

qu'elle puisse [that she be able]

que nous puissions [that we be able]

que vous puissiez [that you be able]

qu'ils puissent [that they be able]

◇ Le Subjontif du verbe « savoir »

que je sache [that I know]

que tu saches [that you know]

qu'il sache [that he know]

que nous sachions [that we know]

que vous sachiez [that you know]

qu'ils sachent [that they know]

◊ Expressions suivies du subjonctif / Expressions Followed by the Subjunctive

je veux que	I want
je ne veux pas que	I don't want
il faut que	one must
il ne faut pas que	one must not
il est possible que	it's possible that
il n'est pas possible que	it's not possible that
je voulais que	I wanted that
je ne voulais pas que	I didn't want that
je voudrais que	I'd like that
je ne voudrais pas que	I wouldn't like that
j'aimerais que	I'd like that
je n'aimerais pas que	I wouldn't like that
je préférerais que	I'd prefer that
je doute que	I doubt that
je ne doute pas que	I don't doubt that
je ne pense pas que	I don't think that
il est bon que	it's good that
il est nécessaire que	it's necessary that
il est essentiel que	it's essential that
il est préférable que	it's preferable that
il est important que	it's important that
il est étonnant que	it's astonishing that
il est douteux que	it's doubtful that
il est peu probable que	it's unlikely that

◇ **Les Activités possibles / Possible Activities**

Il est possible que nous allions à la pêche.	It is possible that we'll go fishing.
Il est probable que nous ferons de l'escalade.	It is probable that we'll go rock climbing.
Il aimerait que nous jouions à la pétanque.	He would like that we play pétanque.
Je ne pense pas que vous jouiez au squash.	I don't believe that you play squash.
Il est étonnant qu'ils jouent au tennis.	It is amazing that they play tennis.
Vous voulez que nous fassions du camping ?	Do you want us to go camping?
Nous préférons qu'ils cherchent des champignons.	We prefer that they hunt for mushrooms.
Je doute qu'elle puisse faire du ski.	I doubt that she can ski.
Il est peu probable que la banque soit ouverte.	There is little chance that the bank is open.
Il n'est pas sûr que vous trouviez une bijouterie.	It is not certain that you'll find a jewelry store.

Groupe II : Compréhension

A Lisez et écoutez.

Il est nécessaire de conserver l'eau à Sobo Badè. Il est nécessaire que les habitants soient conscients de l'importance de l'eau. Mais il est important de se laver les mains. Il est important qu'ils aient les mains propres.

Au restaurant, il est bon d'avoir de l'eau et du savon et que les clients sachent utiliser le Canacla. Le Canacla est une machine pour que les clients puissent se laver les mains. Ensuite, il est important qu'ils mettent les serviettes en papier dans les corbeilles.

C'est fantastique que les artisans fassent les Canaclas avec des matériaux naturels. Enfin, il est essentiel de recycler l'eau de Sobo Badè.

B Écoutez et répétez, s'il vous plaît.

Il est nécessaire de conserver l'eau à Sobo Badè. [It is necessary to save water in Sobo Badé.] / Il est nécessaire les habitants soient conscients de l'importance de l'eau. [It is necessary that the inhabitants be aware of the importance of water.] / Mais il est important de se laver les mains. [But it is important to wash hands.] / Il est important qu'ils aient les mains propres. [It is important that they have clean hands.]

Au restaurant, il est bon d'avoir de l'eau et du savon … [In the restaurant, it is good to have water and soap …] / … et que les clients sachent utiliser le Canacla. [… and that the clients know how to use Canacla.] / Le Canacla est une machine pour que les clients puissent se laver les mains. [The Canacla is a machine that allows clients to wash their hands.] / Ensuite, il est important qu'ils mettent les serviettes en papier dans les corbeilles. [Afterward, it is important that they put the paper napkins in the basket.]

C'est fantastique que les artisans fassent les Canaclas avec des matériaux naturels. [It is fantastic that the artisans make Canaclas with natural materials.] / Enfin, il est essentiel de recycler l'eau de Sobo Badè. [Finally, it is essential to recycle Sobo Badè's water.]

C Écoutez pour comprendre et répondez aux questions.

Il est nécessaire de conserver l'eau à Sobo Badè. Il est nécessaire que les habitants soient conscients de l'importance de l'eau. Mais il est important de se laver les mains. Il est important qu'ils aient les mains propres.

Au restaurant, ils est bon d'avoir de l'eau et du savon et que les clients sachent utiliser le Canacla. Le Canacla est une machine pour que les clients puissent se laver les mains. Ensuite, il est important qu'ils mettent les serviettes en papier dans les corbeilles.

C'est fantastique que les artisans fassent les Canaclas avec des matériaux naturels. Enfin, il est essentiel de recycler l'eau de Sobo Badè.

D Questions « vrai » ou « faux » :

1 La conservation de l'eau est essentiel à Sobo Badè.

2 Les Canaclas sont des machines pour faire la cuisine.

3 Les Canaclas sont en plastique.

Réponses

1 vrai 2 faux 3 faux

Groupe I : Vocabulaire, grammaire, et dialogues

◊ **Pour continuer en français**

l'avenir [the future] / le futur [the future] / le présent [the present] / le passé [the past] / la suite [what happens next]

◊ **Le Futur**

aimer : Si je vais dans un restaurant traditionel québecois, j'aimerai leur poutine.

porter : Je porterai un manteau s'il fait froid ce soir.

regarder / apprécier / comprendre : Vous regarderez les graffitis et vous les apprécierez. Vous les comprendrez.

finir: Tu finiras les leçons de français aujourd'hui.

répondre : Vous répondrez en français si un Français vous parle !

faire : Nous ferons le voyage en avion.

aller : Nous irons au Maroc.

venir : Vous viendrez avec moi au site archéologique de Chella.

avoir : Nous aurons le temps de visiter les ruines.

devoir : Je devrai trouver un bon magasin dans le marché.

acheter : Vous y achèterez des souvenirs.

voir : Nous verrons les remparts le soir à Rabat.

savoir : Je saurai pourquoi ces ramparts sont importants.

être : Vous serez très contents.

◇ **Le Futur des verbes réguliers en -er**

AIMER · TO LOVE

j'aimerai [I will love]

tu aimeras [you will love]

il aimera [he will love]

nous aimerons [we will love]

vous aimerez [you will love]

elles aimeront [they will love]

◇ **Le Futur des verbes réguliers en -ir**

FINIR · TO FINISH

je finirai [I will finish]

tu finiras [you will finish]

il finira [he will finish]

nous finirons [we will finish]

vous finirez [you will finish]

elles finiront [they will finish]

◇ **Le Futur des verbes en -ir comme « partir »**

PARTIR · TO LEAVE

je partirai [I will leave]

tu partiras [you will leave]

il partira [he will leave]

nous partirons [we will leave]

vous partirez [you will leave]

elles partiront [they will leave]

◇ **Le Futur des verbes réguliers en -re**

ATTENDRE · TO WAIT

j'attendrai [I will wait]

tu attendras [you will wait]

il attendra [he will wait]

nous attendrons [we will wait]

vous attendrez [you will wait]

elles attendront [they will wait]

◇ **Le Futur des verbes irréguliers**

ÊTRE · TO BE

je serai [I will be]

tu seras [you will be]

elle sera [she will be]

nous serons [we will be]

vous serez [you will be]

ils seront [they will be]

AVOIR · TO HAVE

j'aurai [I will have]

tu auras [you will have]

elle aura [she will have]

nous aurons [we will have]

vous aurez [you will have]

ils auront [they will have]

FAIRE · TO DO

je ferai [I will do]

tu feras [you will do]

elle fera [she will do]

nous ferons [we will do]

vous ferez [you will do]

ils feront [they will do]

VENIR · TO COME

je viendrai [I will come]

tu viendras [you will come]

elle viendra [she will come]

nous viendrons [we will come]

vous viendrez [you will come]

ils viendront [they will come]

DEVOIR • TO HAVE TO

je devrai [I will have to]

tu devras [you will have to]

elle devra [she will have to]

nous devrons [we will have to]

vous devrez [you will have to]

ils devront [they will have to]

SAVOIR • TO KNOW

je saurai [I will know]

tu sauras [you will know]

elle saura [she will know]

nous saurons [we will know]

vous saurez [you will know]

ils sauront [they will know]

VOIR • TO SEE

je verrai [I will see]

tu verras [you will see]

elle verra [she will see]

nous verrons [we will see]

vous verrez [you will see]

ils verront [they will see]

Groupe II : Compréhension

A Lisez et écoutez.

Je chercherai des occasions de pratiquer mon français. J'explorerai les activités de l'Alliance Française. Je regarderai des films français sous-titrés et la télévision en français sur Internet. Je ferai un voyage dans un pays francophone. Je lirai des romans, des poèmes en français. J'étudierai l'histoire et les cultures des pays francophones.

Je participerai à un club de lecture en français. J'écouterai des chansons françaises. Je chanterai des chansons françaises. Je copierai les belles phrases dans mes textes en français. Je ferai des listes de mots nouveaux.

B Écoutez et répétez, s'il vous plaît.

Je chercherai des occasions de pratiquer mon français. [I'll look for opportunities to practice my French.] / J'explorerai les activités de l'Alliance Française. [I'll explore the activities at the Alliance Française.] / Je regarderai des films français sous-titrés et la télévision en français sur Internet. [I'll watch subtitled French movies and French TV on Internet.] / Je ferai un voyage dans un pays francophone. [I'll travel in a francophone country.]

Je lirai des romans, des poèmes en français. [I'll read novels and poems in French.] / J'étudierai l'histoire et les cultures des pays francophones. [I'll study history and cultures of francophone countries.] / Je participerai à un club de lecture en français. [I'll join a French book club.] / J'écouterai des chansons françaises. [I'll listen to French songs.] / Je chanterai des chansons françaises. [I'll sing French songs.] / Je copierai les belles phrases dans mes textes en français. [I'll copy beautiful sentences from my French books.] / Je ferai des listes de mots nouveaux. [I'll make lists of new words.]

C Écoutez pour comprendre et répondez aux questions.

Je chercherai des occasions de pratiquer mon français. J'explorerai les activités de l'Alliance Française. Je regarderai des films français sous-titrés et la télévision en français sur Internet. Je ferai un voyage dans un pays francophone. Je lirai des romans, des poèmes en français. J'étudierai l'histoire et les cultures des pays francophones.

Je participerai à un club de lecture en français. J'écouterai des chansons françaises. Je chanterai des chansons françaises. Je copierai les belles phrases dans mes textes en français. Je ferai des listes de mots nouveaux.

D Questions « vrai » ou « faux » :

1 Il est utile de lire en français.

2 Il est important d'étudier la langue avec la culture des pays francophones.

3 Il est inutile de faire des listes de mots nouveaux.

Réponses

1 vrai 2 vrai 3 faux

L'ALPHABET PHONÉTIQUE INTERNATIONAL

Though the International Phonetic Alphabet is rarely used in this course, it often appears in dictionaries and it can help you differentiate French sounds.

Voyelles / Vowels

VOYELLES ORALES / ORAL VOWELS

[i] pire
[e] préférer
[ɛ] faire
[a] mal
[y] tu
[ø] peu

[ə] je
[œ] peur
[u] sous
[o] héros
[ɔ] mort
[ɑ] la

VOYELLES NASALS / NASAL VOWELS

[œ̃] un
[ɔ̃] bon
[ɛ̃] vin
[ɑ̃] blanc

SEMI-VOYELLES / SEMI-VOWELS

[j] fille
[w] oui
[ɥ] huître

Consonnes / Consonants

CONSONNES ORALES / ORAL CONSONANTS

[p] partie
[b] bateau
[t] terrible
[d] dada
[f] France
[v] vue
[k] confit

[g] gare
[s] salade
[z] zéro
[ʃ] Charlemagne
[ʒ] jour
[ʁ] rue
[l] langue

CONSONNES NASALES / NASAL CONSONANTS

[m] mère
[n] non
[ɲ] Agnès
[ŋ] smoking

V. Online Resources

Linguee.
> http://www.linguee.com/

>> This word-reference site has the advantage of presenting words in many different contexts, all taken from authentic French documents

RFI.
> http://savoirs.rfi.fr/fr/apprendre-enseigner/langue-francaise/journal-en-francais-facile

>> This site provides learners with news in simple French and comprehension quizzes. Podcast available for different devices.

Tex's French Grammar.
> https://www.laits.utexas.edu/tex/

>> This site provides learners with clear explanations in English as well as interactive exercises.

TV5 Monde / Langue française.
> http://www.tv5monde.com/

>> This site provides learners with hundreds of videos clips with exercises for different levels of proficiency, as defined by the European Framework for Foreign Languages Learners: A1, A2, B1, B2. You will also have access to dictionaries and self-assessment tools.

WordReference.
> http://www.wordreference.com/

>> An online dictionary for multiple languages, WordReference also includes free forums where you can ask questions and receive answers from native speakers. This is a great source for tips on proper usage, expressions, verb conjugations, and slang.

IMAGE CREDITS